JN079407

人を対象とする生命科学・医学系研究に関する

倫理指針ハンドブック

改訂版

薬事日報社

はじめに

令和3(2021)年3月23日に「人を対象とする生命科学・医学系研究に関する倫理指針」(文部科学省、厚生労働省、経済産業省告示第1号:生命・医学系指針)が告示されました。

これまで、治験や臨床研究法対象の研究を除いた医学系研究は「人を対象とする医学系研究に関する倫理指針」(平成26(2014)年文部科学省、厚生労働省告示第3号:医学系指針)及び「ヒトゲノム・遺伝子解析研究に関する倫理指針」(平成13(2001)年文部科学省、厚生労働省、経済産業省告示第1号:ゲノム指針)によって実施されてきました。

しかし、これら2つの指針には、それぞれ共通する項目の内容に若干の相違があり、混乱を生じるとの指摘がありました。また、両指針の「必要に応じ、又は施行後5年を目途としてその全般に関して検討を加えた上で、見直しを行う」との規定もふまえ、文部科学省、厚生労働省及び経済産業省による「医学研究等に係る倫理指針の見直しに関する合同会議」において、両指針間の項目の整合性と指針改正について検討が行われ、共通する項目の記載内容の統一等によって、両指針を統合することが可能であるとの結論が得られたことから、両指針を統合した新たな指針として、生命・医学系指針が策定されるに至りました。

その後、生命・医学系指針は、「個人情報の保護に関する法律」(個人情報保護法)の一部改正(「個人情報の保護に関する法律等の一部を改正する法律」(令和2(2020)年6月12日法律第44号:一部の例外を除き令和4(2022)年4月1日より全面施行))に加え、「デジタル社会の形成を図るための関係法律の整備に関する法律」(デジタル社会形成整備法)の公布(令和3年5月19日法律第37号)と順次施行(令和4年4月1日及び令和5(2023)年4月1日)に伴う個人情報保護法の改正をふまえた見直しが行われ、令和4年3月10日及び令和5年3月27日にそれぞれ一部改正告示が発出されました。

この2回にわたる一部改正では、用語の定義及び適用範囲の見直し、個人情報の管理主体の規定、インフォームド・コンセント(IC)等の手続きの見直し、個人情報及び匿名加工情報(生命・医学系指針第9章)の見直し、オプトアウト手続きの見直し、外国の研究機関に試料・情報を提供する場合の通知事項等の見直しが行われています。また、令和4年6月6日、令和5年4月17日には、それぞれの一部改正にあわせて各規定の解釈や留意点等をまとめたガイダンスも一部改訂されています。

令和５年の最終改正後の生命・医学系指針は、令和５年７月１日からの施行となっており、その運用がすでに開始されています。本書は、この生命・医学系指針に関連する資料等を、コンパクトな形で活用できるよう１冊にまとめました。本書が関係者の日々の業務に役立つことができれば幸いです。

2023 年 9 月

株式会社薬事日報社

目　次

001　**人を対象とする生命科学・医学系研究に関する倫理指針関連**

003　人を対象とする生命科学・医学系研究に関する倫理指針
（令和３年３月23日　文部科学省、厚生労働省、経済産業省告示第１号）

003　人を対象とする生命科学・医学系研究に関する倫理指針の一部を改正する件
（令和４年３月10日　文部科学省、厚生労働省、経済産業省告示第１号）

003　人を対象とする生命科学・医学系研究に関する倫理指針の一部を改正する件
（令和５年３月27日　文部科学省、厚生労働省、経済産業省告示第１号）

008　「人を対象とする生命科学・医学系研究に関する倫理指針」の制定について（通知）
（令和３年３月23日　２文科振第538号、科発0323第１号、医政発0323第１号、20210322商局第５号）

014　「人を対象とする生命科学・医学系研究に関する倫理指針」の一部改正について（通知）
（令和４年３月10日　３文科振第654号、科発0310第１号、医政発0310第１号、20220307商局第４号）

020　仮名加工情報である医療情報のみを用いて行うAI画像診断機器等の開発・研究等への生命・医学系指針の適用等について
（令和４年３月31日　文部科学省研究振興局ライフサイエンス課生命倫理・安全対策室、厚生労働省大臣官房厚生科学課、厚生労働省医政局研究開発振興課、経済産業省商務・サービスグループヘルスケア産業課事務連絡）

023　「人を対象とする生命科学・医学系研究に関する倫理指針」の一部改正について（通知）
（令和５年３月27日　４文科振第1452号、科発0327第２号、産情発0327第１号、20230322商局第１号）

029　**人を対象とする生命科学・医学系研究に関する倫理指針ガイダンス関連**

031　「人を対象とする生命科学・医学系研究に関する倫理指針ガイダンス」について
（令和３年４月16日　文部科学省研究振興局ライフサイエンス課生命倫理・安全対策室、厚生労働省大臣官房厚生科学課、厚生労働省医政局研究開発振興課、経済産業省商務・サービスグループ生物化学産業課事務連絡）

033 「人を対象とする生命科学・医学系研究に関する倫理指針ガイダンス」の一部改訂について（令和４年６月６日　文部科学省研究振興局ライフサイエンス課生命倫理・安全対策室、厚生労働省大臣官房厚生科学課、厚生労働省医政局研究開発振興課、経済産業省商務・サービスグループヘルスケア産業課事務連絡）

035 「人を対象とする生命科学・医学系研究に関する倫理指針ガイダンス」の一部改訂について（令和５年４月17日　文部科学省研究振興局ライフサイエンス課生命倫理・安全対策室、厚生労働省大臣官房厚生科学課、厚生労働省医政局研究開発政策課、経済産業省商務・サービスグループヘルスケア産業課事務連絡）

037 人を対象とする生命科学・医学系研究に関する倫理指針ガイダンス
（令和３年４月16日　令和４年６月６日一部改訂　令和５年４月17日一部改訂）

227 **人を対象とする生命科学・医学系研究に関する倫理指針説明資料**

229 人を対象とする生命科学・医学系研究に関する倫理指針について（策定経緯及び医学系指針及びゲノム指針からの主な変更点）
（令和３年４月　文部科学省研究振興局ライフサイエンス課生命倫理・安全対策室、厚生労働省大臣官房厚生科学課、厚生労働省医政局研究開発振興課、経済産業省商務・サービスグループ生物化学産業課）

239 令和２年・３年個人情報保護法の改正に伴う生命・医学系指針の改正について
（令和４年３月　文部科学省、厚生労働省、経済産業省）

257 人を対象とする生命科学・医学系研究に関する倫理指針令和５年改正について
（令和５年４月　文部科学省、厚生労働省、経済産業省）

参考　「人を対象とする生命科学・医学系研究に関する倫理指針」策定経緯

①　疫学研究に関する倫理指針

- 平成 14 年 6 月 17 日　文部科学省・厚生労働省告示第 2 号
  ※施行は平成 14 年 7 月 1 日
- 平成 16 年 12 月 28 日　全部改正
- 平成 17 年 6 月 29 日　一部改正
- 平成 19 年 8 月 16 日　全部改正
- 平成 20 年 12 月 1 日　一部改正
- 平成 25 年 4 月 1 日　一部改正
- 平成 27 年 3 月 31 日　廃止

②　臨床研究に関する倫理指針

- 平成 15 年 7 月 16 日　厚生労働省告示第 255 号
  ※施行は平成 15 年 7 月 30 日
- 平成 16 年 12 月 28 日　全部改正
- 平成 20 年 7 月 31 日　全部改正
- 平成 27 年 3 月 31 日　廃止

③　ヒトゲノム・遺伝子解析研究に関する倫理指針

- 平成 13 年 3 月 29 日　文部科学省、厚生労働省、経済産業省告示第 1 号
  ※施行は平成 13 年 4 月 1 日
- 平成 16 年 12 月 28 日　全部改正
- 平成 17 年 6 月 29 日　一部改正
- 平成 20 年 12 月 1 日　一部改正
- 平成 25 年 2 月 8 日　全部改正
- 平成 26 年 11 月 25 日　一部改正
- 平成 29 年 2 月 28 日　一部改正
- 令和 3 年 6 月 30 日　廃止

④　人を対象とする医学系研究に関する倫理指針（①と②を統合）

- 平成 26 年 12 月 22 日　文部科学省、厚生労働省告示第 3 号
  ※施行は平成 27 年 4 月 1 日（モニタリング・監査関連規定については 10 月 1 日施行）
- 平成 29 年 2 月 28 日　一部改正

・令和 3 年 6 月30日　廃止

⑤　**人を対象とする生命科学・医学系研究に関する倫理指針**（③と④を統合）

・令和 3 年 3 月23日　文部科学省、厚生労働省、経済産業省告示第 1 号
※施行は令和 3 年 6 月 30 日

・令和 4 年 3 月10日　一部改正
※施行は令和 4 年 4 月 1 日

・令和 5 年 3 月27日　一部改正
※施行は令和 5 年 7 月 1 日

人を対象とする生命科学・医学系研究に関する倫理指針関連

人を対象とする生命科学・医学系研究に関する倫理指針

令和３年３月23日　文部科学省、厚生労働省、経済産業省告示第１号

人を対象とする生命科学・医学系研究に関する倫理指針を次のように定める。なお、ヒトゲノム・遺伝子解析研究に関する倫理指針（平成25年文部科学省、厚生労働省、経済産業省告示第１号）及び人を対象とする医学系研究に関する倫理指針（平成26年文部科学省、厚生労働省告示第３号）は、令和３年６月30日限り廃止する。

人を対象とする生命科学・医学系研究に関する倫理指針の一部を改正する件

令和４年３月10日　文部科学省、厚生労働省、経済産業省告示第１号

人を対象とする生命科学・医学系研究に関する倫理指針（令和３年文部科学省、厚生労働省、経済産業省告示第１号）の一部を次の表のように改正し、令和４年４月１日から適用する。

人を対象とする生命科学・医学系研究に関する倫理指針の一部を改正する件

令和５年３月27日　文部科学省、厚生労働省、経済産業省告示第１号

人を対象とする生命科学・医学系研究に関する倫理指針（令和３年文部科学省、厚生労働省、経済産業省告示第１号）の一部を次の表のように改正し、令和５年７月１日から適用する。

人を対象とする生命科学・医学系研究に関する倫理指針

目次

前文
第１章　総則
　第１　目的及び基本方針
　第２　用語の定義
　第３　適用範囲
　　１　適用される研究
　　２　死者に係る情報

3 日本国外において実施される研究
第2章 研究者等の責務等
第4 研究者等の基本的責務
1 研究対象者等への配慮
2 教育・研修
第5 研究機関の長の責務等
1 研究に対する総括的な監督
2 研究の実施のための体制・規程の整備等
第3章 研究の適正な実施等
第6 研究計画書に関する手続
1 研究計画書の作成・変更
2 倫理審査委員会への付議
3 研究機関の長による許可等
4 研究の概要の登録
5 研究の適正な実施の確保
6 研究終了後の対応
第7 研究計画書の記載事項
第4章 インフォームド・コンセント等
第8 インフォームド・コンセントを受ける手続等
1 インフォームド・コンセントを受ける手続等
2 電磁的方法によるインフォームド・コンセントの取得
3 試料・情報の提供に関する記録
4 研究計画書の変更
5 説明事項
6 研究対象者等に通知し、又は研究対象者等が容易に知り得る状態に置くべき事項
7 研究対象者に緊急かつ明白な生命の危機が生じている状況における研究の取扱い
8 インフォームド・コンセントの手続等の簡略化
9 同意の撤回等
第9 代諾者等からインフォームド・コンセントを受ける場合の手続等
1 代諾の要件等
2 インフォームド・アセントを得る場合の手続等

第５章　研究により得られた結果等の取扱い
第10　研究により得られた結果等の説明
1　研究により得られた結果等の説明に係る手続等
2　研究に係る相談実施体制等
第６章　研究の信頼性確保
第11　研究に係る適切な対応と報告
1　研究の倫理的妥当性及び科学的合理性の確保等
2　研究の進捗状況の管理・監督及び有害事象等の把握・報告
3　大臣への報告等
第12　利益相反の管理
第13　研究に係る試料及び情報等の保管
第14　モニタリング及び監査
第７章　重篤な有害事象への対応
第15　重篤な有害事象への対応
1　研究者等の対応
2　研究責任者の対応
3　研究機関の長の対応
第８章　倫理審査委員会
第16　倫理審査委員会の設置等
1　倫理審査委員会の設置の要件
2　倫理審査委員会の設置者の責務
第17　倫理審査委員会の役割・責務等
1　役割・責務
2　構成及び会議の成立要件等
3　迅速審査等
4　他の研究機関が実施する研究に関する審査
第９章　個人情報等、試料及び死者の試料・情報に係る基本的責務
第18　個人情報の保護等
1　個人情報等の取扱い
2　試料の取扱い
3　死者の試料・情報の取扱い
第10章　その他
第19　施行期日

第20　経過措置
第21　見直し

前文

人を対象とする生命科学・医学系研究は、生命科学・医学及び医療技術の進展を通じて、国民の健康の保持増進並びに患者の傷病からの回復及び生活の質の向上に大きく貢献し、人類の健康及び福祉の発展や新しい産業の育成等に重要な役割を果たしている。これらの研究基盤や研究そのものは、今後も持続的に発展が求められるものである。

その一方で、人を対象とする生命科学・医学系研究は、研究対象者の身体及び精神又は社会に対して大きな影響を与え、診療及び医療サービスの変化をもたらし、新たな倫理的、法的又は社会的課題を招く可能性がある。研究対象者の福利は、科学的及び社会的な成果よりも優先されなければならず、人間の尊厳及び人権は普遍のものとして守られなければならない。また、これらの研究は、社会の理解と信頼を得ることにより、より一層有益なものとなる。そこで、我が国では学問の自由を尊重しつつ、人を対象とする生命科学・医学系研究が人間の尊厳及び人権を尊重して適正かつ円滑に行われるために諸外国の制度も勘案し、制度的枠組みを構築してきた。

我が国では、日本国憲法、個人情報の保護に関する法律（平成15年法律第57号。以下「個人情報保護法」という。）、条例、世界医師会による「ヘルシンキ宣言」及び科学技術会議生命倫理委員会における「ヒトゲノム研究に関する基本原則」（平成12年6月14日科学技術会議生命倫理委員会決定）に示された倫理規範等を踏まえ、平成13年以降、関係省庁において関係指針※を順次定めてきた。加えて、研究対象及び手法の多様化並びに生命科学・医学及び医療技術の進展に伴い、規制範囲や方法等について継続的な見直しを行っている。

近年、人を対象とする医学系研究に関する倫理指針とヒトゲノム・遺伝子解析研究に関する倫理指針の両方に該当する研究が多く行われ、また、両指針に定められている手続に共通点が多いことから、令和3年に、人を対象とする医学系研究に関する倫理指針にヒトゲノム・遺伝子解析研究に関する倫理指針を統合した、新たな倫理指針を定めた。

研究には、多様な形態があることに配慮して、本指針においては基本的な原則を示すこととし、研究者等は研究計画を立案し、その適否について倫理審査委員会が審査を行い、研究の実施においては、全ての関係者は、この原則を踏まえつつ、個々の研究計画の内容等に応じて適切に判断することが求められる。

※
ヒトゲノム・遺伝子解析研究に関する倫理指針
（平成13年文部科学省・厚生労働省・経済産業省告示第1号、令和3年6月30日廃止）
疫学研究に関する倫理指針
（平成14年文部科学省・厚生労働省告示第2号、平成27年3月31日廃止）
臨床研究に関する倫理指針
（平成15年厚生労働省告示第255号、平成27年3月31日廃止）
人を対象とする医学系研究に関する倫理指針
（平成26年文部科学省・厚生労働省告示第3号、令和3年6月30日廃止）

◆編註：第1章～第9章については、p.41～参照。

第10章　その他

第19　施行期日

この指針は、令和5年7月1日から施行する。

第20　経過措置

(1)　この指針の施行の際現に改正前のこの指針又は廃止前の疫学研究に関する倫理指針、臨床研究に関する倫理指針、ヒトゲノム・遺伝子解析研究に関する倫理指針若しくは人を対象とする医学系研究に関する倫理指針の規定により実施中の研究については、個人情報保護関連法令及びガイドラインの規定が遵守される場合に限り、なお従前の例によることができる。

(2)　この指針の施行前において、現に改正前のこの指針又は廃止前の疫学研究に関する倫理指針、臨床研究に関する倫理指針、ヒトゲノム・遺伝子解析研究に関する倫理指針若しくは人を対象とする医学系研究に関する倫理指針の規定により実施中の研究について、研究者等及び研究機関の長又は倫理審査委員会の設置者が、それぞれ、この指針の規定により研究を実施し又は倫理審査委員会を運営することを妨げない。

第21　見直し

この指針は、必要に応じ、又は施行後5年を目途としてその全般に関して検討を加えた上で、見直しを行うものとする。

2文科振第538号
科　発0323第1号
医政発0323第1号
20210322商局第5号
令和3年3月23日

各国公私立大学長
各国公私立高等専門学校長
関係各施設等機関等の長
各大学共同利用機関法人機構長
関係各国立研究開発法人の長　殿
関係各独立行政法人の長
各都道府県知事
各特別区の長
各保健所設置市の長
関係各団体の長

文部科学省研究振興局長
杉野　剛
厚生労働省大臣官房厚生科学課長
佐々木　昌弘
厚生労働省医政局長
迫井　正深
経済産業省商務・サービス審議官
畠山　陽二郎

「人を対象とする生命科学・医学系研究に関する倫理指針」の制定について（通知）

ヒトゲノム・遺伝子解析研究については、「ヒトゲノム・遺伝子解析研究に関する倫理指針」（平成25年文部科学省・厚生労働省・経済産業省告示第1号。以下「ゲノム指針」という。）により、また、人を対象とする医学系研究については、「人を対象とする医学系研究に関する倫理指針」（平成26年文部科学省・厚生労働省告示第3号。以下「医学系指針」という。）により、その適正な実施を図ってきたところですが、今般、両指針の見直しを行い、医学系指針の規定内容を基本として両指針を統合し、令和３年３月23日付けで「人を対象とする生命科学・医殿学系研究に関する倫理指針」（令和３年文部科学省・厚生労働省・経済産業省告示第１号。以下「生命・医学系指針」という。）を制定しましたので、下記のとおり通知します。なお、制定の趣旨は下記１、ゲノム指針及び医学系指針と比較した主な変更点は下記２のとおりです。

つきましては、貴機関、貴団体又は管下において研究に携わる者全てに生命・医学系指針が遵守されるよう、周知徹底をお願いします。また、各研究機関においては生命・医学系指針に基づき研究が適正に行われるよう、必要な組織体制や内規の整備等の対応をお願いします。

なお、生命・医学系指針に関して、下記３のとおりガイダンスを策定するとともに、下記４のとおり指針運用窓口を設けていますので、生命・医学系指針の円滑な運用に向け、併せて関係者に対して周知徹底をお願いします。

記

１．制定の趣旨について

医学系指針及びゲノム指針について、必要に応じ、又は施行後５年を目途としてその全般に関して検討を加えた上で、見直しを行うものとされていること等を踏まえ、三省による「医学研究等に係る倫理指針の見直しに関する合同会議」において、医学系指針及びゲノム指針の両指針間の項目の整合性や指針改正の在り方について検討を行い、両指針において共通して規定される項目を医学系指針の規定内容に合わせる形で統一することにより、両指針を統合することが可能であるという結論が得られたことから、両指針を廃止し、新たな指針として生命・医学系指針を制定するものである。

新たに制定する生命・医学系指針では、医学系指針の適用範囲である「医学系研究」という用語を用いつつ、ヒトゲノム・遺伝子解析技術を用いた研究が様々な研究領域において行われていることを踏まえ、適用される研究領域の名称を「生命科学・医学系研究」とすることとしている。

生命・医学系指針は、令和３年３月23日に告示するとともに、同年６月30日から施行することとした。なお、医学系指針及びゲノム指針は、令和３年６月30日限り廃止し、それに伴い、「ヒトゲノム・遺伝子解析研究に関する倫理指針に基づく倫理審査委員会の設置及び運営の状況の把握等について」（平成

17年6月29日付け17文科振第346号、科発第0629006号、平成17・06・29製局第3号、文部科学省研究振興局長、厚生労働省大臣官房厚生科学課長及び経済産業省製造産業局長通知）は廃止する。

2．医学系指針及びゲノム指針と比較した主な変更点について

⑴　構成の見直し

生命・医学系指針では、「第1章」において、総論的な概念や定義等を整理した。「第2章」で研究者等が研究を実施する上で遵守すべき責務や考え方を整理するとともに、「第3章」から「第7章」で生命科学・医学系研究に携わる全ての関係者が行うべき具体的な手続きを研究が実施される流れに沿って整理した。その後、「第8章」に倫理審査委員会に関する項目について、「第9章」に特に留意すべき事項である個人情報等及び匿名加工情報の取扱い等に関する項目について、上述までに規定する研究実施の手続とは分けて規定した。

⑵　用語の定義の見直し

生命・医学系指針が適用される研究について、医学系指針及びゲノム指針の適用範囲に、医学系以外の領域で行われる研究（工学系学部の医工連携による研究への参画や、人文社会学系学部が人類学的観点から行う研究など）も含むことに留意し、「人を対象とする生命科学・医学系研究」として、定義を新設した。

また、研究計画書に基づいて研究が実施される研究機関以外であって、当該研究のために研究対象者から新たに試料・情報を取得し（侵襲（軽微な侵襲を除く）を伴う試料の取得は除く。）研究機関に提供のみを行う機関を、「研究協力機関」として定義し、それに伴い、新たに試料・情報を取得し、研究機関に提供のみを行う者を除くよう「研究者等」の定義を変更した。さらに、一の研究計画書に基づき複数の研究機関において実施される研究を「多機関共同研究」として新たに定義し、手続の効率化を図るため、原則として、一の倫理審査委員会による一括した審査を求めることとした。加えて、多機関共同研究を実施する場合に、複数の研究機関の研究責任者を代表する者として、「研究代表者」の定義を新設した。

さらに、ゲノム指針に規定されている「遺伝カウンセリング」の定義を一部改訂した上で規定した。

(3) 研究対象者等の基本的責務に係る規定の変更

研究対象者等への配慮として、地域住民等を対象とする研究を実施する場合に、その研究内容・意義について説明・理解を得るよう努めなければならないことを規定した。

(4) 研究計画書に関する手続

1) 多機関共同研究の新設に係る変更

多機関共同研究を実施する場合の研究代表者の選任や研究計画書の作成に係る規定を新設した。また、多機関共同研究に係る研究計画書については、原則として一の倫理審査委員会による一括した審査を求めなければならない旨の規定を新設した。

2) 研究の概要の登録等に係る規定を変更

介入を行う研究について、jRCT 等の公開データベースに、当該研究の概要等をその実施に先立って登録し、更新を行わなければならない旨を規定した。また、その他の研究についても、登録を努力義務とした。

(5) インフォームド・コンセント等の手続の見直し

1) インフォームド・コンセントの手続とその他の手続の項目を分離

医学系指針の規定では、「インフォームド・コンセントを受ける手続等」に係る規定の中に、他の研究機関に試料・情報の提供を行う際又は他の研究機関から試料・情報の提供を受ける際に必要な記録の作成の手続等の規定が混在していたため、インフォームド・コンセントの手続とその他の手続とを別の項目に規定した。

2) 研究協力機関において試料・情報の取得をする際のインフォームド・コンセントは、研究者等において受けなければならないこととした。

3) 研究者等が研究対象者等からインフォームド・コンセントを受ける際に、電磁的方法（デジタルデバイスやオンライン等）を用いることが可能である旨、その際に留意すべき事項についての規定を明記し新設した。

(6) 研究により得られた結果等の取扱いに係る規定の新設

ゲノム指針「第３の８ 遺伝情報の開示」「第３の９ 遺伝カウンセリング」の規定を改訂し、新設の項目として、研究者等は研究により得られる結果等の特性を踏まえ、研究対象者への説明方針を定め、インフォームド・コンセントを受ける際はその方針を説明、理解を得なければならないことを規定した。

(7) 倫理審査委員会への報告に係る規定の新設

研究計画書の軽微な変更のうち、委員会が事前に確認のみで良いと認めたものについては、倫理審査委員会への報告事項として取り扱うことができることとする規定を新設した。

(8) その他

1) 研究計画書の倫理審査委員会への付議等の手続の実施主体の変更

研究計画書の倫理審査委員会への付議や重篤な有害事象が発生した場合の大臣への報告等、研究実施に伴う必要な手続の実施主体を、研究機関の長ではなく研究責任者とした。これに伴い、研究機関の長の責務等を変更した。

2) ゲノム指針の細則で規定していた事項

より効率的な運用を図るため、内容に応じ本文又はガイダンスに整理することとした。

3) 経過措置

- 生命・医学系指針の施行の際現に廃止前の疫学研究に関する倫理指針、臨床研究に関する倫理指針、ゲノム指針又は医学系指針の規定により実施中の研究については、なお従前の例によることができる。
- 生命・医学系指針の施行前において、現に廃止前の疫学研究に関する倫理指針若しくは臨床研究に関する倫理指針、ゲノム指針又は医学系指針の規定により実施中の研究について、研究者等及び研究機関の長又は倫理審査委員会の設置者が、それぞれ、生命・医学系指針の規定により研究を実施し又は倫理審査委員会を運営することを妨げない。

3．ガイダンスの策定について

生命・医学系指針の各規定の解釈や具体的な手続の留意点等については、今後、ガイダンスを策定し、三省のホームページに掲載するので、適宜参照願いたい。

4．指針運用窓口について

生命・医学系指針の運用に関する質問等がある場合、下に掲げる三省の指針運用窓口のいずれにおいても受け付ける。

なお、医学的又は技術的に専門的な事項にわたる内容については、厚生労働省において検討し、必要に応じ専門家の意見も踏まえて対応する。

【指針運用窓口】
(「人を対象とする生命科学・医学系研究に関する倫理指針」の本文など、本件に関する一連の資料を以下の三省のホームページに掲載しておりますので、適宜御参照ください。)

○文部科学省研究振興局ライフサイエンス課生命倫理・安全対策室
住所：〒100-8959 東京都千代田区霞が関3-2-2
電話：03-5253-4111(代表)
E-mail：ethics@mext.go.jp
ホームページ：文部科学省ライフサイエンスの広場　生命倫理・安全に対する取組
https://www.lifescience.mext.go.jp/bioethics/seimeikagaku_igaku.html

○厚生労働省大臣官房厚生科学課、医政局研究開発振興課
住所：〒100-8916 東京都千代田区霞が関1-2-2
電話：03-5253-1111(代表)
FAX：03-3503-0183、03-3503-0595
ホームページ：研究に関する指針について
http://www.mhlw.go.jp/stf/seisakunitsuite/bunya/hokabunya/kenkyujigyou/i-kenkyu/index.html

○経済産業省商務・サービスグループ生物化学産業課
住所：〒100-8916 東京都千代田区霞が関1-3-1
電話：03-3501-8625
E-mail：kojinidenjyouhou@meti.go.jp
ホームページ：個人遺伝情報ガイドラインと生命倫理
https://www.meti.go.jp/policy/mono_info_service/mono/bio/Seimeirinnri/index.html

3文科振第654号
科 発0310第1号
医政発0310第1号
20220307商局第4号
令和4年3月10日

各国公私立大学長
各国公私立高等専門学校長
関係各施設等機関等の長
各大学共同利用機関法人機構長
関係各国立研究開発法人の長 殿
関係各独立行政法人の長
各都道府県知事
各特別区の長
各保健所設置市の長
関係各団体の長

文部科学省研究振興局長
池田 貴城
厚生労働省大臣官房厚生科学課長
佐々木 昌弘
厚生労働省医政局長
伊原 和人
経済産業省商務・サービス審議官
畠山 陽二郎

「人を対象とする生命科学・医学系研究に関する倫理指針」の一部改正について（通知）

人を対象とする生命科学・医学系研究については、「人を対象とする生命科学・医学系研究に関する倫理指針」（令和3年文部科学省・厚生労働省・経済産業省告示第1号。以下「指針」という。）により、その適正な実施を図ってきたところです。

今般、個人情報の保護に関する法律等の一部を改正する法律（令和2年法律第

44号）及びデジタル社会の形成を図るための関係法律の整備に関する法律（令和3年法律第37号）の一部の施行に伴い、これらの法律の規定による改正後の個人情報の保護に関する法律（平成15年法律第57号。以下「改正後個情法」という。）の規定を踏まえ、指針の見直しを行い、令和4年3月10日付けで「人を対象とする生命科学・医学系研究に関する倫理指針の一部を改正する件」（令和4年文部科学省・厚生労働省・経済産業省告示第1号。以下「改正指針」という。）を告示しましたので、下記のとおり通知します。なお、改正の趣旨は下記1、主な改正点は下記2のとおりです。

つきましては、貴機関、貴団体又は管下において研究に携わる者全てに改正指針が遵守されるよう、周知徹底をお願いします。また、各研究機関においては改正指針に基づき研究が適正に行われるよう、必要な組織体制や内規の整備等の対応をお願いします。

なお、改正指針に関して、下記3のとおりガイダンスを改訂するとともに、下記4のとおり指針運用窓口を設けていますので、改正指針の円滑な運用に向け、併せて関係者に対して周知徹底をお願いします。

記

1．改正の趣旨について

改正後個情法を踏まえ、令和3年5月より、文部科学省、厚生労働省及び経済産業省の3省による「生命科学・医学系研究等における個人情報の取扱い等に関する合同会議」において、指針の見直しについて検討を行ってきた。今般、令和3年に実施したパブリック・コメントにおける意見や、同合同会議における議論を踏まえ、改正指針を令和4年3月10日に告示するとともに、同年4月1日から施行することとした。

2．主な改正点について

(1)　用語の定義の見直し

生存する個人に関する情報についての用語は、改正後個情法における用語に合わせた。また、死者の情報に関する用語の定義は置かず、死者に係る情報を取り扱う研究について指針を準用する旨の規定を置いた。

「匿名化」の用語は用いないこととし、匿名化されている情報については、改正後個情法上の該当する各用語を当てた。

⑵ 指針の適用範囲の見直し

改正後個情法において仮名加工情報が新設されたこと等に伴い、「個人情報でない仮名加工情報」に相当する情報等についても、新たに指針の対象とすることとした。

⑶ 個人情報の管理主体の規定

個人情報の管理主体は、研究機関の長又は既存試料・情報のみを行う者が所属する機関の長であることを明示した。

⑷ インフォームド・コンセント等の手続の見直し

改正後個情法における学術例外規定の精緻化により、改正前の指針で規定されるインフォームド・コンセント（以下「IC」という。）等の手続（試料・情報の取得・利用・提供）について、例外要件ごとに規定する必要等が生じたため、見直しを行った。

① 新たに試料・情報を取得して研究を実施する場合（指針第8の1⑴）

○侵襲及び介入を行わず、試料を用いない研究については、一定の要件を満たす場合に、IC 手続等を適切な形で簡略化することができるものとした。

○改正後個情法第27条の規定も踏まえ、新たに取得した情報（要配慮個人情報を除く。）を共同研究機関に提供する場合のIC手続等については、既存の情報（要配慮個人情報を除く。）を他の研究機関に提供する場合のIC 手続等を準用することとした。

② 自機関で保有する既存試料・情報を用いて研究を実施する場合（指針第8の1⑵）

○IC 手続等を行うことなく利用できる既存試料・情報は、既に特定の個人を識別できない状態に管理されている試料（当該試料から個人情報が取得されない場合に限る。）、既存の仮名加工情報、匿名加工情報及び個人関連情報とした。

○社会的に重要性の高い研究に既存試料・情報を用いる場合及び試料を用いない場合について、一定の要件を満たした場合には適切な同意又はオプトアウトが許容されることとした。

③ 他の研究機関に既存試料・情報を提供する場合（指針第8の1⑶・⑷）

○提供される既存試料・情報の種類（試料又は要配慮個人情報を提供する場合か否か）によって場合分けをし、試料及び要配慮個人情報を提供しようとする場合は原則 IC を取得することとし、要配慮個人情報以外の情報を提供しようとする場合は原則適切な同意を取得することとした。

○IC 手続等を行うことなく提供することができる既存試料・情報は、既に特定の個人を識別できない状態に管理されている試料（当該試料から個人情報が取得されない場合に限る。）、個人関連情報（一定の場合に限る。）及び匿名加工情報（IC 取得が困難な場合に限る。）とした。

○一定の要件を満たす場合には IC 手続等を簡略化できるものとし、簡略化の要件を満たさない場合であっても、改正後個情法第 27 条第 1 項に定める例外要件に該当する場合は、オプトアウトによる提供が許容されるものとした。

○改正後個情法の内容も踏まえ、オプトアウトにより既存試料・情報を提供する際に研究対象者等へ通知し、又は研究対象者等が容易に知り得る状態に置くべき事項について見直した。

④　外国にある者へ試料・情報を提供する場合の取扱い（指針第 8 の 1 (6)）

○外国にある第三者に提供する場合には、引き続き、改正前の指針の規定を維持し、原則として、適切な同意を求めることとした。

○改正後個情法第 28 条第 1 項に定める例外要件である改正後個情法第 27 条第 1 項各号に該当する場合であっても、原則として㈠研究対象者等の適切な同意を得た場合、㈡個人情報保護委員会が定める基準に適合する体制を整備している者に対する提供である場合又は㈢我が国と同等の水準国にある者に対する提供である場合に限り提供できるものとした。

○改正後個情法第 27 条第 1 項各号に該当する場合であっても㈠の場合には、改正後個情法第 28 条第 2 項と同様、同意取得に当たっては、外国の名称等の情報を研究対象者等に提供する必要があるものとした。

○改正後個情法第 27 条第 1 項各号に該当する場合であっても㈡の場合には、改正後個情法第 28 条第 3 項と同様、相当措置の継続的な実施を確保するために必要な措置を講ずるとともに、研究対象者等の求めに応じて当該必要な措置に関する情報を本人に提供する必要があるものとした。

○改正後個情法第 27 条第 1 項各号に該当し、㈡又は㈢に該当しない場合で、かつ、同意の取得が困難なときは、倫理審査委員会の意見を聴いた上で、オプトアウトが許容されるものとする。

⑤　その他

○第三者提供の際の個人関連情報の取扱いについては、改正後個情法上の取扱いに準じた取扱いとした。また、提供を受けた研究者等は、研究を実施するに当たっては、自機関で保有する既存情報を用いて研究を実施しようとする場合の規定に準じたIC手続等を行うものとした。

⑸ 改正前の指針第9章（個人情報等及び匿名加工情報）の見直し

第9章においては、個人情報等について改正後個情法を遵守し、改正後個情法の対象でない試料及び死者の試料・情報についても、個人識別性、死者の尊厳及び遺族等の感情に鑑み、改正後個情法や条例等に準じた措置を講ずるよう努めることとした。また、改正後個情法では学術研究機関等に対しても法の規律が適用されることに伴い、改正前の指針第18の2、第19、第20及び第21を削除した。

⑹ 経過措置

改正前の指針及びそれ以前の指針（廃止前の疫学研究に関する倫理指針、臨床研究に関する倫理指針、ヒトゲノム・遺伝子解析研究に関する倫理指針又は人を対象とする医学系研究に関する倫理指針）の規定により実施中の研究については、個人情報保護関連法令及びガイドラインの規定が遵守される場合に限り、なお従前の例によることができる。

3．ガイダンスの改訂について

改正指針の各規定の解釈や具体的な手続の留意点等については、今後、ガイダンスを改訂し、3省のホームページに掲載するので、必ず参照願いたい。

4．指針運用窓口について

改正指針の運用に関する質問等がある場合、下に掲げる3省の指針運用窓口のいずれにおいても受け付ける。

なお、医学的又は技術的に専門的な事項にわたる内容については、厚生労働省において検討し、必要に応じ専門家の意見も踏まえて対応する。

【指針運用窓口】

指針の本文など、本件に関する一連の資料を以下の3省のホームページに掲載しておりますので、御参照ください。

○文部科学省研究振興局ライフサイエンス課生命倫理・安全対策室
住所：〒100-8959 東京都千代田区霞が関3-2-2
電話：03-5253-4111（代表）

E-mail：bio-med@mext.go.jp
ホームページ：文部科学省ライフサイエンスの広場　生命倫理・安全に対する取組
https://www.lifescience.mext.go.jp/bioethics/seimeikagaku_igaku.html

○厚生労働省大臣官房厚生科学課、医政局研究開発振興課
住所：〒100-8916 東京都千代田区霞が関 1-2-2
電話：03-5253-1111（代表）
E-mail：ethics@mhlw.go.jp
ホームページ：研究に関する指針について
http://www.mhlw.go.jp/stf/seisakunitsuite/bunya/hokabunya/kenkyujigyou/i-kenkyu/index.html

○経済産業省商務・サービスグループヘルスケア産業課
住所：〒100-8916 東京都千代田区霞が関 1-3-1
電話：03-3501-1790
E-mail：ethics@meti.go.jp
ホームページ：個人遺伝情報ガイドラインと生命倫理
https://www.meti.go.jp/policy/mono_info_service/mono/bio/Seimeirinnri/index.html

事務連絡
令和4年3月31日

各国公私立大学
各国公私立高等専門学校
関係各施設等機関等
各大学共同利用機関法人機構
関係各国立研究開発法人
関係各独立行政法人
各都道府県
各特別区
各保健所設置市
関係各団体
関係部局　御中

文部科学省研究振興局ライフサイエンス課生命倫理・安全対策室
厚生労働省大臣官房厚生科学課
厚生労働省医政局研究開発振興課
経済産業省商務・サービスグループヘルスケア産業課

仮名加工情報である医療情報のみを用いて行うAI画像診断機器等の開発・研究等への生命・医学系指針の適用等について

今般、個人情報の保護に関する法律等の一部を改正する法律（令和2年法律第44号）及びデジタル社会の形成を図るための関係法律の整備に関する法律（令和3年法律第37号）の一部の施行に伴い、これらの法律の規定による改正後の個人情報の保護に関する法律（平成15年法律第57号。以下「改正後個情法」という。）の規定を踏まえ、「人を対象とする生命科学・医学系研究に関する倫理指針（令和3年文部科学省・厚生労働省・経済産業省告示第1号。以下「生命・医学系指針」という。）」の見直しを行い、令和4年3月10日付けで「人を対象とする生命科学・医学系研究に関する倫理指針の一部を改正する件」（令和4年文部科学省・厚生労働省・経済産業省告示第1号。以下「改正告示」という。）を告示したところです。

上記改正告示を踏まえ、仮名加工情報である医療情報のみを用いて行うAI画像診断機器等の開発・研究等への生命・医学系指針の適用の要否について、下記のとおり整理を行ったため、貴機関、貴団体又は管下において研究に携わる者全てに周知いただくとともに、研究が適正に行われるよう、活用いただくようお願いします。

また本件については、規制改革実施計画（令和3年6月18日閣議決定）において、「AI画像診断機器等の性能評価において、仮名加工情報を利用することの可否について検討した上で、教師用データや性能評価用データとして求められる、医療画像や患者データについて整理を行い、当該データを仮名加工情報に加工して用いる際の手法等について具体例を示す。あわせて、仮名加工された医療情報のみを用いて行うAI画像診断機器等の開発・研究等への「人を対象とする生命科学・医学系研究に関する倫理指針」（令和3年文部科学省・厚生労働省・経済産業省告示第1号）の適用の要否について整理を行い、その結果について周知する。」こととされていることを申し添えます。

記

1．仮名加工情報である医療情報のみを用いて行うAI画像診断機器等の開発・研究等への生命・医学系指針の適用の要否について

改正後個情法において仮名加工情報が新設されたこと等に伴い、仮名加工情報についても、新たに指針の対象とすることとした。よって、仮名加工情報である医療情報のみを用いて行うAI画像診断機器等の開発・研究等は、生命・医学系指針の適用を受けることとなる。なお、仮名加工情報は第三者提供の禁止（法令に基づく場合の他、委託、事業継承又は共同利用を除く。）、識別行為の禁止、本人への連絡等の禁止等が課されていることから、その利用に当たっては、内部分析における活用が主となるものと想定されるところ、機関内部における仮名加工情報を活用したAI画像診断機器等の開発・研究等の実施に際しては「生命・医学系指針第4章第8の1インフォームド・コンセントを受ける手続等(2)自らの研究機関において保有している既存試料・情報を研究に用いる場合」等を参照されたい。

2．問い合わせ先

厚生労働省大臣官房厚生科学課

住所：〒100-8916 東京都千代田区霞が関 1-2-2

電話：03-5253-1111（代表）

E-mail：ethics@mhlw.go.jp

ホームページ：研究に関する指針について

http://www.mhlw.go.jp/stf/seisakunitsuite/bunya/hokabunya/kenkyujigyou/i-kenkyu/index.html

4文科振第1452号
科　発0327第2号
産情発0327第1号
20230322商局第1号
令和5年3月27日

各国公私立大学長
各国公私立高等専門学校長
関係各施設等機関等の長
各大学共同利用機関法人機構長
関係各国立研究開発法人の長
関係各独立行政法人の長
各都道府県知事
各特別区の長
各保健所設置市の長
関係各団体の長
殿

文部科学省研究振興局長
森　晃憲
厚生労働省大臣官房厚生科学課長
伯野　春彦
厚生労働省大臣官房医薬産業振興・医療情報審議官
城　克文
経済産業省大臣官房商務・サービス審議官
茂木　正

「人を対象とする生命科学・医学系研究に関する倫理指針」の一部改正について（通知）

人を対象とする生命科学・医学系研究については、「人を対象とする生命科学・医学系研究に関する倫理指針」（令和3年文部科学省・厚生労働省・経済産業省告示第1号。以下「指針」という。）により、その適正な実施を図ってきたところです。

今般、デジタル社会の形成を図るための関係法律の整備に関する法律（令和3

年法律第37号。以下「デジタル社会形成整備法」という。）の一部の規定が令和5年4月1日に施行されることに伴い、また、「生命科学・医学系研究等における個人情報の取扱い等に関する合同会議」における議論等を踏まえ、本日、「人を対象とする生命科学・医学系研究に関する倫理指針の一部を改正する件」（令和5年文部科学省・厚生労働省・経済産業省告示第1号。以下「改正指針」という。）を告示し、同年7月1日から施行することとしましたので、下記のとおり通知します。なお、改正の趣旨は下記1、主な改正点は下記2のとおりです。

つきましては、貴機関、貴団体又は管下において研究に携わる者全てに改正指針が遵守されるよう、周知徹底をお願いします。また、各研究機関においては改正指針に基づき研究が適正に行われるよう、必要な組織体制や内規の整備等の対応をお願いします。

なお、改正指針に関して、下記4のとおりガイダンスを改訂するとともに、下記5のとおり指針照会窓口を設けていますので、改正指針の円滑な運用に向け、併せて関係者に対して周知徹底をお願いします。

記

1．改正の趣旨について

デジタル社会形成整備法に基づき令和5年4月1日から施行される改正後の個人情報の保護に関する法律（平成15年法律第57号。以下「個情法」という。）の規定等を踏まえ、令和4年6月より、文部科学省、厚生労働省及び経済産業省の3省による「生命科学・医学系研究等における個人情報の取扱い等に関する合同会議」において、指針の見直しについて検討を行ってきた。令和4年11月から12月にかけて実施したパブリック・コメントにおける意見や、その後の同合同会議における議論も踏まえ、本日（令和5年3月27日）、改正指針を告示するとともに、同年7月1日から施行することとした。

2．主な改正点について

(1) 用語の定義の見直し（指針第2(23)）

「適切な同意」のうち、個人情報等に関する研究対象者等の同意は、個情法の本人の同意に係る要求を満たす旨がより明確となるよう、定義の記載を適正化した。

(2)　指針の適用範囲の見直し（指針第3の3）

日本の研究機関との共同研究でない研究や日本の研究者等が参加していない日本国外における研究についても、日本国内から日本国外にある研究者等に既存試料・情報を提供する場合は、指針の対象であることを明示した。

(3)　インフォームド・コンセント等の手続の見直し

指針で規定されるインフォームド・コンセント（以下「IC」という。）等の手続（試料・情報の取得・利用・提供）について、必要な見直しを行った。

①　自機関で保有する既存試料・情報を用いて研究を実施する場合（指針第8の1(2)）

○自らの研究機関において保有している情報から研究者等が新たに仮名加工情報を作成して研究に用いる場合の手続について、必ずしも研究対象者等のICを受けることを要さないものとし、IC又は適切な同意を受けない場合には、オプトアウト（研究対象者等に一定の事項を通知し、又は研究対象者等が容易に知り得る状態におき、かつ、研究対象者等が研究の実施等を拒否できる機会を保障する方法。以下同じ。）による利用が許容されるものとした。

○研究対象者等のICを受けないで匿名加工情報を研究に用いることができる要件として、研究対象者等のIC取得が困難な場合であることが求められていたところ、これを削除した。

○「社会的に重要性の高い研究に当該既存試料・情報が利用される場合」という要件について、平成14年制定時の旧疫学指針（疫学研究に関する倫理指針（平成14年6月17日文部科学省・厚生労働省告示第1号））のICの簡略化又は免除等の要件規定を踏まえて整理し、「当該既存試料を用いなければ研究の実施が困難である場合」に改めた。

②　他の研究機関に既存試料・情報を提供する場合（指針第8の1(3)）

○ICを受ける手続の簡略化に関する規定を削除した。

○既存試料をオプトアウトにより提供しようとする場合の手続について、自らの研究機関において保有している既存試料・情報を研究に用いる場合の手続における試料の取扱いとの整合を図るため、「当該既存試料を用いなければ研究の実施が困難である場合」であることを要件に加えた。

○包括的に同意を受けた既存試料・情報を用いて研究を実施しようとする場合において、その後、当該同意を受けた範囲内における研究の内容（提供先等を含む。）が特定されたときは、当該研究の内容に係る研究計画書の作成又は変更を行い、オプトアウトを実施することを条件に、提供を可能とするものとした。

③ 既存試料・情報の提供を受けて研究を実施しようとする場合（指針第8の1⑸）

IC を受ける手続の簡略化に関する規定を削除した。

④ 外国にある者へ試料・情報を提供する場合の取扱い（指針第8の1⑹）

IC を受ける手続の簡略化に関する規定について、要配慮個人情報を研究対象者から新たに取得して外国に提供する場合のみを対象とした規定に改めた。

⑷ オプトアウト手続の見直し

オプトアウトのあり方について、研究機関の長等の責務や説明事項などの必要な見直しを行った。

① 研究機関の長等の責務（指針第5の2、第8の1⑷）

研究対象者等が容易に知り得る状態に置くべき事項の掲載場所に関するルールの策定、HP 上での周知等を推進するため、研究機関の長及び既存試料・情報の提供のみを行う機関の長の責務として、オプトアウトの適切な実施を確保すべきである旨を明記した。

② IC を受ける際の説明事項等（指針第7、第8の5）

研究対象者等から同意を受ける時点では特定されなかった研究を行う場合のオプトアウトを行うことが想定される場合、実施される研究又は既存試料・情報の提供先の情報の確認方法（例えば、電子メールや文書による通知、ホームページの URL、電話番号等）を、研究計画書の記載事項及び IC を受ける際の説明事項に加えた。

③ 研究対象者等に通知し、又は研究対象者等が容易に知り得る状態に置くべき事項（指針第8の6）

研究又は他の研究機関への提供の開始予定日を加えた。

⑸ 外国の研究機関に提供する場合の通知事項等の見直し（指針第8の1⑹、5、6）

外国にある者に対して試料・情報を提供する場合については、IC を受ける手続の簡略化やオプトアウトにより提供する場合であっても、研究対象者等に対して、試料・情報の提供先の国の名称等に関する情報提供を行うこととするとともに、その内容を IC を受ける際の説明事項及び研究対象者等に通知し、又は研究対象者等が容易に知り得る状態に置くべき事項に加えた。

3．経過措置

現行指針及びそれ以前の指針（廃止前の「疫学研究に関する倫理指針」、「臨床研究に関する倫理指針」、「ヒトゲノム・遺伝子解析研究に関する倫理指針」又は「人を対象とする医学系研究に関する倫理指針」）の規定により実施中の研究については、個人情報保護関連法令及びガイドラインの規定が遵守される場合に限り、なお従前の例によることができる。

4．「人を対象とする生命科学・医学系研究に関する倫理指針ガイダンス」の改訂について

改正指針の各規定の解釈や具体的な手続の留意点等については、今後、ガイダンスを改訂し、3省のホームページに掲載するので、必ず参照願いたい。

5．指針照会窓口について

改正指針の規定の解釈に関する質問等がある場合、下に掲げる3省の指針照会窓口のいずれにおいても受け付ける。

なお、医学的又は技術的に専門的な事項にわたる内容については、厚生労働省において検討し、必要に応じ専門家の意見も踏まえて対応する。

【指針照会窓口】

指針の本文など、本件に関する一連の資料を以下の3省のホームページに掲載しておりますので、御参照ください。

○文部科学省研究振興局ライフサイエンス課生命倫理・安全対策室
住所：〒100-8959 東京都千代田区霞が関3-2-2
電話：03-5253-4111（代表）
E-mail：bio-med@mext.go.jp
ホームページ：文部科学省ライフサイエンスの広場　生命倫理・安全に対する取組
https://www.lifescience.mext.go.jp/bioethics/seimeikagaku_igaku.html

○厚生労働省大臣官房厚生科学課、医政局研究開発政策課
住所：〒100-8916 東京都千代田区霞が関1-2-2
電話：03-5253-1111（代表）
E-mail：ethics@mhlw.go.jp
ホームページ：研究に関する指針について

http://www.mhlw.go.jp/stf/seisakunitsuite/bunya/hokabunya/kenkyujigyou/i-kenkyu/index.html

○経済産業省商務・サービスグループヘルスケア産業課
住所：〒100-8916 東京都千代田区霞が関 1-3-1
電話：03-3501-1790
E-mail：bzl-ethics@meti.go.jp
ホームページ：個人遺伝情報ガイドラインと生命倫理
https://www.meti.go.jp/policy/mono_info_service/healthcare/seimeirinri/index.html

人を対象とする生命科学・医学系研究に関する倫理指針ガイダンス関連

事　務　連　絡
令和３年４月16日

各国公私立大学
各国公私立高等専門学校
関係各施設等機関等
各大学共同利用機関法人機構
関係各国立研究開発法人
関係各独立行政法人
各都道府県
各特別区
各保健所設置市
関係各団体
関係部局　御中

文部科学省研究振興局ライフサイエンス課生命倫理・安全対策室
厚生労働省大臣官房厚生科学課
厚生労働省医政局研究開発振興課
経済産業省商務・サービスグループ 生物化学産業課

「人を対象とする生命科学・医学系研究に関する倫理指針ガイダンス」について

令和３年３月23日に告示した「人を対象とする生命科学・医学系研究に関する倫理指針」（令和３年文部科学省・厚生労働省・経済産業省告示第１号。以下「生命科学・医学系指針」という。）について、各規定の解釈や具体的な手続の留意点等を説明した「人を対象とする生命科学・医学系研究に関する倫理指針ガイダンス」を作成し、文部科学省、厚生労働省及び経済産業省のホームページに掲載しましたのでお知らせいたします。

【指針運用窓口】

生命科学・医学系指針の運用に関する質問等がある場合、以下に掲げる三省の指針運用窓口のいずれにおいても受け付けます。

なお、生命科学・医学系指針の本文やガイダンスなど、本件に関する一連の資料を以下の三省のホームページに掲載しますので、適宜御参照ください。

○文部科学省研究振興局ライフサイエンス課生命倫理・安全対策室
住所：〒 100-8959 東京都千代田区霞が関 3-2-2
電話：03-5253-4111（代表）
E-mail：ethics@mext.go.jp
ホームページ：文部科学省ライフサイエンスの広場　生命倫理・安全に対する取組
https://www.lifescience.mext.go.jp/bioethics/seimeikagaku_igaku.html

○厚生労働省大臣官房厚生科学課、医政局研究開発振興課
住所：〒 100-8916 東京都千代田区霞が関 1-2-2
電話：03-5253-1111（代表）
E-mail：ethics@mhlw.go.jp
ホームページ：研究に関する指針について
http://www.mhlw.go.jp/stf/seisakunitsuite/bunya/hokabunya/kenkyujigyou/i-kenkyu/index.html

○経済産業省商務・サービスグループ生物化学産業課
住所：〒 100-8916 東京都千代田区霞が関 1-3-1
電話：03-3501-8625
E-mail：kojinidenjyouhou@meti.go.jp
ホームページ：個人遺伝情報ガイドラインと生命倫理
https://www.meti.go.jp/policy/mono_info_service/mono/bio/Seimeirinnri/index.html

事　務　連　絡
令和4年6月6日

各国公私立大学
各国公私立高等専門学校
関係各施設等機関等
各大学共同利用機関法人
関係各国立研究開発法人
関係各独立行政法人
各都道府県
各特別区
各保健所設置市
関係各団体
関係部局　御中

文部科学省研究振興局ライフサイエンス課生命倫理・安全対策室
厚生労働省大臣官房厚生科学課
厚生労働省医政局研究開発振興課
経済産業省商務・サービスグループヘルスケア産業課

「人を対象とする生命科学・医学系研究に関する倫理指針ガイダンス」の一部改訂について

「人を対象とする生命科学・医学系研究に関する倫理指針の一部を改正する件」（令和4年文部科学省・厚生労働省・経済産業省告示第1号）による改正後の「人を対象とする生命科学・医学系研究に関する倫理指針」（令和3年文部科学省・厚生労働省・経済産業省告示第1号。以下「指針」という。）について、各規定の解釈や具体的な手続の留意点等を説明した「人を対象とする生命科学・医学系研究に関する倫理指針ガイダンス」（令和3年4月16日付け文部科学省研究振興局ライフサイエンス課生命倫理・安全対策室、厚生労働省大臣官房厚生科学課、厚生労働省医政局研究開発振興課、経済産業省商務・サービスグループ生物化学産業課）を一部改訂し、文部科学省、厚生労働省及び経済産業省のホームページに掲載しましたのでお知らせいたします。

なお、改正前の指針第18の2、第19、第20及び第21に定めていた事項については、個人情報の保護に関する法律（平成15年法律第57号。以下「個人情報保護法」という。）の改正により、学術研究機関等に対しても個人情報保護法の個人情報取扱事業者等の義務等に関する規律が適用されることに伴い、今回の改正において、重複を避ける観点でこの指針からは削除しましたが、引き続き、研究者等及び研究機関の長が個人情報保護法を遵守する観点から対応が求められる事項ですので、個人情報保護法、条例及び個人情報保護法ガイドライン等を御参照ください。

【指針運用窓口】

人を対象とする生命科学・医学系研究に関する倫理指針の運用に関する質問等がある場合、以下に掲げる3省の指針運用窓口のいずれにおいても受け付けます。

なお、指針の本文やガイダンスなど、本件に関する一連の資料を以下の3省のホームページに掲載しておりますので、御参照ください。

○文部科学省研究振興局ライフサイエンス課生命倫理・安全対策室
住所：〒100-8959 東京都千代田区霞が関3-2-2
電話：03-5253-4111（代表）
E-mail：bio-med@mext.go.jp
ホームページ：ライフサイエンスの広場　生命倫理・安全に対する取組
https://www.lifescience.mext.go.jp/bioethics/seimeikagaku_igaku.html

○厚生労働省大臣官房厚生科学課、医政局研究開発振興課
住所：〒100-8916 東京都千代田区霞が関1-2-2
電話：03-5253-1111（代表）
E-mail：ethics@mhlw.go.jp
ホームページ：研究に関する指針について
http://www.mhlw.go.jp/stf/seisakunitsuite/bunya/hokabunya/kenkyujigyou/i-kenkyu/index.html

○経済産業省商務・サービスグループヘルスケア産業課
住所：〒100-8916 東京都千代田区霞が関1-3-1
電話：03-3501-1790
E-mail：ethics@meti.go.jp
ホームページ：個人遺伝情報ガイドラインと生命倫理
https://www.meti.go.jp/policy/mono_info_service/healthcare/seimeirinri/index.html

事　務　連　絡
令和5年4月17日

各国公私立大学
各国公私立高等専門学校
関係各施設等機関等
各大学共同利用機関法人
関係各国立研究開発法人
関係各独立行政法人　　関係部局　御中
各都道府県
各特別区
各保健所設置市
関係各団体

文部科学省研究振興局ライフサイエンス課生命倫理・安全対策室
厚生労働省大臣官房厚生科学課
厚生労働省医政局研究開発政策課
経済産業省商務・サービスグループヘルスケア産業課

「人を対象とする生命科学・医学系研究に関する倫理指針ガイダンス」の一部改訂について

「人を対象とする生命科学・医学系研究に関する倫理指針の一部を改正する件」（令和5年文部科学省・厚生労働省・経済産業省告示第1号）による改正後の「人を対象とする生命科学・医学系研究に関する倫理指針」（令和3年文部科学省・厚生労働省・経済産業省告示第1号。以下「指針」という。）について、各規定の解釈や具体的な手続の留意点等を説明した「人を対象とする生命科学・医学系研究に関する倫理指針ガイダンス」（令和3年4月16日付け文部科学省研究振興局ライフサイエンス課生命倫理・安全対策室、厚生労働省大臣官房厚生科学課、厚生労働省医政局研究開発振興課、経済産業省商務・サービスグループ生物化学産業課）を一部改訂し、文部科学省、厚生労働省及び経済産業省のホームページに掲載しましたのでお知らせいたします。

【指針運用窓口】

指針の運用に関する質問等がある場合、以下に掲げる３省の指針運用窓口のいずれにおいても受け付けます。

なお、指針の本文やガイダンスなど、本件に関する一連の資料を以下の３省のホームページに掲載しておりますので、御参照ください。

○文部科学省研究振興局ライフサイエンス課生命倫理・安全対策室
住所：〒100-8959 東京都千代田区霞が関 3-2-2
電話：03-5253-4111（代表）
E-mail：bio-med@mext.go.jp
ホームページ：ライフサイエンスの広場　生命倫理・安全に対する取組
https://www.lifescience.mext.go.jp/bioethics/seimeikagaku_igaku.html

○厚生労働省大臣官房厚生科学課、医政局研究開発政策課
住所：〒100-8916 東京都千代田区霞が関 1-2-2
電話：03-5253-1111（代表）
E-mail：ethics@mhlw.go.jp
ホームページ：研究に関する指針について
http://www.mhlw.go.jp/stf/seisakunitsuite/bunya/hokabunya/kenkyujigyou/i-kenkyu/index.html

○経済産業省商務・サービスグループヘルスケア産業課
住所：〒100-8916 東京都千代田区霞が関 1-3-1
電話：03-3501-1790
E-mail：bzl-ethics@meti.go.jp
ホームページ：個人遺伝情報ガイドラインと生命倫理
https://www.meti.go.jp/policy/mono_info_service/healthcare/seimeirinri/index.html

人を対象とする生命科学・医学系研究に関する倫理指針　ガイダンス

令和３年４月16日
（令和４年６月６日一部改訂）
（令和５年４月17日一部改訂）

本ガイダンスは、各規定の解釈や具体的な手続の留意点等を説明したものです。

今後の運用状況等を勘案し、随時改訂していく予定ですので、御意見や御質問がありましたら、以下の問合せ先まで御連絡下さい。

また、問合せ先に記載のホームページ内に、人を対象とする生命科学・医学系研究に関する倫理指針に関する説明会資料を掲載します。本ガイダンスの参考資料として御覧ください。

【問合せ先】

○文部科学省研究振興局ライフサイエンス課生命倫理・安全対策室
住所：〒100-8959 東京都千代田区霞が関3-2-2
電話：03-5253-4111（代表）
E-mail：bio-med@mext.go.jp
ホームページ：ライフサイエンスの広場　生命倫理・安全に対する取組
https://www.lifescience.mext.go.jp/bioethics/seimeikagaku_igaku.html

○厚生労働省大臣官房厚生科学課、医政局研究開発政策課
住所：〒100-8916 東京都千代田区霞が関1-2-2
電話：03-5253-1111（代表）
E-mail：ethics@mhlw.go.jp
ホームページ：研究に関する指針について
http://www.mhlw.go.jp/stf/seisakunitsuite/bunya/hokabunya/kenkyujigyou/i-kenkyu/index.html

○経済産業省商務・サービスグループヘルスケア産業課
住所：〒100-8916 東京都千代田区霞が関1-3-1
電話：03-3501-1790
E-mail：bzl-ethics@meti.go.jp
ホームページ：個人遺伝情報ガイドラインと生命倫理
https://www.meti.go.jp/policy/mono_info_service/healthcare/seimeirinri/index.html

【改訂履歴】

令和3年4月16日　制定
令和4年6月6日　改訂
令和5年4月17日　改訂

目次

第１章　総則 ……… 41
　第１　目的及び基本方針 ……… 41
　第２　用語の定義 ……… 44
　第３　適用範囲 ……… 82
第２章　研究者等の責務等 ……… 89
　第４　研究者等の基本的責務 ……… 89
　第５　研究機関の長の責務等 ……… 92
第３章　研究の適正な実施等 ……… 96
　第６　研究計画書に関する手続 ……… 96
　第７　研究計画書の記載事項 ……… 108
第４章　インフォームド・コンセント等 ……… 119
　第８　インフォームド・コンセントを受ける手続等 ……… 119
　第９　代諾者等からインフォームド・コンセントを受ける場合の手続等 ……… 175
第５章　研究により得られた結果等の取扱い ……… 182
　第10　研究により得られた結果等の説明 ……… 182
第６章　研究の信頼性確保 ……… 186
　第11　研究に係る適切な対応と報告 ……… 186
　第12　利益相反の管理 ……… 193
　第13　研究に係る試料及び情報等の保管 ……… 195
　第14　モニタリング及び監査 ……… 198
第７章　重篤な有害事象への対応 ……… 201
　第15　重篤な有害事象への対応 ……… 201
第８章　倫理審査委員会 ……… 205
　第16　倫理審査委員会の設置等 ……… 205
　第17　倫理審査委員会の役割・責務等 ……… 209
第９章　個人情報等、試料及び死者の試料・情報に係る基本的責務 ……… 217
　第18　個人情報の保護等 ……… 217

参考様式集 ……… 222

第１章　総則

第１　目的及び基本方針

この指針は、人を対象とする生命科学・医学系研究に携わる全ての関係者が遵守すべき事項を定めることにより、人間の尊厳及び人権が守られ、研究の適正な推進が図られるようにすることを目的とする。全ての関係者は、次に掲げる全ての事項を基本方針としてこの指針を遵守し、研究を進めなければならない。

①　社会的及び学術的意義を有する研究を実施すること
②　研究分野の特性に応じた科学的合理性を確保すること
③　研究により得られる利益及び研究対象者への負担その他の不利益を比較考量すること
④　独立した公正な立場にある倫理審査委員会の審査を受けること
⑤　研究対象者への事前の十分な説明を行うとともに、自由な意思に基づく同意を得ること
⑥　社会的に弱い立場にある者への特別な配慮をすること
⑦　研究に利用する個人情報等を適切に管理すること
⑧　研究の質及び透明性を確保すること

1　この指針は、研究対象者の人権の保護、安全の保持及び福祉の向上を図りつつ、人を対象とする生命科学・医学系研究の科学的な質及び結果の信頼性並びに倫理的妥当性を確保することを主な目的として、研究者等の責務等（第２章）、研究の適正な実施等（第３章）、インフォームド・コンセント等（第４章）、研究により得られた結果等の取扱い（第５章）、研究の信頼性確保（第６章）、重篤な有害事象への対応（第７章）、倫理審査委員会（第８章）、個人情報等、試料及び死者の試料・情報に係る基本的責務（第９章）等に関して、研究者等、研究機関の長、倫理審査委員会その他の関係者の遵守事項について定めたものである。人を対象とする生命科学・医学系研究を実施する上で、これに携わる全ての関係者に対し、この指針が統一のルールとして適用される。

なお、研究者等、研究機関の長、倫理審査委員会その他の関係者は、この指針の規定のほか、個人情報の保護に関する法律（平成15年法律第57号。以下「個人情報保護法」という。）及び地方公共団体において制定される条例等を遵守しなければならない。基本方針①から⑧までは、研究に関する原則的事項を

掲げたものである。

2　①の「社会的な意義を有する研究」とは、国民の健康の保持増進並びに患者の傷病からの回復及び生活の質の向上に広く貢献し、人類の健康及び福祉の発展に資する研究を指す。

3　②の「研究分野の特性に応じた科学的合理性」とは、その分野において一般的に受け入れられた科学的原則に従い、科学的文献その他科学に関連する情報及び十分な実験に基づくことを指す。

4　③の「利益」とは、研究から得られる成果や期待される恩恵を指す。研究が実施されることによって研究対象者に健康上の利益が期待される場合には、当該研究対象者個人に生じる具体的な恩恵となる。また、研究の成果は、社会的及び学術的な価値という一般的かつ有形・無形の利益となる。

5　③の「負担」とは、研究の実施に伴って確定的に研究対象者に生じる好ましくない事象を指し、例えば、身体的又は精神的な苦痛、健康上の不利益（自覚されないものを含む。）、不快な状態等のように「侵襲」に関連するもののほか、研究が実施されるために研究対象者が費やす手間（労力及び時間）や経済的出費等も含まれる。

6　③の「不利益」とは、研究の実施により生じるか否かが不確定な危害の可能性も含まれる。その危害としては、身体的・精神的な危害のほか、研究が実施されたために被るおそれがある経済的・社会的な損害が考えられる。

7　③の「比較考量」については、研究対象者への負担並びに予測されるリスクを最小化し、かつ、利益の最大化を可能な限り図ったうえで、負担・リスク及び利益それぞれの総合的評価の結果、想定される負担・リスクの総体を利益の総体が上回るように比較考量することを指す。

8　⑤の「自由な意思に基づく同意」に関して、研究者等は、ヘルシンキ宣言第27を参考に、研究参加へのインフォームド・コンセントを求める場合、研究対象者等が研究者等に依存した関係にあるか又は同意を強要されているおそれがあるかについて特別な注意を払わなければならない。

また、自由な意思に基づく同意に資するため、研究者等は、国民の研究に対する理解向上に係る取組を実施するなど、将来の研究対象者となり得る一般の国民に対しても対話する機会を設け、国民及び社会の理解の推進を図っていくことが望ましい。

9　⑥の「社会的に弱い立場にある者」とは、例えば、判断能力が十分でない者や、研究への参加に伴う利益又は参加を拒否した場合の不利益を予想することによって自発的な意思決定が不当に影響を受ける可能性がある者など、経済上又は医学上の理由等により不利な立場にある場合を指す。医薬品規制調和国際会議（以下「ICH」という。）において合意されている医薬品の臨床試験の実施に関する基準（GCP）のガイドライン（ICH-GCP）では「Vulnerable Subjects」として示されており、研究の内容に応じて適宜参考としてよい。

10　⑥の「特別な配慮」に関して、第17の2⑷の規定による倫理審査委員会における有識者からの意見聴取、第9の2⑴の規定によるインフォームド・アセントの取得等のほか、例えば、障害者を研究対象者とするときは、その障害に配慮した説明及び情報伝達方法（視覚障害者向けの点字翻訳、聴覚障害者向けの手話通訳等）によること、また、必要に応じて、研究対象者の自由意思の確保に配慮した対応（公正な立会人の同席など）を行うことが考えられる。また、研究対象者の選定に際して、「社会的に弱い立場にある者」と考えられる者を研究対象者とする必要性について十分に考慮することも「特別な配慮」に含まれる。

11　⑦の「研究に利用する個人情報等を適切に管理すること」とは、個人情報等の有用性に配慮しつつ、個人の権利利益を保護するために、個人情報等を適切に管理することが考えられる。

第2　用語の定義

この指針における用語の定義は、次のとおりとする。

⑴　人を対象とする生命科学・医学系研究

人を対象として、次のア又はイを目的として実施される活動をいう。

ア　次の①、②、③又は④を通じて、国民の健康の保持増進又は患者の傷病からの回復若しくは生活の質の向上に資する知識を得ること

①　傷病の成因（健康に関する様々な事象の頻度及び分布並びにそれらに影響を与える要因を含む。）の理解

②　病態の理解

③　傷病の予防方法の改善又は有効性の検証

④　医療における診断方法及び治療方法の改善又は有効性の検証

イ　人由来の試料・情報を用いて、ヒトゲノム及び遺伝子の構造又は機能並びに遺伝子の変異又は発現に関する知識を得ること

1　第2の規定は、この指針の各規定において対象となる客体、主体、行為等に関する基本的な用語の定義を示し、この指針の適用される範囲について定めたものである。

2　「生命科学・医学系研究」には、人の基本的生命現象（遺伝、発生、免疫等）を解明する、「ヒトゲノム・遺伝子解析研究に関する倫理指針」（以下「ゲノム指針」という。）（平成13年文部科学省・厚生労働省・経済産業省告示第1号）におけるヒトゲノム・遺伝子解析研究（例えば、人類遺伝学等の自然人類学のほか、人文学分野において、ヒトゲノム及び遺伝子の情報を用いた研究）が含まれ、「人を対象とする医学系研究に関する倫理指針」（以下「医学系指針」という。）（平成29年文部科学省・厚生労働省告示第1号）における医学系研究（例えば、医科学、臨床医学、公衆衛生学、予防医学、歯学、薬学、看護学、リハビリテーション学、検査学、医工学のほか、介護・福祉分野、食品衛生・栄養分野、環境衛生分野、労働安全衛生分野等で、個人の健康に関する情報を用いた疫学的手法による研究及び質的研究、AIを用いたこれらの研究）も含まれる。

なお、医療、介護・福祉等に関するものであっても、医事法や社会福祉学など人文・社会科学分野の研究の中には「医学系研究」に含まれないものもある。

3　「ヒトゲノム及び遺伝子」には、人の個体を形成する細胞に共通して存在し、その子孫に受け継がれ得るヒトゲノム及び遺伝子（いわゆる生殖細胞系列変異又は多型（germline mutation or polymorphism））のみならず、がん等の疾病において、病変部位にのみ後天的に出現し、次世代には受け継がれないゲノム又は遺伝子（いわゆる体細胞変異（somatic mutation））も含まれる。

4　「遺伝子の構造又は機能並びに遺伝子の変異又は発現」の「構造又は機能」、「変異又は発現」には、いわゆるエピゲノムに関するものやゲノム情報を基礎として生体を構成している様々な分子等を網羅的に調べるオミックス解析も含まれる。

5　侵襲を伴わず、かつ介入を行わずに研究対象者から新たに取得した試料・情報を用いる研究や、既存試料・情報を用いる研究も「人を対象とする」研究に該当する。

6　人体から分離した細菌、カビ等の微生物及びウイルスの分析等を行うのみで、人の健康に関する事象を研究の対象としない場合は、「人を対象とする」研究に該当しないものと判断してよい。

ただし、患者から分離した病原微生物等の分析・調査から得られた情報を用いて、他の診療情報を組み合わせて、感染症の成因や病態の理解等を通じて国民の健康の保持増進又は患者の感染症からの回復等に資する知識を得ることを目的として実施される場合には、「人を対象とする」研究に該当する。

7　⑴ア①の「健康に関する様々な事象の頻度及び分布」とは、疫学的手法を通じて得られる種々の保健指標、例えば、ある種の疾患の発生頻度、地域分布、性・年齢分布や改善率、生存率、有病率、健康寿命、平均余命等を指す。また、「それらに影響を与える要因」としては、個人における喫煙、食事、運動、睡眠等の生活習慣、個々の医療における診療内容のほか、地域における環境的な要因、社会的な要因などが挙げられる。

人を対象として、特定の食品・栄養成分の摂取がその健康に与える影響を調べる場合及びウェアラブル端末等（医療機器に該当しないものを含む。）のレコメンデーションを踏まえた利用者の行動変容が健康に与える影響を調べ、医学的な評価を得ようとする場合は、「研究」に該当する。

8　傷病の予防、診断又は治療を専ら目的とする医療は、この指針でいう「研究」に該当しない。医療従事者が、そうした医療で自ら行ったものにおける患者の転帰や予後等について、例えば
○以後の医療における参考とするため、診療録を見返し、又は退院患者をフォローアップする等して検討する
○他の医療従事者への情報共有を図るため、所属する機関内の症例検討会、機関外の医療従事者同士の勉強会や関係学会、医療従事者向け専門誌等で個別の症例を報告する（いわゆる症例報告）
○既存の医学的知見等について患者その他一般の理解の普及を図るため、出版物・広報物等に掲載する
○医療機関として、自らの機関における医療評価のため、一定期間内の診療実績（受診者数、処置数、治療成績等）を集計し、所属する医療従事者等に供覧し、又は事業報告等に掲載する
○自らの機関において提供される医療の質の確保（標準的な診療が提供されていることの確認、院内感染や医療事故の防止、検査の精度管理等）のため、機関内のデータを集積・検討する
等、研究目的でない医療の一環とみなすことができる場合には、この指針でいう「研究」に該当しないものと判断してよい。

9　労働安全衛生法（昭和47年法律第57号）に基づく労働安全衛生規則（昭和47年労働省令第32号）第14条第1項第9号の規定による「労働者の健康障害の原因の調査」や、学校保健安全法（昭和33年法律第56号）に基づく学校保健安全法施行規則（昭和33年文部省令第18号）第11条の規定による「保健調査」なども同様に、研究目的でない業務の一環とみなすことができ、「研究」に該当しないものと判断してよい。

他方、それら法令の定める業務の範囲を超えて、当該業務を通じて得られたサンプル・データ等を利用する場合には、「研究」に該当する可能性がある。

10　地方公共団体が地域において行う保健事業（検診、好ましい生活習慣の普及等）に関して、例えば、検診の精度管理のために、当該検診で得られたサンプル・データ等の一部又は全部を関係者・関係機関間で共有して検討することは、保健事業の一環とみなすことができ、「研究」に該当しないものと判断してよい。

他方、保健事業により得られた人の健康に関する情報や検体を用いて、生活習慣病の病態の理解や予防方法の有効性の検証などを通じて、国民の健康の保持増進等に資する知識を得ることを目的として実施される活動は、「研究」に該当する。

11 専ら教育目的で実施される保健衛生実習等、学術的に既知の事象に関する実験・実習で、得られたサンプルやデータが教育目的以外に利用されない場合には、「研究」に該当しないものと判断してよい。

12 特定の活動が「研究」に該当するか否かについては、一義的には当該活動を実施する法人、行政機関、個人事業主の責任で判断するものであるが、判断が困難な場合には、この指針の規定する倫理審査委員会の意見を聴くことが推奨される。

(2) 侵襲

研究目的で行われる、穿(せん)刺、切開、薬物投与、放射線照射、心的外傷に触れる質問等によって、研究対象者の身体又は精神に傷害又は負担が生じることをいう。

侵襲のうち、研究対象者の身体又は精神に生じる傷害又は負担が小さいものを「軽微な侵襲」という。

1 研究目的でない診療における穿刺、切開等は、この指針の定義上「侵襲」を伴うものでなく、研究目的でない診療で採取された血液、体液、組織、細胞、分娩後の胎盤・臍帯等(いわゆる残余検体)を既存試料・情報として用いる場合には、研究対象者の身体に傷害及び負担を生じない(=「侵襲」を伴わない。)と判断してよい。

2 (2)の「薬物投与」には、医薬品、医療機器等の品質、有効性及び安全性の確保等に関する法律(昭和35年法律第145号。以下「医薬品医療機器等法」という。)に基づく承認等を受けた医薬品(以下「既承認医薬品」という。)を、研究目的で、当該承認の範囲内で投与する場合も含まれる。ただし、既承認医薬品を研究目的で投与する場合であっても、その成分や用法・用量等によっては、研究対象者の身体及び精神に生じる傷害及び負担が極めて小さく、「侵襲」を伴わないとみなすことができる場合もあり得る。

なお、例えば、ある傷病に罹患した患者を研究対象者として、その転帰を追跡する研究（介入を行わない前向き研究）が実施されることがあるが、研究目的でない診療における投薬によって、その人の身体に傷害又は負担が生じる場合は、この指針の定義上「侵襲」に含まれない。

3　⑵の「放射線照射」に関して、研究目的でない診療で研究対象者が同様な放射線照射を受けることが見込まれる場合であっても、また、研究対象者に生じる影響を直接測定等できなくても、研究目的で一定の条件を設定して行われる放射線照射は、それによって研究対象者の身体に傷害又は負担が生じる（＝「侵襲」を伴う。）ものとみなす。

4　⑵の「心的外傷に触れる質問」とは、その人にとって思い起こしたくないつらい体験（例えば、災害、事故、虐待、過去の重病や重症等）に関する質問を指す。このような質問による場合のほか、例えば、研究目的で意図的に緊張、不安等を与える等、精神の恒常性を乱す行為によって、研究対象者の精神に負担が生じることも「侵襲」に含まれる。

5　⑵の「研究対象者の身体又は精神に傷害又は負担」とは、平常時に被る範囲を超える恒常性の変化、健康上の影響（自覚されないものを含む。）等であって、確定的に研究対象者の身体又は精神に生じるものを指し、実際に生じるか否かが不確定な危害の可能性（例えば、研究目的の薬物投与によって有害事象を生じるリスクなど）は含まない。

研究対象者の精神に生じる傷害及び負担の程度を判断するに当たっては、研究対象者とする集団において一般的に想定される精神的苦痛等により判断してよい。

6　⑵の「軽微な侵襲」は、疫学研究に関する倫理指針（平成 19 年文部科学省・厚生労働省告示第 1 号。以下「疫学研究指針」という。）及び臨床研究に関する倫理指針（平成 20 年厚生労働省告示第 415 号。以下「臨床研究指針」という。）の各細則において「最小限の危険」（日常生活や日常的な医学検査で被る身体的、心理的、社会的危害の可能性の限度を超えない危険であって、社会的に許容される種類のもの）と規定していたものにおおむね対応するものであるが、この指針では、実際に生じるか否かが不確定な危害の可能性は含めず、確定的に研究対象者の身体又は精神に生じる傷害又は負担のうち、その程度が小さいものとして規定している。

研究対象者に生じる傷害及び負担が小さいと社会的に許容される種類のもの、例えば、採血及び放射線照射に関して、労働安全衛生法に基づく一般健康診断で行われる採血や胸部単純X線撮影等と同程度（対象者の年齢・状態、行われる頻度等を含む。）であれば、「軽微な侵襲」を伴うと判断してよい。

また、研究目的でない診療において穿刺、切開、採血等が行われる際に、上乗せして研究目的で穿刺、切開、採血量を増やす等がなされる場合において、研究目的でない穿刺、切開、採血等と比較して研究対象者の身体及び精神に追加的に生じる傷害や負担が相対的にわずかである場合には、「軽微な侵襲」と判断してよい。

このほか、例えば、造影剤を用いないMRI撮像を研究目的で行う場合は、それによって研究対象者の身体に生じる傷害及び負担が小さいと考えられ、長時間に及ぶ行動の制約等によって研究対象者の身体及び精神に負担が生じなければ、「軽微な侵襲」と判断してよい。

また、例えば、質問票による調査で、研究対象者に精神的苦痛等が生じる内容を含むことをあらかじめ明示して、研究対象者が匿名で回答又は回答を拒否することができる等、十分な配慮がなされている場合には、研究対象者の精神に生じる傷害及び負担が小さいと考えられ、「軽微な侵襲」と判断してよい。

7　「軽微な侵襲」とすることができるか否かは、研究対象者の年齢や状態等も考慮して総合的に判断する必要があり、例えば、16歳未満の未成年者を研究対象者とする場合には身体及び精神に生じる傷害及び負担が必ずしも小さくない可能性を考慮して、慎重に判断する必要がある。

8　特定の食品・栄養成分を研究目的で摂取させる場合について、研究対象者とする集団においてその食経験が十分認められる範囲内であれば、それによって研究対象者の身体に傷害及び負担を生じない（＝「侵襲」を伴わない。）と判断してよい。

自然排泄される尿・便・喀痰、唾液・汗等の分泌物、抜け落ちた毛髪・体毛を研究目的で採取する場合や、表面筋電図や心電図の測定、超音波画像の撮像などを研究目的で行う場合については、長時間に及ぶ行動の制約等によって研究対象者の身体及び精神に負担が生じなければ、「侵襲」を伴わないと判断してよい。

9　研究目的で研究対象者にある種の運動負荷を加えることが「侵襲」を伴うか否か、また、「侵襲」を伴う場合において「軽微な侵襲」とみなすことができるか否かについては、当該運動負荷の内容のほか、研究対象者の選定基準、当該運動負荷が加えられる環境等も考慮して総合的に判断する必要がある。

当該運動負荷によって生じる身体的な恒常性の変化（呼吸や心拍数の増加、発汗等）が適切な休息や補水等により短時間で緩解する場合には、平常時に生じる範囲内の身体的な恒常性の変化と考えられ、研究対象者の身体に傷害及び負担が生じない（＝「侵襲」を伴わない。）と判断してよい。また、研究対象者の身体及び精神に傷害及び負担を生じないと社会的に許容される種類のもの、例えば、文部科学省の実施する体力・運動能力調査（新体力テスト）で行われる運動負荷と同程度（対象者の年齢・状態、行われる頻度等を含む。）であれば、「侵襲」を伴わないと判断してよい。

10　個々の研究に関して、その研究が「侵襲」を伴うものか否か、また、「侵襲」を伴う場合において当該「侵襲」を「軽微な侵襲」とみなすことができるか否かについては、上記を適宜参照の上、一義的には研究計画書の作成に際して研究責任者が判断し、その妥当性を含めて倫理審査委員会で審査するものとする。

⑶　介入

研究目的で、人の健康に関する様々な事象に影響を与える要因（健康の保持増進につながる行動及び医療における傷病の予防、診断又は治療のための投薬、検査等を含む。）の有無又は程度を制御する行為（通常の診療を超える医療行為であって、研究目的で実施するものを含む。）をいう。

1　⑶の「人の健康に関する様々な事象」とは、個々の患者における傷病の状態のほか、共通する属性を有する個人の集合（コホート）における健康動向やある種の疾患の発生動向等を指す。

この指針中に例示している「健康の保持増進につながる行動」や「医療にお

ける傷病の予防、診断又は治療のための投薬、検査」のほか、人の健康に関する事象に影響を与える要因で、その有無や程度を制御し得るものとして、例えば、看護ケア、生活指導、栄養指導、食事療法、作業療法等が考えられる。「健康の保持増進につながる行動」としては、適度な運動や睡眠、バランスの取れた食事、禁煙等の日常生活における行動が考えられる。

2　⑶の「制御する」とは、意図的に変化させ、又は変化しないようにすることを指す。意図的に変化させるものとして、例えば視覚や聴覚等の感覚刺激を与えて脳活動や心理状態を変化させること等が考えられる。

傷病の治療方法、診断方法、予防方法その他、研究対象者の健康に影響を与えると考えられる要因に関して、研究計画書に基づいて作為又は無作為の割付けを行うこと（盲検化又は遮蔽化を行う場合を含む。）は、研究目的で人の健康に関する事象に影響を与える要因の有無又は程度を制御する行為であり、「介入」に該当する。割付けには、群間比較のため研究対象者の集団を複数の群に分けて行う場合のほか、対照群を設けず単一群（シングルアーム）に特定の治療方法、予防方法その他、研究対象者の健康に影響を与えると考えられる要因に関する割付けを行う場合も含まれる。

3　⑶の「通常の診療を超える医療行為」とは、医薬品医療機器等法に基づく承認等を受けていない医薬品（体外診断用医薬品を含む。）又は医療機器（以下「未承認医薬品・医療機器」という。）の使用、既承認医薬品・医療機器の承認等の範囲（用法・用量、使用方法、効能・効果・性能）を超える使用、その他新規の医療技術による医療行為であって、臨床研究法（平成29年法律第16号）第２条第２項に規定する特定臨床研究に該当しないもの（以下「未承認医薬品・医療機器を用いる研究」という。）を指す。また、既に医療保険の適用となっているなど、医学的な妥当性が認められて一般に広く行われている場合には、「通常の診療を超える医療行為」に含まれないものと判断してよい。なお、「介入」に該当するのは、「通常の診療を超える医療行為であって、研究目的で実施するもの」であり、通常の診療を超える医療行為のみをもって直ちに「介入」とする趣旨ではない。

「医療行為」には、患者を対象とする場合のほか、健康人を対象とする場合や、傷病の予防、診断及び治療を目的としない、例えば、美容形成や豊胸手術等、人体の構造機能に影響を与えることを目的とする場合も含まれる。通常の診療を超える医療行為を伴わない場合であっても、研究計画書に基づいて作為又は無作為の割付けを行う等、研究目的で人の健康に関する事象に影響を与える要因の有無又は程度を制御すれば、「介入」を行う研究となる。

4 研究目的でない診療で従前受けている治療方法を、研究目的で一定期間継続することとして、他の治療方法の選択を制約するような行為は、研究目的で患者の傷病の状態に影響を与える要因の有無又は程度を制御するものであり、「介入」に該当する。

他方、例えば、ある傷病に罹患した患者について、研究目的で、診断及び治療のための投薬、検査等の有無及び程度を制御することなく、その転帰や予後等の診療情報を収集するのみであれば、前向き（プロスペクティブ）に実施する場合を含めて、「介入」を伴わない研究（観察研究）と判断してよい。

5 「介入」を行うことが必ずしも「侵襲」を伴うとは限らない。例えば、禁煙指導、食事療法等の新たな方法を実施して従来の方法との差異を検証する割付けを行う等、方法等が異なるケアの効果等を比較・検証するため、前向き（プロスペクティブ）に異なるケアを実施するような場合は、通常、「侵襲」を伴わないが、「介入」には該当する。

⑷ 試料

血液、体液、組織、細胞、排泄（せつ）物及びこれらから抽出したDNA等、人の体から取得されたものであって研究に用いられるもの（死者に係るものを含む。）をいう。

⑸ 研究に用いられる情報

研究対象者の診断及び治療を通じて得られた傷病名、投薬内容、検査又は測定の結果等、人の健康に関する情報その他の情報であって研究に用いられるもの（死者に係るものを含む。）をいう。

⑹ 試料・情報

試料及び研究に用いられる情報をいう。

⑺ 既存試料・情報

試料・情報のうち、次に掲げるいずれかに該当するものをいう。

① 研究計画書が作成されるまでに既に存在する試料・情報

②　研究計画書の作成以降に取得された試料・情報であって、取得の時点においては当該研究計画書の研究に用いられることを目的としていなかったもの

(8)　遺伝情報

試料・情報を用いて実施される研究の過程を通じて得られ、又は既に試料・情報に付随している子孫に受け継がれ得る情報で、個人の遺伝的特徴及び体質を示すものをいう。

(9)　研究対象者

次に掲げるいずれかに該当する者（死者を含む。）をいう。

①　研究を実施される者（研究を実施されることを求められた者を含む。）

②　研究に用いられることとなる既存試料・情報を取得された者

(10)　研究対象者等

研究対象者に加えて、代諾者等を含めたものをいう。

1　(4)の「試料」のうち、人の体から取得され、人体から分離した細菌、カビ等の微生物及びウイルスの分析等のみに用いられるもののこの指針への該当性に関し、第2(1)の解説を参照。

2　(5)の「研究に用いられる情報」については、当該情報により特定の個人を識別することができるか否かによらない。また、(4)の「試料」に付随した情報や「試料」を解析して取得した情報も含まれる。

(5)の「研究対象者の診断及び治療を通じて得られた傷病名、投薬内容、検査又は測定の結果」には、診療録上に記録されるもの以外に、看護記録等に記載されるものも含まれる。また、研究対象者から取得された情報のほか、例えば、人口動態調査、国民健康・栄養調査、感染症発生動向調査等で公表されている人の健康に関連する事象に関する情報も含まれる。

3　(7)の「既存試料・情報」について、「①　研究計画書が作成されるまでに既に存在する試料・情報」とは、当該研究の研究計画書が作成されるまでに既に研究対象者から取得された試料・情報が該当する。当該試料・情報を研究対象者から取得した経緯（どの機関で取得されたか、どのような目的で取得されたか等）は問わない。

また、「②　研究計画書の作成以降に取得された試料・情報であって、取得

の時点においては当該研究計画書の研究に用いられることを目的としていなかったもの」とは、当該研究の研究計画書の作成以降に研究対象者から取得される試料・情報のうち、当該研究に用いることを目的として新たに研究対象者から取得する試料・情報を除いたものが該当する。具体的には以下のものが含まれる。

- 当該研究機関において当該研究に用いることとは異なる目的（医療の提供、当該研究以外の研究で用いること等）で研究対象者から取得される試料・情報
- 当該研究機関以外において当該研究とは異なる目的で研究対象者から取得され、当該研究に用いるために当該研究機関が提供を受ける試料・情報

この指針にいう「既存試料・情報」には、研究計画書の作成以降に研究対象者から取得される試料・情報も含まれ得ることに留意すること。例えば、研究目的でない医療のため患者（研究対象者）から取得された試料（いわゆる残余検体）又は情報（診療記録に記録された診療情報や診療の過程で得られた検査データ等）は、患者（研究対象者）から取得した時期が研究計画書の作成以前であれば①に、研究計画書の作成以降であれば②に該当することになり、いずれにしてもこの指針で定める「既存試料・情報」に該当することになる。ただし、研究目的でない医療のため用いられる前に、残余部分相当という想定のもとに検体を分割して、その一部が研究に用いられる場合には、上乗せして研究目的で取得されたものとみなされる。研究目的でない医療の際に上乗せして、あらかじめ研究に用いられることを目的として患者（研究対象者）から試料・情報を取得する場合には、「既存試料・情報」に該当しない。

同様に、研究計画書の作成以降に、

○労働安全衛生規則第 14 条第 1 項第 9 号の規定による「労働者の健康障害の原因の調査」

○学校保健安全法施行規則第 11 条の規定による「保健調査」

○地方公共団体等における保健事業

等を通じて取得された情報や残余検体を研究に用いる場合も、「既存試料・情報」に該当する。ただし、研究目的でない業務・活動の際に上乗せして、あらかじめ研究に用いられることを目的として取得される場合には、「既存試料・情報」に該当しない。

<参考：この指針における「試料・情報」の分類>

既存試料・情報	当該研究とは異なる目的で研究対象者から取得された試料・情報 (例) ○残余検体、診療記録 ○当該研究とは異なる研究の実施において研究対象者から取得された試料・情報 ○既存試料を当該研究とは異なる目的でゲノム解析して得られたゲノムデータ
上記以外の試料・情報 (新たに取得する試料・情報)	当該研究に用いるため研究対象者から取得する試料・情報 (例) ○研究目的でない医療の際に上乗せして、研究に用いられることを目的として患者（研究対象者）から取得する試料・情報 ○通常の診療において取得する試料・情報であって、取得する時点において、研究に用いることも目的として患者（研究対象者）から取得するもの

⑾　研究機関

研究が実施される法人若しくは行政機関又は研究を実施する個人事業主をいう。ただし、試料・情報の保管、統計処理その他の研究に関する業務の一部についてのみ委託を受けて行われる場合を除く。

⑿　共同研究機関

研究計画書に基づいて共同して研究が実施される研究機関（当該研究のために研究対象者から新たに試料・情報を取得し、他の研究機関に提供を行う研究機関を含む。）をいう。

⒀　研究協力機関

研究計画書に基づいて研究が実施される研究機関以外であって、当該研究のために研究対象者から新たに試料・情報を取得し（侵襲（軽微な侵襲を除く。）を伴う試料の取得は除く。）、研究機関に提供のみを行う機関をいう。

⒁　試料・情報の収集・提供を行う機関

研究機関のうち、試料・情報を研究対象者から取得し、又は他の機関から提供を受けて保管し、反復継続して他の研究機関に提供を行う業務（以下「収集・提供」という。）を実施するものをいう。

⒂　学術研究機関等

個人情報保護法第16条第８項に規定する学術研究機関等をいう。

⒃ 多機関共同研究
一の研究計画書に基づき複数の研究機関において実施される研究をいう。

1 ⑾の「法人」とは法律上の各種法人を指し、例えば、地方自治法（昭和22年法律第67号）の定める地方公共団体、医療法（昭和23年法律第205号）の定める医療法人、私立学校法（昭和24年法律第270号）の定める学校法人、独立行政法人通則法（平成11年法律第103号）の定める独立行政法人、国立大学法人法（平成15年法律第112号）の定める国立大学法人、会社法（平成17年法律第86号）の定める会社、一般社団法人及び一般財団法人に関する法律（平成18年法律第48号）の定める一般社団法人及び一般財団法人などが含まれる。

法人格を有しない任意団体で研究を実施する場合には、当該任意団体又は当該研究に参加する個人事業主が「研究機関」となる（なお、法人格を有しない任意団体も「研究機関」として扱う。）。また、例えば、当該研究に参加する研究者等が法人及び任意団体に所属している場合であって、当該法人及び任意団体がそれぞれ保有する研究に用いられる情報を用いて研究を実施するときは、両者が「研究機関」となり、両者が共同して実施する多機関共同研究と位置付けるものとする。

なお、以下の法人における個人情報、仮名加工情報又は個人関連情報の取扱いについては、基本的に民間部門における個人情報、仮名加工情報又は個人関連情報の取扱いに係る規律が適用される（ただし、個人情報保護法第5章の規律のうち、個人情報ファイル、開示等及び匿名加工情報に関する規律については、行政機関等に係る規律が適用される（個人情報保護法第58条第1項並びに第125条第2項及び第3項））。

○個人情報保護法別表第2に掲げる法人

○地方独立行政法人のうち試験研究を行うこと等を主たる目的とするもの、大学等の設置及び管理等を目的とするもの並びに病院事業の経営を目的とするもの

また、地方公共団体の機関及び独立行政法人労働者健康安全機構は「行政機関等」に該当するものの、これらの者が行う以下の業務における個人情報、仮名加工情報又は個人関連情報の取扱いについては、民間部門における個人情報、仮名加工情報又は個人関連情報の取扱いに係る規律が適用される（個人情報保護法第58条第2項並びに第125条第1項及び第3項）。

○地方公共団体の機関が行う業務のうち病院及び診療所並びに大学の運営の業

務（個人情報保護法第58条第2項第1号）
○独立行政法人労働者健康安全機構が行う病院の運営の業務（同項第2号）

2　⑾の「行政機関」とは、個人情報保護法第2条第8項に規定する行政機関を指す。

3　⑾の「個人事業主」に関して、この指針では、法人又は行政機関に所属しない個人（個人が開設する診療所の医師等）が研究を実施する場合には、研究を実施する個人事業主として「研究機関」に該当することになる。

4　⑾の「研究に関する業務の一部についてのみ委託を受けて行われる」の「委託を受けて」とは、研究に関する業務の一部を他の法人又は個人事業主が請け負うこと（派遣労働者に行わせる場合を含む。以下同じ。）を指す。

この指針中に例示している「試料・情報の保管、統計処理」のほか、委託することが可能と考えられる業務としては、研究の実施の準備（研究資材の調達等）、モニタリング及び監査に係る業務や、研究の実施に伴って取得された個人情報等の取扱い（安全管理措置を講ずることを含む。）、試料の生化学的分析等の業務などが挙げられる。

個々の研究において委託しようとする業務の内容が適切か否かについては、研究計画書の作成に際して研究責任者が判断し、必要に応じて、当該委託の妥当性を含めて研究計画書に記載することが望ましい。

5　企業が研究の資金や資材等を提供したり、研究を通じて得られた成果を利用したりするのみで研究の実務を行わない場合を除いて、通常、研究を実施する（研究に関する業務の一部を委託して実施する場合や、他の研究機関と共同して実施する場合を含む。）企業は「研究機関」に該当する。また、医療機関や大学等における研究を共同して実施するために企業が参加する場合には、その企業は「共同研究機関」に該当する可能性がある。

6　番組制作会社や新聞・雑誌社であっても「研究」に該当する活動を自ら実施する場合には、「研究機関」に該当する。また、大学を有する法人や企業等の研究機関が実施する「人を対象とする生命科学・医学系研究」に協力等する場合には、番組制作会社や新聞・雑誌社であっても「共同研究機関」に該当する可能性がある。

7 国、地方公共団体等が委託事業として医療機関や大学を有する法人等に資金や施設等を供与することがあるが、その場合における「研究機関」は資金や施設等の供与を受けて研究を実施する医療機関や大学を有する法人等であり、研究を通じて得られた結果を活用するのみで、研究の実務を行わない事業体は「研究機関」に該当しない。

8 ⒄で、研究機関以外において「新たに試料・情報を取得し、研究機関に提供のみを行う者」及び「既存試料・情報の提供のみを行う者」を「研究者等」から除く旨を規定しており、当該者が所属する機関は「研究機関」に該当しない。

9 ⑿の「共同研究機関」に関して、既存試料・情報の提供を行う者が所属する機関や、研究計画書に基づいて研究対象者から新たに試料・情報を取得して他の研究機関に提供する機関は、必ずしも共同研究機関となることを要しない。

10 ⑿の「当該研究のために研究対象者から新たに試料・情報を取得し、他の研究機関に提供を行う研究機関を含む。」とは、軽微な侵襲以上の侵襲を伴う新規試料の取得を行う際には共同研究機関として提供することを想定している。その他、軽微な侵襲のみを伴う又は侵襲を伴わない新規試料・情報の取得をし、他の研究機関に提供のみを行う場合であっても、共同研究機関となることを妨げるものではない。

11 ⒀に所属する者は、第8の3⑴の規定は適用されるので、留意する必要がある。なお、既存試料・情報のみを提供する者における役割とは異なることに留意すること。

また、研究の内容によっては、研究協力機関かつ既存試料・情報のみを提供する者となる場合もあり得るが、この場合、それぞれの役割を担う必要があることに留意すること。

12 ⒁の「試料・情報の収集・提供を行う機関」とは、特定の研究機関に限定せず、広く試料・情報の提供を確保することがあらかじめ明確化されて運営される、いわゆるバンクやアーカイブを指しており、医療機関において、研究目的でない診療に伴って得られた患者の血液、細胞、組織等を、当該医療機関を有する法人等が実施する研究のみに用いることを目的として保管しておく場合は含まれない。また、保有している時点において反復継続して試料・情報として他の研究機関に提供を行うことを予定していない場合には該当しないが、そうした提供を行おうとする場合には、「試料・情報の収集・提供を行う機関」に該当しこの指針の規定を遵守する必要がある。

13　⒂の「学術研究機関等」は、個人情報保護法第16条第8項に以下のとおり規定されている。

> **個人情報保護法第16条第8項**
> 　この章において「学術研究機関等」とは、大学その他の学術研究を目的とする機関若しくは団体又はそれらに属する者をいう。

　学術研究機関等の考え方や該当性については、個人情報保護委員会の個人情報の保護に関する法律についてのガイドライン（以下「個人情報保護法ガイドライン」という。）（通則編）2-18　学術研究機関等（法第16条第8項関係）の項目を参照。なお、指針における「研究機関」や「共同研究機関」が個人情報保護法上の「学術研究機関等」に該当しない場合もあることに留意する必要がある。例えば、個人情報保護法上、病院・診療所等の患者に対し直接医療を提供する研究機関は「学術研究機関等」に該当しないとされている。他方、大学附属病院のように患者に対して直接医療を提供する機関であっても学術研究機関等である大学法人の一部門である場合には、当該大学法人全体として「学術研究」を主たる目的とする機関として、「学術研究機関等」に該当するとされている。

　病院・診療所等の医療機関等におけるインフォームド・コンセントを受ける手続等については、第8の1⑵ア㈣①(ii)及び⑶ア㈢①(iii)の解説を参照。

> ⒄　研究者等
> 　研究責任者その他の研究の実施（試料・情報の収集・提供を行う機関における業務の実施を含む。）に携わる者をいう。ただし、研究機関に所属する者以外であって、次に掲げるいずれかの者は除く。
> ①　新たに試料・情報を取得し、研究機関に提供のみを行う者
> ②　既存試料・情報の提供のみを行う者

③ 委託を受けて研究に関する業務の一部についてのみ従事する者

⑱ 研究責任者

研究の実施に携わるとともに、所属する研究機関において当該研究に係る業務を統括する者をいう。

なお、以下において、多機関共同研究に係る場合、必要に応じて、研究責任者を研究代表者と読み替えることとする。

⑲ 研究代表者

多機関共同研究を実施する場合に、複数の研究機関の研究責任者を代表する研究責任者をいう。

⑳ 研究機関の長

研究が実施される法人の代表者若しくは行政機関の長又は研究を実施する個人事業主をいう。

㉑ 倫理審査委員会

研究の実施又は継続の適否その他研究に関し必要な事項について、倫理的及び科学的な観点から調査審議するために設置された合議制の機関をいう。

1 ⑰の「その他の研究の実施に携わる者」には、研究分担者のほか、研究機関において研究の技術的補助や事務に従事する職員も含まれる。この際、従来のゲノム指針に規定されていたインフォームド・コンセントを受けるのに必要な業務の一部を行わせる研究機関に属する者以外の者（以下「履行補助者」という。）も含まれる。なお、履行補助者は、法令又は契約において業務上知り得た秘密の漏えいを禁じられている者である必要がある。

このように「研究者等」に含まれる者は多岐にわたるが、第2章以降の各規定に基づき、その実施に携わる研究における各々の役割・責任に応じて対応することになる。

2 ⑰①の「新たに試料・情報を取得し、研究機関に提供のみを行う者」とは、研究協力機関に所属し、試料・情報の取得及び提供以外に研究に関与しない者を指す。

3 ⑰②の「既存試料・情報の提供のみを行う者」とは、既存試料・情報の提供以外に研究に関与しない者を指し、例えば、医療機関に所属する医師等が当該医療機関で保有している診療情報の一部について、又は保健所等に所属する者が当該保健所等で保有している住民の健康に関する情報の一部について、当該情報を用いて研究を実施しようとする研究者等からの依頼を受けて提供のみを行う場合などが該当する。他方、既存試料・情報の提供を行う者として、研究機関において共同研究機関に既存試料・情報の提供を行う場合や、既存試料・情報の提供以外にも研究計画書の作成や研究論文の執筆などに携わる場合には、「研究者等」に該当する。なお、「既存試料・情報の提供のみを行う者」が所属する機関は研究機関には該当しない。

4　⒄③の「委託を受けて研究に関する業務の一部についてのみ従事する者」とは、研究機関から研究に関する業務の一部を請け負った者（研究機関の長と委託契約を締結した法人又は個人事業主）及びその下で当該業務に従事し、当該業務以外に研究に関与しない者を指す。なお、ここでいう委託を受けて従事する「研究に関する業務の一部」とは、解析やモニタリング等、研究対象者等と直接関わることがないような業務をいう。

5　⒅の「研究責任者」は、所属する研究機関において自ら実施に携わる研究に係る業務を統括する者として規定しており、多機関共同研究を実施する場合において、共同研究機関における当該研究に係る業務にも役割及び責任を有するかについては、第6の1⑷の規定により研究計画書に定めるところによる。なお、一の多機関共同研究において、同一の研究者が複数の研究機関の研究責任者となることは望ましくない。

6　⒇の「研究機関の長」は、同一法人内の複数の組織が共同・連携して研究の実施に携わる場合も、「研究機関」は当該法人であり、「研究機関の長」は当該法人の代表者である。

7　㉑の「倫理審査委員会」は、研究が実施される研究機関に設置されたものに限らず、当該研究機関以外において設置され、研究責任者等から依頼を受けて審査を行う機関を含む。

⑵2　インフォームド・コンセント
　研究の実施又は継続（試料・情報の取扱いを含む。）に関する研究対象者

等の同意であって、当該研究の目的及び意義並びに方法、研究対象者に生じる負担、予測される結果（リスク及び利益を含む。）等について研究者等又は既存試料・情報の提供のみを行う者から十分な説明を受け、それらを理解した上で自由意思に基づいてなされるものをいう。

⑵③ 適切な同意

試料・情報の取得及び利用（提供を含む。）に関する研究対象者等の同意であって、研究対象者等がその同意について判断するために必要な事項が合理的かつ適切な方法によって明示された上でなされたもの（このうち個人情報等については、個人情報保護法における本人の同意を満たすもの）をいう。

⑵④ 代諾者

生存する研究対象者の意思及び利益を代弁できると考えられる者であって、当該研究対象者がインフォームド・コンセント又は適切な同意を与えることができる能力を欠くと客観的に判断される場合に、当該研究対象者の代わりに、研究者等又は既存試料・情報の提供のみを行う者に対してインフォームド・コンセント又は適切な同意を与えることができる者をいう。

⑵⑤ 代諾者等

代諾者に加えて、研究対象者が死者である場合にインフォームド・コンセント又は適切な同意を与えることができる者を含めたものをいう。

⑵⑥ インフォームド・アセント

インフォームド・コンセントを与える能力を欠くと客観的に判断される研究対象者が、実施又は継続されようとする研究に関して、その理解力に応じた分かりやすい言葉で説明を受け、当該研究を実施又は継続されることを理解し、賛意を表することをいう。

1 ⑵②の「インフォームド・コンセント」と⑵③の「適切な同意」の違いについては、「インフォームド・コンセント」を受ける場合は、第8の5の規定による説明事項について十分な説明を行った上で研究が実施又は継続されることに関する同意を受けることが必要であるのに対し、「適切な同意」を受ける場合は、研究対象者が同意について判断を行うために必要な事項（試料・情報の利用目的、同意の撤回が可能である旨等）を、個人情報保護法の趣旨に沿った合理的かつ適切な方法によって明示した上で得られる同意をいう点が異なる。

⑵③の「研究対象者等がその同意について判断するために必要な事項」につい

ては、研究内容に応じて、一義的には、個人情報保護法やこの指針に照らし、研究責任者が判断し、その理由を示して倫理審査委員会で審査の上、研究機関の長の許可を得る必要がある。

㉓の「適切な同意」を受ける方法としては、同意する旨の口頭による意思表示を受ける方法、同意する旨を示した書面（電磁的記録を含む。）や電子メールを受領する方法、同意する旨の確認欄へのチェックを得る方法、同意する旨のホームページ上のボタンのクリックを得る方法等が挙げられる。なお、研究の概要のみを記載し、同意する旨の確認欄が設けられていないアンケート用紙を用いて研究する場合、当該アンケート用紙を回収した事実のみをもって、「適切な同意」を受けたとはいえない。

2　㉓の「このうち個人情報等については、個人情報保護法における本人の同意を満たすものをいう。」としているのは、この指針における「適切な同意」には、個人情報等の取扱いに関する同意も含まれるところ、個人情報等を取り扱うにあたっては、個人情報保護法も遵守する必要があることから、これを規定するものである。なお、この指針における「適切な同意」には、試料の取扱いに関する同意も含まれるが、試料の取扱いについては、個人情報保護法の規律の対象とならない。この指針における「適切な同意」は、明示の同意のみをいい、黙示の同意は含まれない点に留意されたい。

3　㉔及び㉖の「インフォームド・コンセント（又は適切な同意）を与える能力を欠くと客観的に判断される」とは、その研究の実施に携わっていない者からみても、そう判断されることを指す。

なお、インフォームド・コンセントを与える能力は、実施又は継続されようとする研究の内容（研究対象者への負担並びに予測されるリスク及び利益の有無、内容等）との関係でそれぞれ異なると考えられ、同一人が、ある研究についてはインフォームド・コンセントを与える能力を欠くが、別の研究についてはインフォームド・コンセントを与える能力を有するということもあり得る。

4　諸外国において「アセント」又は「インフォームド・アセント」は小児を研究対象者とする場合について用いられることが多いが、この指針では、小児に限らず、インフォームド・コンセントを与える能力を欠くと客観的に判断される研究対象者が、研究を実施されることに自らの意思を表することができる場合に、その程度や状況に応じて、インフォームド・アセントを得るよう規定している。

> ⑳ 個人情報
> 　個人情報保護法第２条第１項に規定する個人情報をいう。
> ㉘ 個人識別符号
> 　個人情報保護法第２条第２項に規定する個人識別符号をいう。
> ㉙ 要配慮個人情報
> 　個人情報保護法第２条第３項に規定する要配慮個人情報をいう。

1　㉗の「個人情報」は、個人情報保護法第２条第１項に以下のとおり規定されている。

> **個人情報保護法第２条第１項**
> 　この法律において「個人情報」とは、生存する個人に関する情報であって、次の各号のいずれかに該当するものをいう。
> (1)　当該情報に含まれる氏名、生年月日その他の記述等（文書、図画若しくは電磁的記録（電磁的方式（電子的方式、磁気的方式その他人の知覚によっては認識することができない方式をいう。次項第２号において同じ。）で作られる記録をいう。以下同じ。）に記載され、若しくは記録され、又は音声、動作その他の方法を用いて表された一切の事項（個人識別符号を除く。）をいう。以下同じ。）により特定の個人を識別することができるもの（他の情報と容易に照合することができ、それにより特定の個人を識別することができることとなるものを含む。）
> (2)　個人識別符号が含まれるもの

　さらに、「個人情報」について、個人情報保護法ガイドライン（通則編）において以下のように解説されている。

> **個人情報保護法ガイドライン（通則編）**
> 「個人情報」とは、生存する「個人に関する情報」であって、「当該情報に含まれる氏名、生年月日その他の記述等により特定の個人を識別することができるもの（他の情報と容易に照合することができ、それにより特定の個人を識別することができるものを含む。）」（個人情報保護法第２条第１項第１

号)、又は「個人識別符号が含まれるもの」(同項第2号) をいう。

「個人に関する情報」とは、氏名、住所、性別、生年月日、顔画像等個人を識別する情報に限られず、ある個人の身体、財産、職種、肩書等の属性に関して、事実、判断、評価を表す全ての情報であり、評価情報、公刊物等によって公にされている情報や、映像、音声による情報も含まれ、暗号化等によって秘匿化されているかどうかを問わない。

【個人情報に該当する事例】

事例1) 本人の氏名

事例2) 生年月日、連絡先 (住所・居所・電話番号・メールアドレス)、会社における職位又は所属に関する情報について、それらと本人の氏名を組み合わせた情報

事例3) 防犯カメラに記録された情報等本人が判別できる映像情報

事例4) 本人の氏名が含まれる等の理由により、特定の個人を識別できる音声録音情報

事例5) 特定の個人を識別できるメールアドレス (kojin_ichiro@example.com 等のようにメールアドレスだけの情報の場合であっても、example 社に所属するコジンイチロウのメールアドレスであることが分かるような場合等)

事例6) 個人情報を取得後に当該情報に付加された個人に関する情報 (取得時に生存する特定の個人を識別することができなかったとしても、取得後、新たな情報が付加され、又は照合された結果、生存する特定の個人を識別できる場合は、その時点で個人情報に該当する。)

事例7) 官報、電話帳、職員録、法定開示書類 (有価証券報告書等)、新聞、ホームページ、SNS (ソーシャル・ネットワーク・サービス) 等で公にされている特定の個人を識別できる情報

2　(28)の「個人識別符号」は、個人情報保護法第2条第2項に以下のとおり規定されている。

個人情報保護法第2条第2項

この法律において「個人識別符号」とは、次の各号のいずれかに該当する文字、番号、記号その他の符号のうち、政令で定めるものをいう。

一　特定の個人の身体の一部の特徴を電子計算機の用に供するために変換した文字、番号、記号その他の符号であって、当該特定の個人を識別することができるもの
二　個人に提供される役務の利用若しくは個人に販売される商品の購入に関し割り当てられ、又は個人に発行されるカードその他の書類に記載され、若しくは電磁的方式により記録された文字、番号、記号その他の符号であって、その利用者若しくは購入者又は発行を受ける者ごとに異なるものとなるように割り当てられ、又は記載され、若しくは記録されることにより、特定の利用者若しくは購入者又は発行を受ける者を識別することができるもの

さらに、個人情報保護法第2条第2項第1号に関し、個人情報保護法ガイドライン（通則編）において以下のように解説されている。

個人情報保護法ガイドライン（通則編）

「個人識別符号」とは、当該情報単体から特定の個人を識別できるものとして政令に定められた文字、番号、記号その他の符号をいい、これに該当するものが含まれる情報は個人情報となる。

（略）

政令第1条第1号においては、同号イからトまでに掲げる身体の特徴のいずれかを電子計算機の用に供するために変換した文字、番号、記号その他の符号のうち、「特定の個人を識別するに足りるものとして個人情報保護委員会規則で定める基準に適合するもの」が個人識別符号に該当するとされている。当該基準は規則第2条において定められているところ、この基準に適合し、個人識別符号に該当することとなるものは次のとおりである。

イ　細胞から採取されたデオキシリボ核酸（別名DNA）を構成する塩基の配列

ゲノムデータ（細胞から採取されたデオキシリボ核酸（別名DNA）を構成する塩基の配列を文字列で表記したもの）のうち、全核ゲノムシークエンスデータ、全エクソームシークエンスデータ、全ゲノム一塩基多型（single nucleotide polymorphism：SNP）データ、互いに独立な40箇所以上のSNPから構成されるシークエンスデータ、9座位以上の4塩基単位の繰り返し配列（short tandem repeat：STR）等の遺伝型情報により本人を認証することができるようにしたもの

ロ　顔の骨格及び皮膚の色並びに目、鼻、口その他の顔の部位の位置及び形状によって定まる容貌

顔の骨格及び皮膚の色並びに目、鼻、口その他の顔の部位の位置及び形状から抽出した特徴情報を、本人を認証することを目的とした装置やソフトウェアにより、本人を認証することができるようにしたもの

ハ　虹彩の表面の起伏により形成される線状の模様

虹彩の表面の起伏により形成される線状の模様から、赤外光や可視光等を用い、抽出した特徴情報を、本人を認証することを目的とした装置やソフトウェアにより、本人を認証することができるようにしたもの

ニ　発声の際の声帯の振動、声門の開閉並びに声道の形状及びその変化によって定まる声の質

音声から抽出した発声の際の声帯の振動、声門の開閉並びに声道の形状及びその変化に関する特徴情報を、話者認識システム等本人を認証することを目的とした装置やソフトウェアにより、本人を認証することができるようにしたもの

ホ　歩行の際の姿勢及び両腕の動作、歩幅その他の歩行の態様

歩行の際の姿勢及び両腕の動作、歩幅その他の歩行の態様から抽出した特徴情報を、本人を認証することを目的とした装置やソフトウェアにより、本人を認証することができるようにしたもの

へ　手のひら又は手の甲若しくは指の皮下の静脈の分岐及び端点によって定まるその静脈の形状

手のひら又は手の甲若しくは指の皮下の静脈の分岐及び端点によって定まるその静脈の形状等から、赤外光や可視光等を用い抽出した特徴情報を、本人を認証することを目的とした装置やソフトウェアにより、本人を認証することができるようにしたもの

ト　指紋又は掌紋

（指紋）指の表面の隆線等で形成された指紋から抽出した特徴情報を、本人を認証することを目的とした装置やソフトウェアにより、本人を認証することができるようにしたもの

（掌紋）手のひらの表面の隆線や皺等で形成された掌紋から抽出した特徴情報を、本人を認証することを目的とした装置やソフトウェアにより、本人を認証することができるようにしたもの

チ　組合せ

政令第1条第1号イからトまでに掲げるものから抽出した特徴情報を、組み合わせ、本人を認証することを目的とした装置やソフトウェアにより、本人を認証することができるようにしたもの

また、個人情報保護法第2条第2項第2号について、個人情報の保護に関する法律施行令（平成15年政令第507号）第1条第2号から第8号までに以下のとおり規定されている。

政令第1条第2号から第8号まで

⑵ 旅券法（昭和26年法律第267号）第6条第1項第1号の旅券の番号

⑶ 国民年金法（昭和34年法律第141号）第14条に規定する基礎年金番号

⑷ 道路交通法（昭和35年法律第105号）第93条第1項第1号の免許証の番号

⑸ 住民基本台帳法（昭和42年法律第81号）第7条第13号に規定する住民票コード

⑹ 行政手続における特定の個人を識別するための番号の利用等に関する法律（平成25年法律第27号）第2条第5項に規定する個人番号

⑺ 次に掲げる証明書にその発行を受ける者ごとに異なるものとなるように記載された個人情報保護委員会規則で定める文字、番号、記号その他の符号

イ 国民健康保険法（昭和33年法律第192号）第9条第2項の被保険者証

ロ 高齢者の医療の確保に関する法律（昭和57年法律第80号）第54条第3項の被保険者証

ハ 介護保険法（平成9年法律第123号）第12条第3項の被保険者証

⑻ その他前各号に準ずるものとして個人情報保護委員会規則で定める文字、番号、記号その他の符号

個人識別符号に関する詳細な定義については、個人情報保護法ガイドライン（通則編）等を参照。

3 ㉙の「要配慮個人情報」は、個人情報保護法第2条第3項に以下のとおり規定されている。

個人情報保護法第2条第3項

この法律において「要配慮個人情報」とは、本人の人種、信条、社会的身

分、病歴、犯罪の経歴、犯罪により害を被った事実その他本人に対する不当な差別、偏見その他の不利益が生じないようにその取扱いに特に配慮を要するものとして政令で定める記述等が含まれる個人情報をいう。

さらに、「要配慮個人情報」について、個人情報保護法ガイドライン（通則編）において以下のように解説されている。

個人情報保護法ガイドライン（通則編）

「要配慮個人情報」とは、不当な差別や偏見その他の不利益が生じないようにその取扱いに特に配慮を要するものとして次の(1)から(11)までの記述等が含まれる個人情報をいう。

（略）

(1)　人種

人種、世系又は民族的若しくは種族的出身を広く意味する。なお、単純な国籍や「外国人」という情報は法的地位であり、それだけでは人種には含まない。また、肌の色は、人種を推知させる情報にすぎないため、人種には含まない。

(2)　信条

個人の基本的なものの見方、考え方を意味し、思想と信仰の双方を含むものである。

(3)　社会的身分

ある個人にその境遇として固着していて、一生の間、自らの力によって容易にそれから脱し得ないような地位を意味し、単なる職業的地位や学歴は含まない。

(4)　病歴

病気に罹患した経歴を意味するもので、特定の病歴を示した部分（例：特定の個人ががんに罹患している、統合失調症を患っている等）が該当する。

(5)　犯罪の経歴

前科、すなわち有罪の判決を受けこれが確定した事実が該当する。

(6)　犯罪により害を被った事実

身体的被害、精神的被害及び金銭的被害の別を問わず、犯罪の被害を受けた事実を意味する。具体的には、刑罰法令に規定される構成要件に該当し得る行為のうち、刑事事件に関する手続に着手されたものが該当する。

(7)　身体障害、知的障害、精神障害（発達障害を含む。）その他の個人情報保

護委員会規則で定める心身の機能の障害があること

次の①から④までに掲げる情報をいう。この他、当該障害があること又は過去にあったことを特定させる情報（例：障害者の日常生活及び社会生活を総合的に支援するための法律（平成17年法律第123号）に基づく障害福祉サービスを受けていること又は過去に受けていたこと）も該当する。

① 「身体障害者福祉法（昭和24年法律第283号）別表に掲げる身体上の障害」があることを特定させる情報

② 「知的障害者福祉法（昭和35年法律第37号）にいう知的障害」があることを特定させる情報

③ 「精神保健及び精神障害者福祉に関する法律（昭和25年法律第123号）にいう精神障害（発達障害者支援法（平成16年法律第167号）第2条第2項に規定する発達障害を含み、知的障害者福祉法にいう知的障害を除く。）」があることを特定させる情報

④ 「治療方法が確立していない疾病その他の特殊の疾病であって障害者の日常生活及び社会生活を総合的に支援するための法律第4条第1項の政令で定めるものによる障害の程度が同項の厚生労働大臣が定める程度であるもの」があることを特定させる情報

(8) 本人に対して医師その他医療に関連する職務に従事する者（(9)において「医師等」という。）により行われた疾病の予防及び早期発見のための健康診断その他の検査（(9)において「健康診断等」という。）の結果

疾病の予防や早期発見を目的として行われた健康診査、健康診断、特定健康診査健康測定、ストレスチェック、遺伝子検査（診療の過程で行われたものを除く。）等、受診者本人の健康状態が判明する検査の結果が該当する。

具体的な事例としては、労働安全衛生法（昭和47年法律第57号）に基づいて行われた健康診断の結果、同法に基づいて行われたストレスチェックの結果、高齢者の医療の確保に関する法律（昭和57年法律第80号）に基づいて行われた特定健康診査の結果などが該当する。また、法律に定められた健康診査の結果等に限定されるものではなく、人間ドックなど保険者や事業主が任意で実施又は助成する検査の結果も該当する。さらに、医療機関を介さないで行われた遺伝子検査により得られた本人の遺伝型とその遺伝型の疾患へのかかりやすさに該当する結果等も含まれる。なお、健康診断等を受診したという事実は該当しない。

なお、身長、体重、血圧、脈拍、体温等の個人の健康に関する情報を、健康診断、診療等の事業及びそれに関する業務とは関係ない方法により知り得た場合は該当しない。

(9)　健康診断等の結果に基づき、又は疾病、負傷その他の心身の変化を理由として、本人に対して医師等により心身の状態の改善のための指導又は診療若しくは調剤が行われたこと

「健康診断等の結果に基づき、本人に対して医師等により心身の状態の改善のための指導が行われたこと」とは、健康診断等の結果、特に健康の保持に努める必要がある者に対し、医師又は保健師が行う保健指導等の内容が該当する。

指導が行われたことの具体的な事例としては、労働安全衛生法に基づき医師又は保健師により行われた保健指導の内容、同法に基づき医師により行われた面接指導の内容、高齢者の医療の確保に関する法律に基づき医師、保健師、管理栄養士により行われた特定保健指導の内容等が該当する。また、法律に定められた保健指導の内容に限定されるものではなく、保険者や事業主が任意で実施又は助成により受診した保健指導の内容も該当する。なお、保健指導等を受けたという事実も該当する。

「健康診断等の結果に基づき、又は疾病、負傷その他の心身の変化を理由として、本人に対して医師等により診療が行われたこと」とは、病院、診療所、その他の医療を提供する機関において診療の過程で、患者の身体の状況、病状、治療状況等について、医師、歯科医師、薬剤師、看護師その他の医療従事者が知り得た情報全てを指し、例えば診療記録等がこれに該当する。また、病院等を受診したという事実も該当する。

「健康診断等の結果に基づき、又は疾病、負傷その他の心身の変化を理由として、本人に対して医師等により調剤が行われたこと」とは、病院、診療所、薬局、その他の医療を提供する機関において調剤の過程で患者の身体の状況、病状、治療状況等について、薬剤師（医師又は歯科医師が自己の処方箋により自ら調剤する場合を含む。）が知り得た情報全てを指し、調剤録、薬剤服用歴、お薬手帳に記載された情報等が該当する。また、薬局等で調剤を受けたという事実も該当する。

なお、身長、体重、血圧、脈拍、体温等の個人の健康に関する情報を、健康診断、診療等の事業及びそれに関する業務とは関係のない方法により知り得た場合は該当しない。

⑽ 本人を被疑者又は被告人として、逮捕、捜索、差押え、勾留、公訴の提起その他の刑事事件に関する手続が行われたこと（犯罪の経歴を除く。）
⑾ 本人を少年法（昭和 23 年法律第 168 号）第 3 条第 1 項に規定する少年又はその疑いのある者として、調査、観護の措置、審判、保護処分その他の少年の保護事件に関する手続が行われたこと

要配慮個人情報に関する解釈の詳細については、個人情報保護法ガイドライン（通則編）や「個人情報の保護に関する法律についてのガイドライン」に関する Q&A 等を併せて参照すること。

⒇ 仮名加工情報
個人情報保護法第 2 条第 5 項に規定する仮名加工情報をいう。
(31) 匿名加工情報
個人情報保護法第 2 条第 6 項に規定する匿名加工情報をいう。
(32) 個人関連情報
個人情報保護法第 2 条第 7 項に規定する個人関連情報をいう。
(33) 個人情報等
個人情報、仮名加工情報、匿名加工情報及び個人関連情報をいう。
(34) 削除情報等
個人情報保護法第 41 条第 2 項に規定する削除情報等をいう。
(35) 加工方法等情報
個人情報の保護に関する法律施行規則（平成 28 年個人情報保護委員会規則第 3 号。以下「個人情報保護法施行規則」という。）第 35 条第 1 号に規定する加工方法等情報をいう。

1 (30)の「仮名加工情報」は、個人情報保護法第 2 条第 5 項に以下のとおり規定されている。

個人情報保護法第 2 条第 5 項
この法律において「仮名加工情報」とは、次の各号に掲げる個人情報の区分に応じて当該各号に定める措置を講じて他の情報と照合しない限り特定の個人を識別することができないように個人情報を加工して得られる個人に関する情報をいう。

(1)　第1項第1号に該当する個人情報　当該個人情報に含まれる記述等の一部を削除すること（当該一部の記述等を復元することのできる規則性を有しない方法により他の記述等に置き換えることを含む。）。
(2)　第1項第2号に該当する個人情報　当該個人情報に含まれる個人識別符号の全部を削除すること（当該個人識別符号を復元することのできる規則性を有しない方法により他の記述等に置き換えることを含む。）。

さらに、「仮名加工情報」について、個人情報保護法ガイドライン（仮名加工情報・匿名加工情報編）において以下のように解説されている。

個人情報保護法ガイドライン（仮名加工情報・匿名加工情報編）

「仮名加工情報」とは、個人情報を、その区分に応じて次に掲げる措置を講じて他の情報と照合しない限り特定の個人を識別することができないように加工して得られる個人に関する情報をいう。
(1)　（該当法令番号省略）「当該情報に含まれる氏名、生年月日その他の記述等により特定の個人を識別できるもの（他の情報と容易に照合することができ、それにより特定の個人を識別することができることとなるものを含む。）」である個人情報の場合
　当該個人情報に含まれる記述等の一部を削除すること
(2)　（該当法令番号省略）「個人識別符号が含まれる」個人情報の場合
　当該個人情報に含まれる個人識別符号の全部を削除すること（この措置を講じた上で、まだなお法第2条第1項第1号に該当する個人情報であった場合には、同号に該当する個人情報としての加工を行う必要がある。）

「削除すること」には、「当該一部の記述等」又は「当該個人識別符号」を復元することのできる規則性を有しない方法により他の記述等に置き換えることを含む。「復元することのできる規則性を有しない方法」とは、置き換えた記述等から、置き換える前の特定の個人を識別することとなる記述等又は個人識別符号の内容を復元することができない方法である。

なお、「特定の個人を識別することができる」とは、情報単体又は複数の情報を組み合わせて保存されているものから社会通念上そのように判断できるものをいい、一般人の判断力又は理解力をもって生存する具体的な人物と情報の間に同一性を認めるに至ることができるかどうかによるものである。仮名加工情報に求められる「他の情報と照合しない限り特定の個人を識別す

ることができない」という要件は、加工後の情報それ自体により特定の個人を識別することができないような状態にすることを求めるものであり、当該加工後の情報とそれ以外の他の情報を組み合わせることによって特定の個人を識別することができる状態にあることを否定するものではない。

仮名加工情報を作成するときは、仮名加工情報作成の意図を持って、個人情報保護法第41条第1項に規定する個人情報の保護に関する法律施行規則で定める基準に従って加工する必要がある。したがって、客観的に仮名加工情報の加工基準に沿った加工がなされている場合であっても、引き続き個人情報の取扱いに係る規律が適用されるものとして取り扱う意図で加工された個人に関する情報については、仮名加工情報の取扱いに係る規律は適用されない。なお、当該情報について、客観的に仮名加工情報の加工基準に沿った加工がなされている場合には、これを仮名加工情報として取り扱うこととした時点から、更なる加工を行うことなく仮名加工情報として取り扱うことが可能である（「個人情報の保護に関する法律についてのガイドライン」に関するQ&Aを参照）。

<個人情報・仮名加工情報・匿名加工情報の対比（イメージ）>

	個人情報	仮名加工情報 （個人情報であるもの）	匿名加工情報
適正な加工 （必要な加工のレベル）	—	・**他の情報と照合しない限り**特定の個人を識別することができない ・対照表と**照合すれば本人が分かる程度まで加工**	・特定の個人を識別することができず、**復元することができない** ・**本人か一切分からない程度まで加工**
加工の方法	—	・特定の個人を識別することができる記述等の削除（又は置き換え） ・個人識別符号の全部の削除（又は置き換え） ・不正に利用されることにより財産的被害が生じるおそれのある記述等の削除（又は置き換え）	・特定の個人を識別することができる記述等の削除（又は置き換え） ・個人識別符号の全部の削除（又は置き換え） ・情報を相互に連結する符号の削除（又は置き換え） ・特異な記述の削除（又は置き換え） ・個人情報データベース等の性質を踏まえたその他の措置
利用目的の制限等 （利用目的の特定、変更の制限）	・利用目的の特定が必要 ・原則あらかじめ同意を取得しなければ利用目的の変更は不可	・利用目的の特定が必要 ・利用目的の変更は可能 ・本人を識別しない、本人に連絡しないこと等が条件	× （規制なし）
通知・公表	・利用目的の通知・公表など	・仮名加工情報を取得した場合又は利用目的を変更した場合は、原則利用目的の公表が必要	・匿名加工情報の作成時に匿名加工情報に含まれる個人に関する情報の項目を公表 ・第三者提供をするときは、あらかじめ第三者提供される匿名加工情報に含まれる個人に関する情報の項目、提供の方法を公表
第三者提供に係る規律	原則あらかじめ同意を取得しなければ第三者提供できない	原則第三者提供は禁止だが例外（法令に基づく場合、委託、事業の承継、共同利用）あり	第三者提供は可 ただし公表義務有
識別行為の禁止	× （識別行為について規制なし）	○ （識別行為を禁止する規制あり）	○ （識別行為を禁止する規制あり）

2 ⑶の「匿名加工情報」は、個人情報保護法第2条第6項に以下のとおり規定されている。

個人情報保護法第2条第6項

この法律において「匿名加工情報」とは、次の各号に掲げる個人情報の区分に応じて当該各号に定める措置を講じて特定の個人を識別することができないように個人情報を加工して得られる個人に関する情報であって、当該個人情報を復元することができないようにしたものをいう。

一 第一項第一号に該当する個人情報 当該個人情報に含まれる記述等の一部を削除すること（当該一部の記述等を復元することのできる規則性を有しない方法により他の記述等に置き換えることを含む。）。

二 第一項第二号に該当する個人情報 当該個人情報に含まれる個人識別符号の全部を削除すること（当該個人識別符号を復元することのできる規則性を有しない方法により他の記述等に置き換えることを含む。）。

さらに、「匿名加工情報」について、個人情報保護法ガイドライン（仮名加工情報・匿名加工情報編）において以下のように解説されている。

個人情報保護法ガイドライン（仮名加工情報・匿名加工情報編）

「匿名加工情報」とは、個人情報を個人情報の区分に応じて定められた措置を講じて特定の個人を識別することができないように加工して得られる個人に関する情報であって、当該個人情報を復元して特定の個人を再識別することができないようにしたものをいう。

匿名加工情報を作成するときは、匿名加工情報作成の意図を持って、個人情報保護法第43条第1項に規定する規則で定める基準に従って加工する必要がある（「個人情報の保護に関する法律についてのガイドライン」に関するQ&Aを参照）。

3 ⒆の「個人関連情報」は、個人情報保護法第2条第7項に以下のとおり規定されている。

個人情報保護法第2条第7項

この法律において「個人関連情報」とは、生存する個人に関する情報であって、個人情報、仮名加工情報及び匿名加工情報のいずれにも該当しないものをいう。

さらに、「個人関連情報」について、個人情報保護法ガイドライン（通則編）において以下のように解説されている。

個人情報保護法ガイドライン（通則編）

「個人関連情報」とは、生存する個人に関する情報であって、個人情報、仮名加工情報及び匿名加工情報のいずれにも該当しないものをいう。

「個人に関する情報」とは、ある個人の身体、財産、職種、肩書等の属性に関して、事実、判断、評価を表す全ての情報である。「個人に関する情報」のうち、氏名、生年月日その他の記述等により特定の個人を識別することができるものは、個人情報に該当するため、個人関連情報には該当しない。（略）

【個人関連情報に該当する事例】

事例1）Cookie 等の端末識別子を通じて収集された、ある個人のウェブサイトの閲覧履歴

事例2）メールアドレスに結び付いた、ある個人の年齢・性別・家族構成等

事例3）ある個人の商品購買履歴・サービス利用履歴

事例4）ある個人の位置情報

事例5）ある個人の興味・関心を示す情報

（※）個人情報に該当する場合は、個人関連情報に該当しないことになる。（略）

4　(33)の「個人情報等」とは、個人情報保護法における「個人情報」、「仮名加工情報」、「匿名加工情報」及び「個人関連情報」をいう。

5　(34)の「削除情報等」は、個人情報保護法第41条第2項に以下のとおり規定されている。

個人情報保護法第41条第2項（下線部）

個人情報取扱事業者は、仮名加工情報を作成したとき、又は仮名加工情報及び当該仮名加工情報に係る削除情報等（仮名加工情報の作成に用いられた個人情報から削除された記述等及び個人識別符号並びに前項の規定により行われた加工の方法に関する情報をいう。以下この条及び次条第三項において読み替えて準用する第七項において同じ。）を取得したときは、削除情報等の漏えいを防止するために必要なものとして個人情報保護委員会規則で定め

る基準に従い、削除情報等の安全管理のための措置を講じなければならない。

⑶の「削除情報等」には、研究対象者の氏名等を仮IDに置き換えた場合における氏名と仮IDの対応表等が含まれる。

6 ⒇の「加工方法等情報」は、個人情報の保護に関する法律施行規則（平成28年個人情報保護委員会規則第3号。以下「個人情報保護法施行規則」という。）第35条第1号に以下のとおり規定されている。

個人情報保護法施行規則第35条第1号（下線部）

加工方法等情報（匿名加工情報の作成に用いた個人情報から削除した記述等及び個人識別符号並びに法第43条第1項の規定により行った加工の方法に関する情報（その情報を用いて当該個人情報を復元することができるものに限る。）をいう。以下この条において同じ。）を取り扱う者の権限及び責任を明確に定めること。

＜この指針における個人情報等の分類について＞

<table>
<tr><th colspan="3">種類</th><th colspan="2">内容</th><th>具体例</th></tr>
<tr><td rowspan="6">生存する個人に関する情報</td><td rowspan="3">個人情報
(※１)</td><td colspan="3">当該情報に含まれる氏名、生年月日その他の記述等により特定の個人を識別することができるもの</td><td>氏名、診療情報、記名式アンケート、顔画像等</td></tr>
<tr><td colspan="3">個人識別符号が含まれるもの</td><td>ゲノムデータ（※２)、国民健康保険被保険者証の保険者番号及び被保険者記号・番号</td></tr>
<tr><td>仮名加工情報</td><td rowspan="2">個人情報保護法が規定する方法で、他の情報と照合しない限り特定の個人を識別することができないように個人情報を加工して得られる個人に関する情報</td><td>仮名加工情報について、「他の情報と容易に照合することができ、それにより特定の個人を識別することができる」状態にある（仮名加工情報の作成の元となった個人情報や当該仮名加工情報に係る削除情報等を保有している等）</td><td rowspan="3">仮名加工情報・匿名加工情報　信頼ある個人情報の利活用に向けて―事例編―（※３）参照</td></tr>
<tr><td colspan="2">仮名加工情報</td><td>仮名加工情報について、「他の情報と容易に照合することができ、それにより特定の個人を識別することができる」状態にない</td></tr>
<tr><td colspan="2">匿名加工情報</td><td colspan="2">個人情報保護法が規定する方法で、特定の個人を識別することができないように個人情報を加工して得られる個人に関する情報であって、当該個人情報を復元することができないようにしたもの</td></tr>
<tr><td colspan="2">個人関連情報</td><td colspan="2">個人情報、仮名加工情報及び匿名加工情報のいずれにも該当しないもの</td><td>ウェブサイトの閲覧履歴、Cookie 等の端末識別子、個人識別符号に該当しないゲノムデータ</td></tr>
</table>

※１　個人情報のうち、一定の記述等（病歴、医師等により行われた健康診断等の結果、医師等により指導又は診療若しくは調剤が行われたこと等）が含まれるものは、「要配慮個人情報」に該当する（第２㉙の解説を参照）。例えば、診療録、レセプトに記載された個人情報は、要配慮個人情報に該当する。

※２　ゲノムデータとは、細胞から採取されたデオキシリボ核酸（別名 DNA）を構成する塩基の配列を文字列で表記したものをいい、ゲノム情報とは、個人識別符号に該当するゲノムデータに遺伝子疾患、疾患へのかかりやすさ、治療薬の選択に関するものなどの解釈を付加し、医学的意味合いを持ったものをいう。

※３　https://www.ppc.go.jp/files/pdf/report_office_zirei2205.pdf

＜MRI・CT 画像の分類について＞

MRI・CT 画像は、画像の内容から特定の個人を識別することができる場合には、それ単独で個人情報に該当し、また、氏名等の他の情報と容易に照合することにより特定の個人を識別することができる場合には、当該情報とあわせて全体として個人情報に該当する。

他方、個人情報に該当しない場合には、個人関連情報に該当する。

> ⑶⑹ 有害事象
>
> 実施された研究との因果関係の有無を問わず、研究対象者に生じた全ての好ましくない又は意図しない傷病若しくはその徴候（臨床検査値の異常を含む。）をいう。
>
> ⑶⑺ 重篤な有害事象
>
> 有害事象のうち、次に掲げるいずれかに該当するものをいう。
>
> ① 死に至るもの
>
> ② 生命を脅かすもの
>
> ③ 治療のための入院又は入院期間の延長が必要となるもの
>
> ④ 永続的又は顕著な障害・機能不全に陥るもの
>
> ⑤ 子孫に先天異常を来すもの
>
> ⑶⑻ 予測できない重篤な有害事象
>
> 重篤な有害事象のうち、研究計画書、インフォームド・コンセントの説明文書等において記載されていないもの又は記載されていてもその性質若しくは重症度が記載内容と一致しないものをいう。

1 ⑶⑹の「臨床検査値の異常」に関して、基準値からの軽度の逸脱が平常時にも生じ得るものであれば、必ずしも「異常」に含まれるものでないが、有害事象の兆候である可能性も考慮する必要がある。

2 ⑶⑺の「重篤な有害事象」に関して、①から⑤までに掲げるもののほか、即座に生命を脅かしたり入院には至らなくとも、研究対象者を危険にさらしたり、①から⑤までのような結果に至らぬように処置を必要とするような重大な事象の場合には、第15の3の規定による手順書等に従って必要な措置を講ずるとともに、研究の内容により、特定の傷病領域において国際的に標準化されている有害事象評価規準等がある場合には、当該規準等を参照して研究計画書に反映することが望ましい。

3 ⑶⑻の「研究計画書、インフォームド・コンセントの説明文書等」には、既承認医薬品・医療機器を用いる研究における、当該品目の添付文書が含まれる。

未承認医薬品・医療機器を用いる研究では、研究計画書の記載事項（第7⑴④）の「研究の方法」において、当該研究に用いられる未承認医薬品・医療機器の概要（いわゆる「試験薬概要」、「試験機器概要」）を記載するものとし、研究計画書の当該記載も予測可能性の判断要素としてよい。

⒆ モニタリング

研究が適正に行われることを確保するため、研究がどの程度進捗しているか並びにこの指針及び研究計画書に従って行われているかについて、研究責任者が指定した者に行わせる調査をいう。

⒇ 監査

研究結果の信頼性を確保するため、研究がこの指針及び研究計画書に従って行われたかについて、研究責任者が指定した者に行わせる調査をいう。

(41) 遺伝カウンセリング

遺伝医学に関する知識及びカウンセリングの技法を用いて、研究対象者等又は研究対象者の血縁者に対して、対話と情報提供を繰り返しながら、遺伝性疾患をめぐり生じ得る医学的又は心理的諸問題の解消又は緩和を目指し、研究対象者等又は研究対象者の血縁者が今後の生活に向けて自らの意思で選択し、行動できるよう支援し、又は援助することをいう。

1　(39)及び(40)の「研究責任者が指定した者」に関して、多機関共同研究を実施する場合には、第6の1⑷の規定により、研究計画書の作成に当たって各共同研究機関の研究責任者の役割及び責任を明確にすることとしており、共同研究機関においてモニタリング又は監査に従事する者の指定を含めて、研究代表者が統括することとしてよい。

なお、その属性を明確にして指定してあれば、必ずしも特定の個人を指名することを要しない。

第3　適用範囲

1　適用される研究

この指針は、我が国の研究者等により実施され、又は日本国内において実施される人を対象とする生命科学・医学系研究を対象とする。ただし、他の指針の適用範囲に含まれる研究にあっては、当該指針に規定されていない事項についてはこの指針の規定により行うものとする。

また、次に掲げるアからウまでのいずれかの研究に該当する場合は、この指針の対象としない。

ア　法令の規定により実施される研究

イ　法令の定める基準の適用範囲に含まれる研究

ウ　試料・情報のうち、次に掲げるもののみを用いる研究

①　既に学術的な価値が定まり、研究用として広く利用され、かつ、一般に入手可能な試料・情報

②　個人に関する情報に該当しない既存の情報

③　既に作成されている匿名加工情報

1　第3の1の規定は、第2⑴で定義する「人を対象とする生命科学・医学系研究」のうち、この指針を適用する研究、或いは適用しない研究について定めたものであり、この指針の適用範囲は、医学系指針の適用範囲とゲノム指針の適用範囲を合わせたものである。

この指針は「人を対象とする生命科学・医学系研究」に関する倫理指針であり、「人を対象とする生命科学・医学系研究」の定義に当てはまらない研究は、この指針の対象でないが、研究対象者から取得した情報を用いる等、その内容に応じて、適正な実施を図る上でこの指針は参考となり得る。

2　「日本国内において実施される」に関して、日本国内において侵襲を伴う又は介入を行う研究のみならず、侵襲を伴わず、かつ介入を行わない研究であっても、試料・情報を日本国内において研究対象者から取得し、又は日本の機関から試料・情報の提供を受ける場合も含めて、「日本国内において実施される」研究に該当する。当該試料・情報について日本国外の機関が当該研究の委託に伴い、解析等を行う場合も「日本国内において実施される」研究に含まれる。

3　「他の指針」とは、
○ヒト受精胚の作成を行う生殖補助医療研究に関する倫理指針
（平成22年文部科学省・厚生労働省告示第2号）
○遺伝子治療等臨床研究に関する指針
（平成31年厚生労働省告示第48号）
○ヒト受精胚に遺伝情報改変技術等を用いる研究に関する倫理指針
（平成31年文部科学省・厚生労働省告示第3号）
などが考えられる。例えば、他の指針の適用範囲に含まれる研究は、先ずは当該指針の規定が適用された上で、その指針に規定されていない事項（例えば、研究により得られた結果等の取扱い等）については、この指針の規定を適用する。ある事項に関して他の指針とこの指針の両方に規定されている場合に、他の指針の規定とこの指針の規定とで厳格さに差異があっても、他の指針の規定が優先して適用される。

4　アの「法令の規定により実施される研究」については、例えば、がん登録等の推進に関する法律（平成25年法律第111号。以下「がん登録推進法」という。）に基づく全国がん登録データベース及び都道府県がんデータベースへの登録等のほか、感染症の予防及び感染症の患者に対する医療に関する法律（平成10年法律第114号）に基づく感染症発生動向調査、健康増進法（平成14年法律第103号）に基づく国民健康・栄養調査、医療分野の研究開発に資するための匿名加工医療情報に関する法律（平成29年法律第28号）に基づく医療情報の取得や匿名加工医療情報の作成・提供のように、その実施に関して特定の行政機関、独立行政法人等に具体的な権限・責務が法令で規定されているものが該当する。

5　都道府県が主体となって実施されてきた従前のがん登録事業については、疫学研究指針の制定時においては保健事業とみなして、同指針の対象でないこととしてきた。

その後、がん登録推進法に基づく都道府県がんデータベースについても、同法において研究への利用が規定されているが、がん登録推進法という法令の規定により実施されるものであることから、これらのデータベースへ罹患情報を届け出る病院等を含めて、この指針の対象とならない。

なお、がん登録推進法に基づく全国がん登録データベース及び都道府県がんデータベースから提供された情報を用いる「人を対象とする生命科学・医学系研究」については、別途、アからウまでの規定によりこの指針の対象から除かれない限り、この指針の対象となる。

6　イの「法令の定める基準」に関しては、
例えば、医薬品医療機器等法の定める基準として、
○医薬品の臨床試験の実施の基準に関する省令
（平成9年厚生省令第28号）
○医薬品の製造販売後の調査及び試験の実施の基準に関する省令
（平成16年厚生労働省令第171号）
○医療機器の臨床試験の実施の基準に関する省令
（平成17年厚生労働省令第36号）
○医療機器の製造販売後の調査及び試験の実施の基準に関する省令
（平成17年厚生労働省令第38号）
○再生医療等製品の臨床試験の実施の基準に関する省令
（平成26年厚生労働省令第89号）
○再生医療等製品の製造販売後の調査及び試験の実施の基準に関する省令
（平成26年厚生労働省令第90号）
等が制定されており、同法によって規制される医薬品、医療機器及び再生医療等製品の臨床試験並びに製造販売後の調査及び試験については、これらの基準がそれぞれ適用され、この指針の対象とならない。

再生医療等の安全性の確保等に関する法律（平成25年法律第85号）の定める再生医療等提供基準（再生医療等の安全性の確保等に関する法律施行規則（平成26年厚生労働省令第110号）第4条から第26条の13まで）についても同様に、当該基準の適用範囲に含まれる研究は、この指針の対象とならない。

臨床研究法の定める、臨床研究実施基準（臨床研究法施行規則（平成30年厚生労働省令第17号）第8条から第38条まで）についても同様に、当該基準の適用範囲に含まれる研究は、原則としてこの指針の対象とならない。なお、「適用範囲に含まれる研究」とは、同法に則り実施する研究をいう。

ただし、同法における臨床研究（特定臨床研究を除く。）においても臨床研究実施基準等に従って実施するよう努めなければならないため留意すること。

統計法（平成19年法律第53号）の定める手続により実施される基幹統計調査及び一般統計調査で、その目的から「人を対象とする生命科学・医学系研究」

の定義に当てはまるものがあれば、「法令の定める基準の適用範囲に含まれる研究」とみなしてよい。

7　ウ①の「既に学術的な価値が定まり、研究用として広く利用され、かつ、一般に入手可能な試料・情報」の「既に学術的な価値が定まり」とは、査読された学術論文や関係学会等において一定の評価がなされており、主要ジャーナルにおいて注釈なしに汎用されているようなもの、一般的なものとして価値の定まったものを指す。

「研究用として広く利用され」に関しては、例えば、米国の疾病対策センター（CDC）が研究用としてウェブ上にダウンロード可能なかたちで公開している情報のほか、査読された学術論文に掲載されている情報及び当該論文の著者等が公開している原資料で研究用として広く利用可能となっている情報などが該当する。

「一般に入手可能な試料・情報」としては、必ずしも販売されているものに限らず、提供機関に依頼すれば研究者等が入手可能なもので、例えば、HeLa細胞や、ヒト由来細胞から樹立したiPS細胞のうち研究材料として提供されているものなどが該当するが、一般的に入手可能か否かは、国内の法令等に準拠して判断する。

8　ウ②に関し、「個人に関する情報」とは、個人情報、仮名加工情報、匿名加工情報、個人関連情報及び死者に関するこれらに相当する情報をいう（例えば、無記名アンケート調査等で得られる情報も「個人に関する情報」に該当する。）。「個人に関する情報」に該当しない情報としては、例えば、いわゆる統計情報（特定の個人との対応関係が排斥されている場合に限る。）などがこれに当たる。また、「既存の情報」とは、①研究計画書が作成されるまでに既に存在する情報及び②研究計画書の作成以降に取得された情報であって、取得の時点においては当該研究計画書の研究に用いられることを目的としていなかったものを指す。①、②の考え方については、第2⑺の解説を参照。

9　ウ③の「既に作成されている匿名加工情報」については、前記の解説を参照。

また、既に作成されている匿名加工情報を用いる研究であっても、試料を用いる場合はこの指針が適用される。

2　死者に係る情報

この指針は、我が国の研究者等により実施され、又は日本国内において実施される人を対象とする生命科学・医学系研究であって、死者に係る情報を取り扱うものについて準用する。

1　第3の2の規定は、死者情報を取り扱う研究を実施する場合のこの指針の適用について定めたものである。

2　「死者に係る情報」とは、死亡した個人に関する情報を指す。

また、この指針の適用においては、「試料」に死者に係る試料も含まれる。

インフォームド・コンセントの手続等については、代諾者等を対象とすることが想定される。

3　死者に係る試料・情報の用語や取扱いについては、第2、第8、第9及び第18の解説も参照すること。

3　日本国外において実施される研究

(1)　我が国の研究者等が日本国外において研究を実施する場合（日本国外の研究機関と共同して研究を実施する場合を含む。）は、この指針に従うとともに、研究が実施される国又は地域の法令、指針等の基準を遵守しなければならない。ただし、この指針の規定と比較して研究が実施される国又は地域の法令、指針等の基準の規定が厳格な場合には、この指針の規定に代えて当該研究が実施される国又は地域の法令、指針等の基準の規定により研究を実施するものとする。

(2)　この指針の規定が日本国外の研究が実施される国又は地域における法令、指針等の基準の規定より厳格であり、この指針の規定により研究を実施することが困難な場合であって、次に掲げる全ての事項が研究計画書に記載され、当該研究の実施について倫理審査委員会の意見を聴いて我が国の研究機関の長が許可したときには、この指針の規定に代えて当該研究が実施される国又は地域の法令、指針等の基準の規定により研究を実施することができるものとする。

①　インフォームド・コンセントについて適切な措置が講じられる旨

②　研究に用いられる個人情報の保護について適切な措置が講じられる旨

(3)　日本国外の研究者等に対して我が国から既存試料・情報の提供のみを行う場合は、この指針が適用され、第8及び第9の関連する規定を遵守しなければならない。

1　第3の3の規定は、日本の研究機関に所属する研究者等が日本国外で研究を実施する場合における、この指針の適用等について定めたものである。

本規定における「日本国外」とは、日本以外の全ての国及び地域をいう。なお、第8の1における「外国（個人情報保護委員会が個人情報保護法施行規則第15条第1項各号のいずれにも該当する外国として定めるものを除く。）」とは異なることに留意すること。

2　(1)の「この指針の規定」、「研究が実施される国又は地域の法令、指針等の基準の規定」に関して、この指針と研究が実施される国又は地域の法令、指針等の基準との間で、規定ごとにいずれが厳格か判断することとなる。例えば、倫理審査委員会に関しては、この指針の規定が、研究が実施される国又は地域の法令、指針等の基準の規定より厳格であり、インフォームド・コンセントに関しては、この指針の規定と比較して、研究が実施される国又は地域の法令、指針等の基準の規定が厳格であるという場合もあり得る。一部の規定においてこの指針と比較して研究が実施される国又は地域の法令、指針等の基準が厳格であっても、そうでない部分はこの指針の規定に従った上で、研究が実施される国又は地域の法令、指針等の基準を遵守する必要がある。要すれば、「この指針の規定」と「研究が実施される国又は地域の法令、指針等の基準の規定」のうち、厳格な方を適用するという趣旨である。

3　(1)の「当該研究が実施される国又は地域の法令、指針等の基準の規定により」に関して、研究が実施される国又は地域の法令、指針等の基準の規定において、研究が実施される国又は地域の機関において承認されること、又は当該研究が実施される国又は地域の法令、指針等の基準に従って研究が実施される国又は地域に設置された倫理審査委員会若しくはこれに準ずる組織により審査され、当該研究が実施される国又は地域の研究機関の長により実施が許可されることが定められているときは、当該承認又は許可を受けるものとする。

4 ⑵の「この指針の規定が日本国外の研究が実施される国又は地域における法令、指針等の基準の規定より厳格であり、この指針の規定により研究を実施することが困難な場合」については、主に開発途上国・地域において研究者等が遵守しなければならない事項に関する法令、指針等の基準が十分整備されていない場合を想定しているが、単にこの指針の規定が、研究が実施される国又は地域の法令、指針等の基準の規定より厳格であることのみをもって直ちに当該研究が実施される国又は地域の法令、指針等の基準の規定により研究を実施することが許容されるものではない。

個々の研究に関して、この指針の規定により実施することが困難であることについて、一義的には研究責任者が研究計画書の作成に当たって判断し、その妥当性を含めて倫理審査委員会で審査され、その倫理審査委員会の意見を踏まえて研究機関の長が許可・不許可等を決定する必要がある。

なお、この指針の規定により研究を実施することが困難であっても、国際医学団体協議会（CIOMS）の国際倫理指針等の国際的に認められた基準の規定により研究を実施することが可能であれば、当該基準の規定により研究を実施することが望ましい。

5 ⑵②の「研究に用いられる個人情報」については、研究の実施により新たに取得される個人情報と、研究に用いられる既存の個人情報の両方が含まれる。

第２章　研究者等の責務等

第４　研究者等の基本的責務

１　研究対象者等への配慮

(1)　研究者等は、研究対象者の生命、健康及び人権を尊重して、研究を実施しなければならない。

(2)　研究者等は、法令、指針等を遵守し、当該研究の実施について倫理審査委員会の審査及び研究機関の長の許可を受けた研究計画書に従って、適正に研究を実施しなければならない。

(3)　研究者等は、研究を実施するに当たっては、原則としてあらかじめインフォームド・コンセントを受けなければならない。

(4)　研究者等は、研究対象者等及びその関係者からの相談、問合せ、苦情等（以下「相談等」という。）に適切かつ迅速に対応しなければならない。

(5)　研究者等は、研究の実施に携わる上で知り得た情報を正当な理由なく漏らしてはならない。研究の実施に携わらなくなった後も、同様とする。

(6)　研究者等は、地域住民等一定の特徴を有する集団を対象に、当該地域住民等の固有の特質を明らかにする可能性がある研究を実施する場合には、研究対象者等及び当該地域住民等を対象に、研究の内容及び意義について説明し、研究に対する理解を得るよう努めなければならない。

１　第４の１の規定は、研究者等が研究を実施する上で、研究対象者等に対し配慮すべき基本的な責務を定めたものである。

２　(2)の「法令、指針等」には、第５の２の規定により研究機関の長が整備する自主規範や規程・手順書が含まれる。

３　(3)の「原則として」としているのは、インフォームド・コンセントを受ける手続について、研究内容によって、あらかじめインフォームド・コンセントを受ける手続を必要としないものがあるためである（第８の１、４、７、８の規定を参照。）。

４　(4)の「その関係者」とは、代諾者等以外の研究対象者等の親族等、研究対象者等にとって関わりの深い者を指す。

5　(5)の「研究の実施に携わる上で知り得た情報」には、研究目的で研究対象者から得た情報のほか、例えば、研究の手法やデザイン等研究の独創性に係る情報等も含まれる。

6　(6)の「固有の特質」とは、例えば、遺伝的特質や環境的な要因、社会的な要因などによる特質が挙げられる。地域コホート研究の他、発掘された遺骨等を用いた人類遺伝学等の研究によって明らかになる特質も含まれる。

7　(6)の「研究の内容及び意義について説明し、研究に対する理解を得る」とは、例えば、地域住民を対象とする説明会等を繰り返し行うことや研究実施中においても研究に関する情報提供を行うなどの継続的な対話が挙げられる。

2　教育・研修

研究者等は、研究の実施に先立ち、研究に関する倫理並びに当該研究の実施に必要な知識及び技術に関する教育・研修を受けなければならない。また、研究期間中も適宜継続して、教育・研修を受けなければならない。

1　第4の2の規定は、研究者等が受けるべき教育・研修について定めたものである。

2　教育・研修の内容は、この指針等の研究に関して一般的に遵守すべき各種規則に加えて、研究活動における不正行為や、研究活動に係る利益相反等についての教育・研修を含むものとする。また、研究の実施に当たって特別な技術や知識等が必要となる場合は、当該研究の実施に先立ち、それらの技術や知識等に係る教育・研修を受ける必要がある。

3　教育・研修の形態としては、各々の研究機関内で開催される研修会や、他の機関（学会等を含む。）で開催される研修会の受講、e-learning などが考えられる。

4　教育・研修を受けなければならない者には、研究を実施する際の事務に従事する者や研究者の補助業務にあたる者等も含まれる。教育・研修の内容は、受講者全てに画一的なものとする必要はなく、その業務内容に応じた適切なものとすることが望ましい。

5　「適宜継続」とは、少なくとも年に１回程度は教育・研修を受けていくことが望ましい。

6　「委託を受けて研究に関する業務の一部についてのみ従事する者」は、「研究者等」に含まれないため、教育・研修を受けることを必ずしも要しないが、委託を受ける業務の内容等に応じて適宜、当該委託契約において教育・研修の受講を規定することが考えられる。

第５　研究機関の長の責務等

１　研究に対する総括的な監督

⑴　研究機関の長は、実施を許可した研究が適正に実施されるよう、必要な監督を行うことについての責任を負うものとする。

⑵　研究機関の長は、当該研究がこの指針及び研究計画書に従い、適正に実施されていることを必要に応じて確認するとともに、研究の適正な実施を確保するために必要な措置をとらなければならない。

⑶　研究機関の長は、研究の実施に携わる関係者に、研究対象者の生命、健康及び人権を尊重して研究を実施することを周知徹底しなければならない。

⑷　研究機関の長は、その業務上知り得た情報を正当な理由なく漏らしてはならない。その業務に従事しなくなった後も同様とする。

１　第５の１の規定は、当該研究機関において実施される研究を統括的に管理・監督する立場にある研究機関の長としての責務について定めたものである。

２　⑴の「必要な監督」には、個人情報等の適正な取扱いを確保することが含まれる。なお、多機関共同研究の場合であっても、個々の共同研究機関の長がそれぞれ個人情報等の適正な取扱いに係る監督責任を負う。

３　⑵の「必要な措置」とは、第５の２⑴から⑺までの規定に含まれる対応等が挙げられる。

４　⑶の「研究の実施に携わる関係者」には、第６の５⑴と同様、「研究者等」のほか、「委託を受けて研究に関する業務の一部についてのみ従事する者」も含まれる。

２　研究の実施のための体制・規程の整備等

⑴　研究機関の長は、研究を適正に実施するために必要な体制・規程（試料・情報の取扱いに関する事項を含む。）を整備しなければならない。

⑵　研究機関の長は、当該研究機関において実施される研究に関連して研

究対象者に健康被害が生じた場合、これに対する補償その他の必要な措置が適切に講じられることを確保しなければならない。
(3)　研究機関の長は、当該研究機関において実施される研究の内容に応じて、研究の実施に関する情報を研究対象者等に通知し、又は研究対象者等が容易に知り得る状態に置かれることを確保しなければならない。
(4)　研究機関の長は、研究対象者等及びその関係者の人権又は研究者等及びその関係者の権利利益の保護のために必要な措置を講じた上で、研究結果等、研究に関する情報が適切に公表されることを確保しなければならない。
(5)　研究機関の長は、当該研究機関における研究がこの指針に適合していることについて、必要に応じ、自ら点検及び評価を行い、その結果に基づき適切な対応をとらなければならない。
(6)　研究機関の長は、倫理審査委員会が行う調査に協力しなければならない。
(7)　研究機関の長は、研究に関する倫理並びに研究の実施に必要な知識及び技術に関する教育・研修を当該研究機関の研究者等が受けることを確保するための措置を講じなければならない。また、自らもこれらの教育・研修を受けなければならない。
(8)　研究機関の長は、当該研究機関において定められた規程により、この指針に定める権限又は事務を当該研究機関内の適当な者に委任することができる。

1　第５の２の規定は、当該研究機関において実施される研究を適切に実施するための実施体制の整備や研究者等を管理・監督するための体制に関する研究機関の長の責務について定めたものである。

2　大学の自治を始めとする学術研究機関等の自律性を尊重する観点から、学術研究機関等が、個人情報を利用した研究の適正な実施のための自主規範を単独又は共同して策定・公表した場合であって、当該自主規範の内容が個人の権利利益の保護の観点から適切であり、その取扱いが当該自主規範に則っているときは、個人情報保護法第149条第１項の趣旨を踏まえ、個人情報保護委員会は、これを尊重するものとされている（個人情報保護法ガイドライン（通則編）を参照。）。「学術研究機関等」に該当する各研究機関においては、この指針の規定を参照し、人を対象とする生命・医学系研究における個人情報等の適正な取扱いに関する規程を、上記自主規範の一部として作成することが想定される。

3 (1)の「研究を適正に実施するために必要な体制・規程」とは、法令・指針等に基づき適正に研究を行うために必要な組織・人員等の体制及び各種研究に係る規程・手順書であり、具体的には以下のものを含む。なお、策定した規程・手順書について、所属する研究者等に周知を図っておくことも重要である。なお、手順書とは、研究に係る業務が恒常的に適正に実施されるような標準的な手順を定めた文書をいう。

(ア) 第6の2の規定による倫理審査委員会への付議や研究機関の長による許可の取り方等に関する手順書の策定

(イ) 第15の3の規定による重篤な有害事象に対して研究者等が実施すべき事項等に関する手順書の策定

(ウ) 研究対象者等に関する情報の漏えいが起こらないよう必要な措置を講ずることのできる組織・体制の構築

(エ) 相談等の窓口の設置

(オ) 個人情報管理責任者を設置する場合、当該者の選定や運用方針等

なお、個人情報管理責任者を設置する場合にあっては、当該者は研究者等を兼ねても差し支えない。

4 (3)については、研究対象者等に通知又は研究対象者等が容易に知り得る状態に置き、研究が実施又は継続されることについて、研究対象者等が拒否できる機会を保障する方法(以下「オプトアウト」という。)又はインフォームド・コンセントの手続等の簡略化によることが許容される場合を想定している。

「研究対象者等が容易に知り得る状態に置かれることを確保」とは、例えば、オプトアウト等の情報公開に係る規程の策定や掲載場所の確保(院内掲示・インターネット上における周知等)が考えられる。

5 (4)の「研究対象者等及びその関係者の人権又は研究者等及びその関係者の権利利益の保護のために必要な措置」について、特定の個人を識別することができる試料・情報を用いた研究の場合は、氏名、生年月日、住所等を削除(復元することのできる規則性を有しない方法により他の記述等に置き換えることを含む。)することで、特定の研究対象者を識別することができないようにする必要がある。症例や事例により特定の研究対象者を識別することができないよ

うにすることが困難な場合は、その旨を含め、あらかじめ研究対象者等の同意を受ける必要がある。

6　(5)の規定に関して、研究機関の長が自ら行う点検及び評価並びにその実施手法及び時期については、当該研究機関が実施する研究の内容等に応じて、研究機関の長が定めることとする。また、点検等のためのチェックシート等は各研究機関において備える必要がある。なお、時期を定める際には、実施頻度（例えば、年に1回程度等）も含め具体的に定めることとする。

7　(6)の「倫理審査委員会が行う調査」とは、第17の1(2)又は(3)の規定による調査を指す。

8　(7)の規定に関して、研究機関の長の権限・事務を委任された者は、当該権限・事務に関して必要な教育・研修を受ける必要がある。

9　(8)の規定に基づき、当該研究機関の定める規程によって、権限又は事務（研究計画の許可、研究の実施に関して外部に業務の一部を委託する際の契約の締結、重篤な有害事象への対応、個人情報等に係る安全管理措置等）を当該機関内の研究活動を統括するにおいて十分な権限を有する適当な者（例えば、学長、学部長、病院長、施設長（保健所長、研究所長等）など）に委任することができる。なお、第11の3に掲げる大臣への報告等については、当該研究機関の長の責務であり、これを委任することはできず、報告書の名義は当該研究機関の長とすること。

第３章　研究の適正な実施等

第６　研究計画書に関する手続

1　研究計画書の作成・変更

⑴　研究責任者は、研究を実施しようとするときは、あらかじめ研究計画書を作成しなければならない。また、研究計画書の内容と異なる研究を実施しようとするときは、あらかじめ研究計画書を変更しなければならない。なお、第８の５㉑に掲げる事項について同意を受けた既存試料・情報を用いて研究を実施しようとする場合であって、当該同意を受けた範囲内における研究の内容（提供先等を含む。）が特定されたときは、当該研究の内容に係る研究計画書の作成又は変更を行わなければならない。

⑵　研究責任者は、⑴の研究計画書の作成又は変更に当たっては、研究の倫理的妥当性及び科学的合理性が確保されるよう考慮しなければならない。また、研究対象者への負担並びに予測されるリスク及び利益を総合的に評価するとともに、負担及びリスクを最小化する対策を講じなければならない。

⑶　多機関共同研究を実施する研究責任者は、当該多機関共同研究として実施する研究に係る業務を代表するため、当該研究責任者の中から、研究代表者を選任しなければならない。

⑷　研究代表者は、多機関共同研究を実施しようとする場合には、各共同研究機関の研究責任者の役割及び責任を明確にした上で一の研究計画書を作成又は変更しなければならない。

⑸　研究責任者は、研究に関する業務の一部について委託しようとする場合には、当該委託業務の内容を定めた上で研究計画書を作成又は変更しなければならない。

⑹　研究責任者は、研究に関する業務の一部を委託する場合には、委託を受けた者が遵守すべき事項について、文書又は電磁的方法（電子情報処理組織を使用する方法その他の情報通信の技術を利用する方法をいう。以下同じ。）により契約を締結するとともに、委託を受けた者に対する必要かつ適切な監督を行わなければならない。

⑺　研究責任者は、侵襲（軽微な侵襲を除く。）を伴う研究であって通常の診療を超える医療行為を伴うものを実施しようとする場合には、当該研究に関連して研究対象者に生じた健康被害に対する補償を行うために、

あらかじめ、保険への加入その他の必要な措置を適切に講じなければならない。

1　第６の１の規定は、研究責任者が研究計画書を作成又は変更する際の手続について定めたものである。研究責任者は、研究の倫理的妥当性及び科学的合理性が確保されるように研究計画書を作成又は変更し、研究機関の長の許可（変更の許可を含む。以下同じ。）を受ける必要がある。研究者等は、研究機関の長の許可を受けた研究計画書に基づき研究を実施する必要がある。

2　⑵の規定に関して、研究責任者は、研究を実施する場合には、当該研究の安全性を十分確保することが特に重要であり、研究に伴う危険が予測され、安全性を十分に確保できると判断できない場合には、当該研究を実施しないこととする（「研究対象者への負担」の考え方については、第１の解説を参照。）。

3　⑵の「リスク」とは、研究の実施に伴って、実際に生じるか否かが不確定な危害の可能性を指す。その危害としては、身体的・精神的な危害のほか、研究が実施されたために被るおそれがある経済的・社会的な危害が考えられる。⑵の「利益」については、第１③の解説を参照。

4　⑵の「負担及びリスクを最小化する対策」とは、試料・情報の取得にあたり、研究対象者から必要以上に収集しすぎないよう留意し、研究デザインを考慮すること等を指す。

5　⑶について、研究代表者は、研究責任者を代表して倫理審査委員会へ申請書等の提出等の手続、重篤な有害事象等に関する情報共有等を行うこととする。研究代表者の選出方法や他の研究責任者との役割分担については、当該研究の研究責任者間で決定して差し支えないが、その場合であっても、それぞれの研究責任者が自身の研究機関における研究の責務を有することとする。

6　⑷の「各共同研究機関の研究責任者の役割及び責任」については、第７⑴②の研究の実施体制として記載する必要がある。

なお、説明文書及び同意文書の様式は、一の研究計画書について一の様式とする必要がある。また、多機関共同研究の様式にあっては、各研究機関の研究対象者等に対する説明及びその同意に関する記載内容が一致するよう研究機関ごとに固有の事項（研究責任者名や相談窓口の連絡先等）以外の共通する事項を記載することとする。

また、第7の(2)に規定する試料・情報の収集・提供を実施する場合は、個々の研究は多機関共同研究としてまとめず、別の研究計画書を作成することとする。

7　(5)の規定に関して、研究責任者は、委託業務の内容や委託先の監督方法を定めた上で研究計画書を作成又は変更する必要がある。この場合、第7(1)㉓の委託業務の内容及び委託先の監督方法として記載する必要がある。なお、ここでいう「研究に関する業務の一部について委託」とは、解析やモニタリング等、研究対象者と直接関わることがないような業務をいう。

8　(5)の規定における委託契約は、研究機関の長の許可を受けた研究計画書の内容を踏まえ締結する必要がある。契約の事務手続については、必ずしも研究責任者自身が行う必要はないが、研究責任者以外の者が契約の事務手続を行う場合においては、契約内容等について必ず研究責任者が責任を持って確認する必要がある。なお、多機関共同研究における業務委託については、必ずしも研究代表者が代表して締結する必要はなく、必要に応じて各研究責任者が個別に契約を締結することとしても差し支えない。

9　(6)の「委託を受けた者が遵守すべき事項」として、例えば、委託された業務において取り扱われる試料・情報の安全管理（第13の規定において研究者等に求められるものに準じた措置など）や、委託の範囲を超えた利用の禁止、委託を受けた者以外への試料・情報の提供の禁止、委託された業務上知り得た情報の守秘義務、再委託の制限、教育・研修の受講、契約終了後の試料・情報の廃棄・返却等に関する事項などが考えられる。契約を締結する際に委託される業務の内容に応じて、必要とされる遵守事項を定めるとともに、契約が確実に遵守されているか又は契約に違反する事項がないかを主体的に確認すること等が求められる。

10　(6)の「委託を受けた者に対する必要かつ適切な監督」とは、第18の1の規定に基づき研究者等に求められる安全管理措置と同等の措置が講じられるよう、例えば、委託契約書において委託者が定める予定の安全管理措置の内容を示すとともに当該内容が遵守されていることを確認する方法（定期的な実地調査等)、当該内容が遵守されていない場合の対応等を記載することなどが考えられる。

11　⑺の規定に関して、既承認医薬品を当該承認の範囲で使用した場合に発生した副作用については、医薬品副作用被害救済制度において、用法・用量、効能・効果等につき、添付文書等に照らし合わせ、適正に使用されている場合に当該救済制度の対象となり得るものであるため、既に補償の措置が講じられているものと考えられる。

なお、当該救済制度では被害者が給付を医薬品医療機器総合機構に請求した後に厚生労働省の判定部会での審議結果に基づいて支給の可否が判断されること、制度の対象除外となるものがあることに注意する必要がある。

12　⑺の規定に関して、補償内容の具体的な考え方としては、既に治験において実績があると考えられる医薬品企業法務研究会（医法研）が平成30年12月25日に公開した「被験者の健康被害補償に関するガイドライン」を参考としてよい。

13　⑺の規定に関して、研究対象者に健康被害が生じた場合の補償措置については、必ずしも保険への加入に基づく金銭の支払に限られるものではない。重篤な副作用が高頻度で発生することが予測される薬剤等、補償保険の概念に必ずしも馴染まず、補償保険商品の設定がない場合には、研究で使用される薬剤の特性に応じて、補償保険に限らず医療の提供等の手段を講ずることにより実質的に補完できると考えられる。

金銭的な補償を行うか否か及び行う場合に許容される程度については、研究計画の内容に応じて、当該研究に係る医薬品・医療機器の種類、対象疾患の特性、研究対象者への負担並びに予測されるリスク及び利益等を評価し、個別に研究責任者が考慮すべきものであるが、倫理審査委員会での審査を受けた上で、研究対象者に対し予め文書により具体的に説明するとともに文書により同意を受けておくことは最低限必要と考えられる。

2　倫理審査委員会への付議

⑴　研究責任者は、研究の実施の適否について、倫理審査委員会の意見を

聴かなければならない。
⑵ 研究代表者は、原則として、多機関共同研究に係る研究計画書について、一の倫理審査委員会による一括した審査を求めなければならない。
⑶ 研究責任者は、倫理審査委員会に意見を聴いた後に、その結果及び当該倫理審査委員会に提出した書類、その他研究機関の長が求める書類を研究機関の長に提出し、当該研究機関における当該研究の実施について、許可を受けなければならない。
⑷ ⑴から⑶までの規定にかかわらず、公衆衛生上の危害の発生又は拡大を防止するため緊急に研究を実施する必要があると判断される場合には、当該研究の実施について倫理審査委員会の意見を聴く前に研究機関の長の許可のみをもって研究を実施することができる。この場合において、研究責任者は、許可後遅滞なく倫理審査委員会の意見を聴くものとし、倫理審査委員会が研究の停止若しくは中止又は研究計画書の変更をすべきである旨の意見を述べたときは、当該意見を尊重し、研究を停止し、若しくは中止し、又は研究計画書を変更するなど適切な対応をとらなければならない。
⑸ 研究責任者は、多機関共同研究について⑵の規定によらず個別の倫理審査委員会の意見を聴く場合には、共同研究機関における研究の実施の許可、他の倫理審査委員会における審査結果及び当該研究の進捗に関する状況等の審査に必要な情報についても当該倫理審査委員会へ提供しなければならない。

1 第6の2の規定は、研究機関の長が研究の実施の適否を判断するに当たっての手続として、倫理審査委員会の意見を聴く必要があること等を定めたものである。

2 ⑴について、研究開始後の変更審査等を依頼する場合のみ他の倫理審査委員会に意見を聴くことは想定されない。当該他の倫理審査委員会は、当該研究の内容やそれまでの審査過程の詳細を把握しておらず、適切な審査をすることができないため、当該研究の実施について審査を行った倫理審査委員会に、その後も意見を聴く必要がある。

3 ⑵の規定では、研究代表者が一の倫理審査委員会に審査を求める場合、関係する研究機関と事前に調整を行った上で、審査の依頼を行う等の手続が必要となる。なお、この場合は第17の4(1)に従い、研究機関における研究の実施体制についても審査するため、併せて当該体制に係る情報を提供すること。また、既に開始されている研究に後から共同研究機関として参画する場合は、別途、同じ倫理審査委員会の意見を聴く必要がある。

また、各研究機関の状況等を踏まえ、共同研究機関と一括した倫理審査委員会の審査を受けず、個別の倫理審査委員会の意見を聴くことを妨げるものではない。

4　(3)の規定において、一括した審査を行った場合、研究代表者は当該審査結果、審査過程のわかる記録及び当該倫理審査委員会の委員の出欠状況を共同研究機関の研究責任者に共有し、各研究機関の研究責任者はそれをもって当該研究機関の長に研究の実施の許可を受ける必要がある。

なお、この場合の研究代表者が所属する機関以外の共同研究機関において、再度個別に審査をすることは不要と考える。

5　(4)の「公衆衛生上の危害の発生又は拡大を防止するため緊急に研究を実施する必要があると判断される場合」は、感染症など公衆衛生上の危害の発生又は拡大が差し迫り、倫理審査委員会の意見を聴くいとまもない状況を想定したものである。なお、倫理審査委員会の意見を聴く前に研究の実施が許可された場合であっても、インフォームド・コンセントの手続は、第8の規定に基づき行う必要がある。

6　(4)の「遅滞なく」とは、理由のない滞りを生じさせることなくという趣旨である。

7　(2)及び(5)の規定において、研究責任者及び研究代表者は、各研究機関の体制、研究内容等を踏まえ、研究責任者及び研究代表者間において、十分に協議し審査方法（一括審査又は個別審査）を決める必要がある。

8　(5)の「審査に必要な情報」とは、既に行われた他の倫理審査委員会における審査の結果や共同研究機関における許可の状況（審査過程や許可に当たって付された条件等を含む。）、共同研究機関において既に実施されている研究の進捗状況などの情報が考えられる。「審査に必要な情報」の範囲・程度については、個々の研究の内容等に応じて判断する必要がある。

9　多機関共同研究として倫理審査委員会に審査を求める場合、「一の倫理審査委員会による場合」、「個別の倫理審査委員会による場合」が混在することを妨げるものではない。

10　(2)、(3)及び(5)の規定において、多機関共同研究である場合、各共同研究機関の研究責任者が各々の研究機関の長による当該研究の実施について許可を受ける必要がある。この場合、研究機関の長による許可を受けた研究機関から研究を開始することも可能である。

3　研究機関の長による許可等

(1)　研究機関の長は、研究責任者から研究の実施の許可を求められたときは、倫理審査委員会の意見を尊重しつつ、当該研究の実施の許可又は不許可その他研究に関し必要な措置について決定しなければならない。この場合において、研究機関の長は、倫理審査委員会が研究の実施について不適当である旨の意見を述べたときには、当該研究の実施を許可してはならない。

(2)　研究機関の長は、当該研究機関において行われている研究の継続に影響を与えると考えられる事実を知り、又は情報を得た場合には、必要に応じて速やかに、研究の停止、原因の究明等の適切な対応をとらなければならない。

(3)　研究機関の長は、研究の実施の適正性若しくは研究結果の信頼を損なう若しくはそのおそれのある事実を知り、又は情報を得た場合には、速やかに必要な措置を講じなければならない。

1　第6の3の規定は、研究機関の長が研究の実施の許可等の必要な措置を決定するに当たり、倫理審査委員会の意見を尊重する必要があることを定めたものである。

2　(1)の規定について、研究機関の長は、当該研究を自機関で適切に実施する実施体制を備えているか等の観点から、研究の実施の許可又は不許可を検討し、文書により通知することとする。当該研究計画書の変更が生じた場合も同様とする。「その他研究に関し必要な措置」とは、研究を実施するに当たっての条件等の指示、研究計画書の変更や研究の中止等を指す。

3　⑵の「研究の継続に影響を与えると考えられる事実を知り、又は情報を得た場合」とは、第 11 の 2⑵又は⑶の規定により研究責任者から報告されるもの、第 11 の 1⑵又は⑶の規定により研究者等から直接報告されるもののほか、当該研究機関に所属しない公益通報者等から報告を受けた場合も含まれる。具体的には、例えば、当該研究の特性等も踏まえた上で、研究機関の長が許可した研究計画書からの逸脱が重大な場合や、情報やデータ等のねつ造・改ざんが認められた場合、重大な有害事象の発生等により研究対象者への負担並びに予測されるリスク及び利益の総合的評価が変わり得る場合、インフォームド・コンセントの手続等が適切に行われていない場合、個人情報の漏えいがある場合等が考えられる。

4　⑶の「研究の実施の適正性」を損なう事実や情報とは、研究の実施において、研究計画に基づく研究対象者の選定方針や研究方法から逸脱した等の事実や情報を指す。また、「研究結果の信頼を損なう」事実や情報とは、研究データの改ざんやねつ造といった事実や情報を指す。さらに、「損なうおそれのある情報」とは、上記のような内容を知り得てから、事実であるか確定に至っていない情報をいう。

5　⑶の「必要な措置」には、受けた報告について事実確認を行い、確認された事実・情報に基づいて必要に応じた研究を停止又は中止させ、研究対象者への対応等を行うことのほか、端緒となる報告を行った研究者等や公益通報者等が不利益を被ることがないよう必要かつ適切な対応をとることも含まれる。

6　⑶の規定における考え方については、「研究活動における不正行為への対応等に関するガイドライン」（平成 26 年 8 月 26 日文部科学大臣決定）及び「厚生労働分野の研究活動における不正行為への対応等に関するガイドライン」（平成 27 年 1 月 16 日科発 0116 第 1 号厚生労働省厚生科学課長決定（平成 29 年 2 月 23 日最終改正））も参照することとする。

4　研究の概要の登録

(1)　研究責任者は、介入を行う研究について、厚生労働省が整備するデータベース（Japan Registry of Clinical Trials：jRCT）等の公開データベースに、当該研究の概要をその実施に先立って登録し、研究計画書の変更及び研究の進捗に応じて更新しなければならない。また、それ以外の研究についても当該研究の概要をその研究の実施に先立って登録し、研究計画書の変更及び研究の進捗に応じて更新するよう努めなければならない。

(2)　(1)の登録において、研究対象者等及びその関係者の人権又は研究者等及びその関係者の権利利益の保護のため非公開とすることが必要な内容として、倫理審査委員会の意見を受けて研究機関の長が許可したものについては、この限りでない。

1　第6の4(1)の規定は、研究の概要及び進捗状況の登録について定めたものである。介入を行う研究については、研究のために介入行為をするにもかかわらず、研究者等にとって都合のよい研究結果だけが公開されることを防ぐため、あらかじめ研究の概要を公開データベースに登録するとともに、研究過程における透明性を確保する観点から、進捗状況についても登録する必要がある。

2　研究の概要として登録する内容は、研究の名称、目的、方法、実施体制、研究対象者の選定方針等が考えられる。多機関共同研究を実施する場合は、研究計画書に定めた役割に応じて、研究代表者が一元的に登録してよい。その場合、当該研究に参加する全ての共同研究機関に関する情報を登録する必要があるので、留意する必要がある。なお、登録は、研究機関の長から実施の許可を受けた研究計画書に記載された研究期間が始まる前に行う必要がある。

3　(2)の「この限りでない」とは、個人の権利利益を不当に侵害するおそれがある情報や知的財産の保護等の観点から非公開とすることが妥当であると倫理審査委員会の意見を受けて研究機関の長が許可した一部の内容については、登録を要しないとの趣旨である。したがって、当該内容を除いて、研究の概要の登録・更新を行う必要がある。

4　情報の一括検索を可能にする等の観点から、jRCTのほか、国立大学附属病院長会議が設置している公開データベースのいずれかに登録する必要がある。これらのデータベースは、国立保健医療科学院のホームページで一元的な検索が可能である。なお、さらに日本国外の公開データベースへも登録するかどうかは、各研究機関において判断してよい。

○jRCT（Japan Registry of Clinical Trials）
　https://jrct.niph.go.jp/
○大学病院医療情報ネットワーク研究センター　臨床試験登録システム（UMIN-CTR）
　https://www.umin.ac.jp/ctr/index-j.htm
○国立保健医療科学院のホームページ
　https://rctportal.niph.go.jp/

5　研究の適正な実施の確保
⑴　研究責任者は、研究計画書に従って研究が適正に実施され、その結果の信頼性が確保されるよう、当該研究の実施に携わる研究者をはじめとする関係者を指導・管理しなければならない。
⑵　研究責任者は、侵襲を伴う研究の実施において重篤な有害事象の発生を知った場合には、速やかに必要な措置を講じなければならない。

1　⑴の「研究の実施に携わる研究者をはじめとする関係者」には、研究機関において研究の技術的補助や事務に従事する職員を含む研究者等のほか、「委託を受けて研究に関する業務の一部についてのみ従事する者」も含まれる。

2　⑴の「研究が適正に実施され」に関し、研究責任者は、研究に携わる者の研究行為について、この指針に照らし適正であるか、研究計画書どおりに実施されているかを管理する必要がある。一方で、不適切な行為について把握した場合、当該内容がこの指針の不適合であるのか、当該研究計画書からの逸脱なのか等について研究機関の長に報告する必要がある。

3　⑵の「必要な措置」については、第15の2の解説を参照。

6　研究終了後の対応

⑴　研究責任者は、研究を終了（中止の場合を含む。以下同じ。）したときは、その旨及び研究結果の概要を文書又は電磁的方法により遅滞なく倫理審査委員会及び研究機関の長に報告しなければならない。

⑵　研究責任者は、研究を終了したときは、遅滞なく、研究対象者等及びその関係者の人権又は研究者等及びその関係者の権利利益の保護のために必要な措置を講じた上で、当該研究の結果を公表しなければならない。また、侵襲（軽微な侵襲を除く。）を伴う研究であって介入を行うものについて、結果の最終の公表を行ったときは、遅滞なく研究機関の長へ報告しなければならない。

⑶　研究責任者は、介入を行う研究を終了したときは、4⑴で当該研究の概要を登録した公開データベースに遅滞なく、当該研究の結果を登録しなければならない。また、それ以外の研究についても当該研究の結果の登録に努めなければならない。

⑷　研究責任者は、通常の診療を超える医療行為を伴う研究を実施した場合には、当該研究を終了した後においても、研究対象者が当該研究の結果により得られた最善の予防、診断及び治療を受けることができるよう努めなければならない。

1　第6の6の規定は、研究が終了した際の手続について定めたものである。「研究を終了したとき」は、研究計画書に記載された研究の期間が満了したときのほか、研究を中止し、再開の見込みがないときも含まれる。

2　⑴の遅滞ない報告は、研究終了後3か月以内を目安とする。

3　⑵の規定は、研究の結果の公表について定めたものである。ゲノム指針においては研究の透明性の確保が研究者等の責務であり、研究結果の公表はその手段として例示されていた。この指針においては研究の透明性を確保するという観点から、この指針が適用される全ての研究に関して、研究結果の公表を求めている。

4　⑵及び⑶の「遅滞なく」とは、理由のない滞りを生じさせることなくという趣旨である。なお、既存試料・情報の提供のみを行った機関及び研究協力機関は、研究結果の公表を行う必要はない。

5　結果の公表方法としては、学会発表や論文掲載、公開データベースへの登録（4及び6に規定する研究の概要及び結果の登録を含む。）等が考えられる。必ずしもこれらの方法に限られるものではないが、特定の限られた者しか閲覧等ができないような方法は適切とはいえない。このため、公表方法の妥当性については、研究計画書への記載内容（第7⑴⑬）も踏まえ、各研究機関において適切に判断する必要がある。なお、期待どおりの結果が得られた場合のみでなく、期待する結果が得られなかった場合も公表する必要がある。

6　⑵の「研究対象者等及びその関係者の人権又は研究者等及びその関係者の権利利益の保護のために必要な措置」に関しては、第5の2⑷の解説を参照。

7　⑵の「最終の公表」は、それまでに公表した以上に研究結果を公表する見込みがなくなった場合を指す。なお、最終の公表を行ったとして報告した後に、研究結果の公表を行うこととなった場合は、速やかにその旨を研究機関の長に報告する必要がある。

8　⑷の規定に関して、通常の診療を超える医療行為を伴う研究を実施した研究責任者は、研究対象者に当該研究が実施された後も、その結果により得られた最善の予防、診断及び治療を受けることができるよう努めなければならない。特に、未承認医薬品・医療機器を用いる研究の実施後に、研究対象者が当該治療等を受けるか否かの判断を行う場合には、当該研究を実施した結果により得られた知見のほか、当該治療等を継続するために必要な経済的な負担等も含めて研究対象者等に説明する必要がある。

第７　研究計画書の記載事項

⑴　研究計画書（⑵の場合を除く。）に記載すべき事項は、原則として以下のとおりとする。ただし、倫理審査委員会の意見を受けて研究機関の長が許可した事項については、この限りでない。

①　研究の名称

②　研究の実施体制（全ての研究機関及び研究協力機関の名称、研究者等の氏名並びに既存試料・情報の提供のみを行う者の氏名及び所属する機関の名称を含む。）

③　研究の目的及び意義

④　研究の方法及び期間

⑤　研究対象者の選定方針

⑥　研究の科学的合理性の根拠

⑦　第８の規定によるインフォームド・コンセントを受ける手続等（インフォームド・コンセントを受ける場合には、同規定による説明及び同意に関する事項を含む。）

⑧　個人情報等の取扱い（加工する場合にはその方法、仮名加工情報又は匿名加工情報を作成する場合にはその旨を含む。）

⑨　研究対象者に生じる負担並びに予測されるリスク及び利益、これらの総合的評価並びに当該負担及びリスクを最小化する対策

⑩　試料・情報（研究に用いられる情報に係る資料を含む。）の保管及び廃棄の方法

⑪　研究機関の長への報告内容及び方法

⑫　研究の資金源その他の研究機関の研究に係る利益相反及び個人の収益その他の研究者等の研究に係る利益相反に関する状況

⑬　研究に関する情報公開の方法

⑭　研究により得られた結果等の取扱い

⑮　研究対象者等及びその関係者が研究に係る相談を行うことができる体制及び相談窓口（遺伝カウンセリングを含む。）

⑯　代諾者等からインフォームド・コンセントを受ける場合には、第９の規定による手続（第８及び第９の規定による代諾者等の選定方針並びに説明及び同意に関する事項を含む。）

⑰　インフォームド・アセントを得る場合には、第９の規定による手続

（説明に関する事項を含む。）
⑱　第８の７の規定による研究を実施しようとする場合には、同規定に掲げる全ての要件を満たしていることについて判断する方法
⑲　研究対象者等に経済的負担又は謝礼がある場合には、その旨及びその内容
⑳　侵襲を伴う研究の場合には、重篤な有害事象が発生した際の対応
㉑　侵襲を伴う研究の場合には、当該研究によって生じた健康被害に対する補償の有無及びその内容
㉒　通常の診療を超える医療行為を伴う研究の場合には、研究対象者への研究実施後における医療の提供に関する対応
㉓　研究に関する業務の一部を委託する場合には、当該業務内容及び委託先の監督方法
㉔　研究対象者から取得された試料・情報について、研究対象者等から同意を受ける時点では特定されない将来の研究のために用いられる可能性又は他の研究機関に提供する可能性がある場合には、その旨、同意を受ける時点において想定される内容並びに実施される研究及び提供先となる研究機関に関する情報を研究対象者等が確認する方法
㉕　第14の規定によるモニタリング及び監査を実施する場合には、その実施体制及び実施手順

1　第７(1)の規定は、研究計画書（(2)の場合を除く。）の記載事項を定めたものである。研究計画書には、①から㉕までの全ての事項（⑯から㉕までは該当する場合のみ）について記載することを原則とする。ただし、研究の内容等によっては、必ずしも記載を要しない項目もあり得る。特定の事項を省略するかどうかは、一義的には研究責任者が判断し、その理由を示して倫理審査委員会で審査の上、妥当であるとの意見を受けて研究機関の長の許可を得る必要がある。この場合、記載を省略する項目について、倫理審査委員会において妥当であると審査された際の記録を関連付けることや研究計画書の当該項目に記載を省略する旨とその理由を記載しておくことが望ましい。

また、(1)に掲げられた事項のほか、研究の内容等に応じて必要と認められる事項については、各研究機関の判断により適宜記載事項を追加してよい。

なお、研究の実施に関連して必要な書類（例えば、既承認医薬品・医療機器を用いる場合における当該品目の添付文書、文書によりインフォームド・コン

セントを受ける際の文書等）については、各記載事項に関連付けることにより、研究計画書に含まれるようにする必要がある。

2　②の「研究の実施体制」には、日本国外の研究機関も含まれる。事務局を設置する場合や当該研究に係る個人情報等の安全管理措置や加工についての責任者を置く場合にはその体制も含まれる。多機関共同研究を実施する場合は、その旨、全ての研究機関及び研究協力機関の名称、研究者等の氏名、既存試料・情報の提供のみを行う者の氏名及び所属する機関の名称並びに研究代表者や各研究機関における研究責任者の役割及び責任（第6の1⑷参照）を明確に記載する必要がある。なお、既存試料・情報の提供のみを行う者については、当該者が機関に所属している場合は当該者氏名及び所属する機関の名称を記載する必要があるが、当該者が個人の場合には氏名のみを記載することで足りる。共同研究機関及び既存試料・情報の提供のみを行う機関が多数となる場合は、研究計画書の別添として整理してよい。

なお、研究を開始した後、既存試料・情報の提供のみを行う機関を追加する場合は、原則として、第6の規定により研究計画書の変更の手続を行う必要がある。ただし、研究計画書を作成する時点で既存試料・情報の提供のみを行う機関をあらかじめ特定することが困難であって、当該機関が極めて多数となることが想定される研究（例えば、レジストリー研究が該当する。）については、どのような属性の者から提供を受けることが想定されるかについてできるだけ具体的に研究計画書に記載しており、その全てを個別に列挙して記載しないことについて倫理審査委員会の意見を聴いた上で研究機関の長の許可を得た場合に限り、第11の2⑸に規定する研究の進捗状況等の報告に併せて、当該報告までの期間に提供を受けた既存試料・情報の提供のみを行う者の氏名及び所属する機関の名称を研究計画書に記載した上で、その記載した内容を倫理審査委員会に報告する方法をとることも認められる。

3　④の「研究の方法」には、研究のデザイン、予定研究対象者数及びその設定根拠（統計学的な根拠によらずに研究対象者数を設定する場合を含む。）、統計解析の方法、評価の項目及び方法等が含まれる。また、未承認医薬品・医療機器を用いる研究の場合には当該医薬品・医療機器の概要（いわゆる「試験薬概要」、「試験機器概要」）が、既承認医薬品・医療機器を用いる研究の場合には当該医薬品・医療機器の添付文書情報が含まれる。利用目的に、他機関に試料・情報を提供することが含まれる場合には、その旨を記載する必要がある。例えば、試料・情報を試料・情報の収集・提供を行う機関に提供する場合やその他の研究への利用に供するデータベース等へのデータ登録をする場合に、その旨を記載することが考えられる。

また、試料・情報については、研究の性質に合わせて、その種類、量なども記載し、試料をゲノム解析する等により個人識別符号に該当するゲノムデータを取得する場合には、その旨を併せて記載する必要がある。

「研究の期間」は、研究開始から研究完了までを指すことから、その始期と終期を明確に示す必要がある。

4　⑤の規定に関して、研究対象者を選ぶ方針として、合理的に選択していることが分かる具体的な方法、研究対象者が疾病や薬剤反応性異常を有する場合等にあっては、診療医と連携して病名又はそれに相当する状態像の告知方法等に配慮する必要がある。

なお、研究対象者が、治療又は予防方法が確立していない単一遺伝子疾患等であって、精神障害、知的障害又は重篤な身体障害を伴うものを有する場合には、研究の必要性、当該研究対象者に対する医学的・精神的影響及びそれらに配慮した研究方法の是非等について、研究責任者は特に慎重に検討し、また、倫理審査委員会においても、特に慎重に審査することが必要である。

5　⑦の規定に関して、インフォームド・コンセントを受ける場合には、第8の規定による説明及び同意に関する事項（同意の撤回又は拒否への対応方針を含む。）を含めて記載する必要がある。適切な同意を受ける場合には、適切な同意を受けるにあたって説明する事項を含めて記載する必要がある。オプトアウトによる場合には、その理由並びに研究の実施について研究対象者等に通知し、又は研究対象者等が容易に知り得る状態に置く事項及びその方法（通知し、又は研究対象者等が容易に知り得る状態に置く文書の見本など）を含めて記載する必要がある。なお、文書によりインフォームド・コンセントを受ける場合には、当該文書（第8の5の規定による説明事項を記載した文書及び同意書の様式）を、電磁的方法によりインフォームド・コンセントを受ける場合には、当該電磁的方法による説明及び同意の方法・説明内容（第8の5の規定による説明事項を記載した電子文書及び同意様式の使用を想定している場合は当該様式を含む。）を記載した資料を、オプトアウトによる場合には、通知し、又は研究対象者等が容易に知り得る状態に置く文書の見本などを研究計画書に添付し、倫理審査委員会における審査に提供する必要がある。

6　⑦の規定に関して、共同研究機関、試料・情報の提供のみを行う機関と試料・情報の授受を行う予定がある場合においては、第8の3に規定する「試料・情報の提供に関する記録」を作成する方法（作成する時期、記録の媒体、作成する研究者等の氏名、別に作成する書類による代用の有無等）及び保管する方法（場所、第8の3の解説に記載する提供元の機関における記録の保管の代行等）を含めて記載する必要がある（試料・情報の授受が多数となる場合は別添として整理してもよい。）。また、第8の1⑴及び⑷に規定する提供先の機関が試料・情報の提供を受けた際に提供元の機関で講じたインフォームド・コンセントの内容等を確認する方法についても、併せて記載することが望ましい。

なお、「試料・情報の提供に関する記録」に係る必要事項を研究計画書に記載している場合は、当該研究計画書それ自体を保管することをもって当該記録に関する義務の一部を満たすことができる。この場合、研究計画の中で実施される全ての試料・情報の授受ごとに提供元の機関と提供先の機関を特定して研究計画書に記載する必要はなく、一連の試料・情報の授受の内容について、事後的に追跡できるように必要な範囲で記載されていればよい。詳細については第8の3の解説を参照。

7　⑦の規定に関して、外国にある者へ試料・情報の提供を行う予定がある場合（委託により提供する場合を含む。）においては、第8の1⑹の規定に沿って手続を行う必要があるため、その手続の内容（以下の事項を含む。）を含めて記載する必要がある。なお、「外国」の考え方については、第8の1⑹アの解説を参照。

- 第8の1⑹イに基づいて提供する情報の内容
- 提供先が個人情報保護法施行規則第16条に定める基準に適合する体制を整備していることを根拠として提供する場合にはその旨及び第8の1⑹ウに基づき講ずる必要な措置の内容

8　⑧の「個人情報等の取扱い」に関し、第18の1の規定により個人情報等の安全管理のために講じる措置の内容についても記載する必要がある（なお、安全管理措置については、個人情報等の取扱状況（取り扱う個人情報等の性質及び量を含む。）等に起因するリスクに応じて、必要かつ適切な内容とする必要がある。）。

共同研究の場合は、研究に用いられる情報の個人情報等の該当性の判断は各機関で行うこととなるが、研究計画書の作成に際して、関係する研究機関と事前に調整を行うことが必要であり、この中で個人情報等の取扱いについても必要に応じて調整することとする。

その上で、研究計画書には、共同研究で利用する個人情報等の項目（氏名、年齢、性別、病歴等の情報）を記載しつつ、共同研究機関における安全管理措置や個人情報等の提供の際における留意事項を含めて記載する必要がある。

9　⑧の「加工」とは、個人情報等に含まれる記述等の全部又は一部を削除すること（他の記述等に置き換えることを含む。）をいう。例えば、個人情報に含まれる記述等を削除して仮名加工情報又は匿名加工情報を作成する場合、個人情報に含まれる氏名をIDに置き換える場合等がこれに該当する。個人情報等を加工する場合には、その時期と方法を含めて記載する必要がある。仮名加工情報又は匿名加工情報を作成する場合についても、その時期と方法（第18の1の規定による安全管理措置、公表、苦情処理その他の必要な措置等）を含めて記載する必要がある。

10　⑨の「リスク」は、第6の1⑵で解説したとおりであるが、研究の実施に関連して起こり得る有害事象（例えば、薬物投与を行う研究の場合における当該薬物の副作用による有害事象など）も含まれる。また、小児を対象とした研究において採血を行うような場合など、大人にとっては軽微な侵襲であっても、小児に対しては、十分な事前の対応や実施時に気を紛らわす工夫等の配慮について記載しておくことが考えられる。

11　⑩の「保管の方法」には、試料・情報のトレーサビリティの観点から、保管期間を含めて記載する必要がある。また、研究に用いられる情報の管理について、クラウドサービスを利用することも可能であり、この場合には、クラウドサービス提供事業者の名称及び情報が保存されるサーバが所在する国の名称について記載することが望ましい。クラウドサービスを利用するに当たっては、「個人情報の保護に関する法律についてのガイドライン」に関するQ&Aを参照。

「研究に用いられる情報に係る資料」とは、データ修正履歴、実験ノートなど研究に用いられる情報の裏付けとなる資料に加え、他の研究機関に試料・情報を提供する場合及び提供を受ける場合は試料・情報の提供に関する記録を指す。

12　⑪の「報告」は、文書により行うことが望ましいが、具体的な報告内容や方法（報告の頻度を含む。）については、研究内容に応じて異なるため、各研究機関において判断する必要がある。

13　⑫の「研究の資金源」については、自己調達、寄付、契約等の形態を明確にするなど、どのように調達したかを記載するとともに、資金源との関係についても記載する必要がある。研究の資金源については、研究に用いられる医薬品・医療機器等の関係企業等から資金や資材の提供等を受けている場合は、その旨を記載する必要がある。例えば、当該研究に係る資金（奨学寄付金、研究助成金等を含む。）の他に講演料、原稿料等の支払いを受けること、その株式（未公開株やストックオプションを含む。）を保有すること、資材や労務の提供等が記載すべき内容として考えられる。また、研究者等が資金提供を受けている関係企業との間に顧問等の非常勤を含む雇用関係があることや、親族等の個人的関係があるなど、研究者等の関連組織との関わりについての問題などが記載すべき内容として考えられる。これらの事項について、どの範囲まで記載すべきかについては、当該研究機関や研究者の置かれた立場等により様々なケースが考えられるため、各研究機関において、利益相反の管理のために設けている規程等も踏まえつつ、適切に判断する必要がある。また、各研究機関においては、利益相反の状況について研究計画書への記載を求めるか否かの基準を決定しておくことが望ましい。なお、判断に迷う場合は、倫理審査委員会の意見を聴くことが推奨される。

利益相反の考え方については、例えば以下のガイドライン及び指針等が参考になるものと考えられる。

- 「利益相反ワーキング・グループ報告書」（平成14年11月1日文部科学省科学技術・学術審議会・技術・研究基盤部会・産学官連携推進委員会・利益相反ワーキング・グループ）
- 「厚生労働科学研究における利益相反（Conflict of Interest：COI）の管理に関する指針」（平成20年3月31日科発第0331001号厚生科学課長決定）
- 「臨床研究法における臨床研究の利益相反管理について」（平成30年11月30日医政研発1130第17号厚生労働省医政局研究開発振興課長通知）

14　⑬の「研究に関する情報公開」には、第6の4及び6の規定による登録・公表が含まれるため、その方法について記載する必要がある。

15　⑭の規定に関しては、第10の1の解説を参照。

16　⑮の「研究に係る相談を行うことができる体制及び相談窓口」については、例えば、相談実施体制等の明確化、相談窓口の設置及び連絡先や担当者の明確化、FAQのホームページ掲載等が考えられる。⑭、⑮の具体的な対応等に関しては、第10の解説を参照。

17　⑰の「説明に関する事項」とは、研究対象者等への説明事項及び説明方法を指す。

18　⑳の規定に関して、侵襲を伴わない研究の場合は、重篤な有害事象が発生した際の対応を一律に研究計画書に記載する必要はない。軽微な侵襲を伴う研究を含め、研究の実施において重篤な有害事象が発生した場合には、第15の2⑴及び3の規定による手順書等に従って必要な措置を講ずる必要がある。第15の規定による「重篤な有害事象への対応」には、研究機関の長への報告が含まれるため、報告すべき有害事象の範囲、報告の方法等についても記載する必要がある。

19　㉑の「内容」は、必ずしも金銭の支払いに限られるものではなく、健康被害に対する医療の提供等も含まれる。

20　㉒の規定に関して、第6の6⑷において、通常の診療を超える医療行為を伴う研究を実施された研究対象者が、当該研究の結果により得られた最善の医療（予防、診断及び治療）を受けることができるよう研究責任者に努力を求めるものである。なお、「研究対象者への研究実施後」とは、研究計画書に記載された研究期間が満了したときではなく、個々の研究対象者に対して通常の診療を超える医療行為を終了した後を指す。

21　㉓の「委託先の監督方法」については、第6の1⑹の解説を参照。外国にある者に委託する場合においても同様に記載すること。

22 ㉔の「想定される内容」については、将来用いられる可能性のある研究の概括的な目的及び内容、他の研究機関への提供の目的及び提供する可能性がある研究機関の名称などが考えられる。

㉔の「研究対象者等が確認する方法」としては、電子メールや文書による通知、ホームページのURL及び電話番号等が考えられる。

23 ㉕の「実施体制」については、モニタリング・監査に従事する者の氏名及び当該研究機関との関係を含めて記載する必要がある。「実施手順」については、モニタリング・監査の結果の報告方法を含めて記載する必要がある。

(2) 試料・情報の収集・提供を実施する場合の研究計画書に記載すべき事項は、原則として以下のとおりとする。ただし、倫理審査委員会の意見を受けて研究機関の長が許可した事項については、この限りでない。

① 試料・情報の収集・提供の実施体制（試料・情報の収集・提供を行う機関の名称及び研究者等の氏名を含む。）

② 試料・情報の収集・提供の目的及び意義

③ 試料・情報の収集・提供の方法及び期間

④ 収集・提供を行う試料・情報の種類

⑤ 第8の規定によるインフォームド・コンセントを受ける手続等（インフォームド・コンセントを受ける場合には、同規定による説明及び同意に関する事項を含む。）

⑥ 個人情報等の取扱い（加工する場合にはその方法、仮名加工情報又は匿名加工情報を作成する場合にはその旨を含む。）

⑦ 研究対象者に生じる負担並びに予測されるリスク及び利益、これらの総合的評価並びに当該負担及びリスクを最小化する対策

⑧ 試料・情報の保管及び品質管理の方法

⑨ 収集・提供終了後の試料・情報の取扱い

⑩ 試料・情報の収集・提供の資金源等、試料・情報の収集・提供を行う機関の収集・提供に係る利益相反及び個人の収益等、研究者等の収集・提供に係る利益相反に関する状況

⑪ 研究対象者等及びその関係者からの相談等への対応

⑫ 研究対象者等に経済的負担又は謝礼がある場合には、その旨及びその

内容

⑬　研究により得られた結果等の取扱い

⑭　研究対象者から取得された試料・情報について、研究対象者等から同意を受ける時点では特定されない将来の研究のために他の研究機関に提供する可能性がある場合には、その旨、同意を受ける時点において想定される内容並びに提供先となる研究機関に関する情報を研究対象者等が確認する方法

1　第７⑵の規定は、反復継続して試料・情報の収集・提供を実施するための研究計画書の記載事項を定めたもので、いわゆるバンク及びアーカイブがこれに該当する。「試料・情報の収集・提供を実施する場合」とは、第２⒁で定める「試料・情報の収集・提供を行う機関」として、試料・情報の収集・提供を行う場合を指す。研究計画書には、①から⑭までの事項について全て記載することを原則とする。ただし、研究の内容等によっては、必ずしも記載を要しない項目もあり得る。特定の事項を省略するかどうかは、一義的には研究責任者が判断し、その理由を示して倫理審査委員会で審査の上、妥当であるとの倫理審査委員会の意見を受けて研究機関の長の許可を得る必要がある。この場合、記載を省略する項目について、倫理審査委員会において妥当であると審査された際の記録を関連付けることや研究計画書の当該項目に記載を省略する旨とその理由を記載しておくことが望ましい。

⑵に掲げられた事項のほか、研究の内容等に応じて必要と認められる事項については、各研究機関の判断により適宜記載事項を追加してよい。

なお、研究の実施に関連して必要な書類については、各記載事項に関連付けることにより、研究計画書に含まれるようにする必要がある。

2　①の規定に関しては、第７⑴②の解説を参照。なお、①の「研究者等」には、試料・情報の収集・提供に携わる者を含む。

3　③の規定に関して、期間を定めない場合は、その旨を記載する必要がある。

4　⑤の規定に関しては、第７⑴⑦の解説を参照。

5　⑥の規定に関しては、第７⑴⑧の解説を参照。

6　⑦の規定に関しては、第7(1)⑨の解説を参照。

7　⑧の規定に関しては、第7(1)⑩の解説を参照。

8　⑨の「収集・提供終了後」とは、③の規定による「試料・情報の収集・提供の期間」が満了したときをいう。なお、収集・提供終了後も、当該試料・情報について第13の規定に従って適切に保管等がなされる必要がある。

9　⑩の規定に関しては、第7(1)⑫の解説を参照。

10　⑪の規定に関しては、第7(1)⑮の解説を参照。

11　⑬の規定に関しては、第7(1)⑭の解説を参照。

12　⑭の規定に関しては、第7(1)㉔の解説を参照。

第4章　インフォームド・コンセント等

第8　インフォームド・コンセントを受ける手続等

1　インフォームド・コンセントを受ける手続等

研究者等が研究を実施しようとするとき又は既存試料・情報の提供のみを行う者が既存試料・情報を提供しようとするときは、当該研究の実施について研究機関の長の許可を受けた研究計画書に定めるところにより、それぞれ次の(1)から(5)までの手続に従って、原則としてあらかじめインフォームド・コンセントを受けるとともに、外国（個人情報保護委員会が個人情報保護法施行規則第15条第1項各号のいずれにも該当する外国として定めるものを除く。以下同じ。）にある者に提供する場合にあっては、(1)、(3)又は(4)の手続によるほか、(6)の手続に従わなければならない。ただし、法令の規定により既存試料・情報を提供する場合又は既存試料・情報の提供を受ける場合については、この限りでない。

1　第8の1の規定は、インフォームド・コンセントを受ける手続等について定めたものである。「次の(1)から(5)までの手続」は、研究対象者への負担・リスク（侵襲の程度や介入の有無等）に応じて整理したものである。いずれの手続を選択するかについては、一義的には、研究責任者が研究計画書の作成に当たって判断し、その判断の妥当性を含めて倫理審査委員会の審査を受ける必要がある。

また、(6)は、外国にある者へ試料・情報を提供する場合の「適切な同意」の取得等について規定したものである。

なお、インフォームド・コンセントを受ける手続等については、1の(1)から(6)までに加え、研究計画の内容や研究の実施状況等に応じて、2から9までの規定も併せて遵守する必要があるので、留意する必要がある。

2　多機関共同研究において、クラウドサービス等を利用し、他の研究機関がクラウドに保存されている情報を利用・閲覧可能な状態に置くことは、他の研究機関への情報の「提供」に該当するため、留意すること。

＜第８の１から９までの規定の一覧及び適用に関する留意事項＞

第８の規定	適用に関する留意事項
１　インフォームド・コンセントを受ける手続等	・研究を実施するに当たって、各研究計画において⑴から⑸までのいずれか又は複数の規定が適用される ・既存試料・情報の提供のみを行う者には、⑶に加えて、⑷が適用される ・ただし、法令の規定により既存試料・情報を提供する場合又は提供を受ける場合には適用されない ・外国にある者に試料・情報を提供する場合（試料・情報の取扱いの全部又は一部を委託する場合を含む。）には、⑴から⑸までの該当する規定に加えて、⑹の規定が適用される
２　電磁的方法によるインフォームド・コンセントの取得	・文書によるインフォームド・コンセントの手続を、電磁的方法により代わって行う場合に適用される
３　試料・情報の提供に関する記録	・共同研究機関間あるいは、試料・情報の提供のみを行う者と研究機関が試料・情報の授受を行う場合に適用される
４　研究計画書の変更	・研究計画書を変更して研究を実施する場合に適用される
５　説明事項	・１の手続において、インフォームド・コンセントを受ける場合に適用される
６　研究対象者等に通知し、又は研究対象者等が容易に知り得る状態に置くべき事項	・１の手続において、研究に関する情報について研究対象者等に通知又は研究対象者等が容易に知り得る状態に置く場合に適用される
７　研究対象者に緊急かつ明白な生命の危機が生じている状況における研究の取扱い	・研究対象者に緊急かつ明白な生命の危機が生じている状況で研究を実施しようとする場合に適用される
８　インフォームド・コンセントの手続等の簡略化	・１又は４の手続を簡略化することが可能な研究を実施しようとする場合に適用される
９　同意の撤回等	・研究対象者等から同意の撤回又は拒否があった場合に適用される

３　「既存試料・情報の提供のみを行う者が既存試料・情報を提供しようとするとき」は、研究者等（第２⒄参照）のほか、研究者等以外の者（研究機関以外において既存試料・情報の提供のみを行う者）にも適用されるので留意する必要がある。すなわち、研究者等以外の者（既存試料・情報の提供のみを行う者）及びその所属する機関の長には、第４及び第５の規定等は適用されないが、第８の１⑶、⑷、⑹及び３の規定は適用されることとなる。

4　「原則としてあらかじめインフォームド・コンセントを受ける」としているのは、「次の(1)から(5)までの手続」に「必ずしもインフォームド・コンセントを受けることを要しない」ものを規定しているためである。なお、研究の進捗に応じて、段階的に研究を行う場合は、将来的に行われる研究の内容についても研究計画書にその内容を記載した上で、研究対象者等にあらかじめ説明しておく必要がある。

5　「外国（個人情報保護委員会が個人情報保護法施行規則第15条第１項各号のいずれにも該当する外国として定めるものを除く。以下同じ。）」の解釈については、第８の１(6)アの解説を参照。

6　「法令の規定により既存試料・情報を提供する場合」とは、例えば、がん登録推進法の規定により全国がん登録データベース又は都道府県がんデータベースの登録情報を提供する場合や、統計法の規定により統計調査の調査票情報等を提供する場合等を想定している。

7　「法令の規定により既存試料・情報の提供を受ける場合」とは、例えば、がん登録推進法の規定により全国がん登録データベース又は都道府県がんデータベースの登録情報の提供を受ける場合、統計法の規定により統計調査の調査票情報等の提供を受ける場合及び高齢者の医療の確保に関する法律（昭和57年法律第80号）の規定により医療保険等関連情報の提供を受ける場合等を想定している。

8　試料をゲノム解析する等により新たにゲノムデータを取得する場合、当該ゲノムデータを含む研究に用いられる情報は個人情報又は要配慮個人情報に該当する可能性がある。このため、研究計画において、試料を用いたゲノム解析等の予定の有無をはじめ、ゲノム解析の内容を十分に記載した上で、１の(1)から(6)までに規定するインフォームド・コンセントを受ける手続等を実施すること。

なお、試料をゲノム解析する等により個人識別符号に該当するゲノムデータを取得する場合には、その旨を併せて研究計画書（同意説明文書を含む。）に記載すること。また、研究を開始する当初予定していなかったゲノム解析を行う場合は、研究計画書の変更の手続を行うとともに、必要に応じてインフォームド・コンセント等の手続も見直す必要がある。

9 行政機関等における取得・利用・提供に係る規制については、この指針の他に、個人情報保護法第5章、個人情報の保護に関する法律についてのガイドライン（行政機関等編）、個人情報の保護に関する法律についての事務対応ガイド（行政機関等向け）及び個人情報の保護に関する法律についてのQ&A（行政機関等編）等を参照。

(1) 新たに試料・情報を取得して研究を実施しようとする場合研究者等は、次のア又はイの手続を行わなければならない。

なお、研究者等は、研究協力機関を介して当該研究のために新たに試料・情報を取得する場合においても、自らア又はイの手続を行う必要がある。また、研究協力機関においては、当該手続が行われていることを確認しなければならない。

ア 侵襲を伴う研究

研究者等は、5の規定による説明事項を記載した文書により、インフォームド・コンセントを受けなければならない。

イ 侵襲を伴わない研究

(ア) 介入を行う研究

研究者等は、必ずしも文書によりインフォームド・コンセントを受けることを要しないが、文書によりインフォームド・コンセントを受けない場合には、5の規定による説明事項について口頭によりインフォームド・コンセントを受け、説明の方法及び内容並びに受けた同意の内容に関する記録を作成しなければならない。

(イ) 介入を行わない研究

① 試料を用いる研究

研究者等は、必ずしも文書によりインフォームド・コンセントを受けることを要しないが、文書によりインフォームド・コンセントを受けない場合には、5の規定による説明事項について口頭によりインフォームド・コンセントを受け、説明の方法及び内容並びに受けた同意の内容に関する記録を作成しなければならない。

② 試料を用いない研究

(i) 要配慮個人情報を取得する場合

研究者等は、必ずしもインフォームド・コンセントを受けることを要しないが、インフォームド・コンセントを受けない場合には、原則として研究対象者等の適切な同意を受けなければならない。ただし、研究が実施又は継続されることについて研究対象者等が拒否できる機会が保障される場合であって、8(1)①から③までに掲げる要件を満たし、かつ、次に掲げるいずれかの要件に該当するときは、8(2)の規定による適切な措置を講ずることによって、要配慮個人情報を取得し、利用することができる。

a　学術研究機関等に該当する研究機関が学術研究目的で当該要配慮個人情報を取得する必要がある場合であって、研究対象者の権利利益を不当に侵害するおそれがない場合

b　研究機関が当該要配慮個人情報を取得して研究を実施しようとすることに特段の理由がある場合で、研究対象者等からインフォームド・コンセント及び適切な同意を受けることが困難である場合

(ii)　(i)以外の場合

研究者等は、必ずしもインフォームド・コンセント及び適切な同意を受けることを要しないが、インフォームド・コンセント及び適切な同意のいずれも受けない場合には、当該研究の実施について、6①から⑪までの事項を研究対象者等に通知し、又は研究対象者等が容易に知り得る状態に置き、研究が実施又は継続されることについて、研究対象者等が拒否できる機会を保障しなければならない（ただし、研究に用いられる情報（要配慮個人情報を除く。）を共同研究機関へ提供する場合は、(3)イを準用する。）。

1　第8の1(1)の規定は、新たに試料・情報を取得して研究を実施しようとする場合のインフォームド・コンセントの手続等について定めたものである。1(1)の「新たに試料・情報を取得して研究を実施しようとする場合」とは、当該研究の実施の中で当該研究に用いるために試料・情報を研究対象者から取得する場合をいう。試料・情報を研究対象者から取得する方法としては、例えば、当該研究のために行う採血、検査、アンケート調査等が考えられる。

なお、第2の(7)「既存試料・情報」の解説のとおり、当該研究とは異なる目的で研究対象者から取得された試料・情報は「既存試料・情報」に該当するため、当該既存試料・情報を当該研究に二次利用する場合は、「新たに試料・情

報を取得して研究を実施しようとする場合」には該当しない。例えば、研究目的でない医療のために研究対象者から取得された情報が記載された診療記録を研究に二次利用する場合は、当該研究のために研究対象者から取得する場合には該当しないため、「新たに試料・情報を取得して研究を実施しようとする場合」には該当しない。他方、研究対象者から試料・情報を取得する時点において、既に研究で利用する目的がある場合においては、医療のための研究対象者からの試料・情報の取得を兼ねている場合であっても「新たに試料・情報を取得して研究を実施しようとする場合」に該当する。

新たに研究対象者から試料・情報を取得して、多機関共同研究を行う場合は、いずれか一つの共同研究機関の研究者等において、1(1)の規定に基づき研究対象者等よりインフォームド・コンセントを受けることで差し支えない。

2 「研究協力機関を介して当該研究のために新たに試料・情報を取得する場合」については、侵襲を伴わない又は採血など、軽微な侵襲を伴う場合や研究に用いられる情報を取得する場合に限られる。研究者等は、研究対象者から直接に試料・情報を取得する場合のみならず、研究協力機関を介して間接的に試料・情報を取得する場合においても、研究者等がインフォームド・コンセントを受ける手続等を行う必要があるため留意すること。

(参考) 研究協力機関の研究者等への個人データの提供について (個人情報保護法との関係)

個人情報保護法上、研究協力機関は、研究者等に個人データを提供する場合、原則として、あらかじめ本人の同意を得る必要がある (個人情報保護法第 27 条第 1 項)。この点、この指針においては、研究者等は、研究協力機関を介して新たに試料・情報を取得する場合、インフォームド・コンセントを受ける手続等において、研究協力機関に代わって、当該同意を取得する。

なお、個人情報保護法上、研究協力機関は、委託に伴って研究者等に個人データを提供することも認められる (個人情報保護法第 27 条第 5 項第 1 号)。ただし、この場合、委託先となる研究協力機関は、研究者等から委託された業務の範囲内において個人データを取り扱うことができるのみであり、委託された業務以外に当該個人データを取り扱うことはできないため、留意が必要である。

一つの機関が、新たに取得した試料・情報だけではなく、既存試料・情報も研究機関に提供する場合、研究協力機関に係る規定（第８の１(1)）と既存試料・情報の提供のみを行う者に係る規定（第８の１(3)及び(4)）の両方の規定を遵守する必要があるため、留意が必要である。

研究者等は、研究協力機関に対して、第８の１(1)ア又はイの手続を行っていることを、研究協力機関が研究対象者から試料・情報を取得する前に示さなくてはならない。

研究協力機関にも、研究機関への試料・情報の提供について第８の３(1)の規定が適用されるため、留意が必要である。

３　「文書によりインフォームド・コンセントを受ける」とは、文書により説明し、文書により同意を受けることを指す。「口頭によりインフォームド・コンセントを受ける」とは、口頭により説明し、口頭により同意を受けることを指す。なお、説明又は同意のいずれか一方を文書で、他方を口頭で行う場合については、「口頭によりインフォームド・コンセントを受ける」に該当するものとして扱う。

４　インフォームド・コンセントを受ける場合の文書又は口頭による説明は、必ずしも個別又は対面で行う必要はない。

文書による説明の場合には、集団に対して文書を配布しての説明や、読むだけで十分内容を理解できるように作成した説明文書の郵送等により行うこともできる。ただし、同意の意思表示は、郵送での返信による場合も含め、個々の研究対象者等ごとに文書で確認する必要がある。また、問合せ先の設置、電話番号等連絡先の提示等を行うことで研究対象者等が説明内容に関する質問をする機会を与える必要がある。なお、説明文を説明会場に掲示しただけでは、文書による説明とは認められない。

説明及び同意の文書を読むことができない研究対象者等に対してインフォームド・コンセントを受ける場合又は麻痺等により同意の署名ができない研究対象者等から文書によるインフォームド・コンセントを受ける場合は、立会人を立ち会わせ代筆も認める等の配慮を行うことが望ましい。ここでいう「立会人」については、研究者等から不当に影響を受けることがないよう、当該研究の実施に携わらない者とする。

口頭による説明の場合は、説明会を開催することや、電話で行うこともできる。ただし、同意の意思は、電話や郵送での返信による場合も含め、個々の研究対象者等ごとに確認する必要がある。

5　イ(ア)の「同意の内容に関する記録」としては、同意の日時、説明方法、説明者、同意事項等について記載する必要がある。記載する事項の中に試料・情報の他の共同研究機関への提供に関する事項を含めて記載した場合においては、当該「同意の内容に関する記録」を保管することにより第8の3に規定する「試料・情報の提供に関する記録」とすることができる。

また、口頭での手続による場合であっても、研究対象者等が受けた説明や与えた同意の内容を記憶にとどめられるよう、当該説明及び同意の内容に関する資料を渡すなどの配慮を行うこと（特に研究対象者等が求める場合）が望ましい。

6　イ(イ)②に該当する研究は、侵襲を伴わず、かつ介入を行わずに、アンケート、インタビュー、観察等により研究に用いられる情報を収集する場合などを想定している。収集する情報に「要配慮個人情報」が含まれる場合と含まれない場合でインフォームド・コンセントの手続等が異なるので留意が必要である。「要配慮個人情報」の定義については、第2の(29)「要配慮個人情報」の解説を参照。

7　適切な同意を受けた場合には同意の内容に関する記録を作成することは求められていないが、適切な同意を受けて共同研究機関へ取得した試料・情報を提供する場合は第8の3の規定のとおり、試料・情報の提供に関する記録の作成・保管が必要となるため、適切な同意を受ける場合には、試料・情報の提供に関する記録として必要な記録事項を含め研究対象者等ごとに同意の内容に関する記録を作成し、これを保管することが考えられる。

8　イ(イ)②(i)及び(ii)の「適切な同意」について、「研究対象者等がその同意について判断するために必要な事項」を明示した上で同意を取得する必要があるが、当該事項については、研究内容に応じて、一義的には、個人情報保護法やこの指針に照らし、研究責任者が判断し、その理由を示して倫理審査委員会で審査の上、研究機関の長の許可を得る必要がある。

(ii)のオプトアウトによる場合に通知し、又は容易に知り得る状態に置くべき事項（取得については第8の6①から③まで及び⑦から⑪までの事項、提供については第8の6①から⑥まで及び⑨から⑪までの事項）については明示した上で同意を取得することが望ましい。

9　イ(イ)②(i)において、個人情報保護法上、要配慮個人情報の取得に当たっては、原則として本人の同意が必要であることから、第8の8の規定に基づいて手続を簡略化するためには、同法第20条第2項各号に規定される要件（この場合、イ(イ)②(i)a又はb）を満たす必要がある（第8の8の規定の詳細については、第8の8の解説を参照）。

10　イ(イ)②(i)aにおける「学術研究」とは、新しい法則や原理の発見、分析や方法論の確立、新しい知識やその応用法の体系化、先端的な学問領域の開拓などをいう。なお、製品開発を目的として個人情報を取り扱う場合は、当該活動は、学術研究目的とは解されない。

また、個人の権利利益を不当に侵害しないような措置を講ずるなど適切に処理する必要がある。この点、学術研究機関等が学術研究目的で個人情報を取り扱う必要があって、目的外利用をする場合であっても、本人又は第三者の権利利益の保護の観点から、特定の個人を識別することができないよう個人情報を加工するなど、学術研究の目的に照らして可能な措置を講ずることが望ましい。

「学術研究目的で当該要配慮個人情報を取得する必要がある場合」に関し、要配慮個人情報を取得する目的の一部が学術研究目的である場合を含む。

11　イ(イ)②(i)bにおける「特段の理由がある場合で、研究対象者等からインフォームド・コンセント及び適切な同意を受けることが困難である場合」とは、個人情報保護法第20条第2項第2号、第3号、第4号に規定する場合をいう。個人情報保護法第20条第2項第2号、第3号、第4号の解釈については、個人情報保護法ガイドライン（通則編）及び「個人情報の保護に関する法律についてのガイドライン」に関するQ&Aを参照。

また、「インフォームド・コンセント及び適切な同意を受けることが困難」とは、例えば、調査の目的を事前に伝えることにより、研究結果にバイアスが生じるおそれがある研究など、手続の簡略化を行わないことで、研究実施が困難又は研究の価値を著しく損ねるような場合を想定している。

a又はbに該当するかどうかは、個人情報保護法に従って、一義的には研究責任者が判断し、その理由を示して倫理審査委員会で審査の上、研究機関の長の許可を得る必要がある。

12 イ(イ)②(i)の「研究が実施又は継続されることについて研究対象者等が拒否できる機会が保障」について、研究対象者等が拒否した場合には研究の対象とすることはできず、第8の9の規定に基づき適切に対応する必要がある。この場合、当該研究対象者の個人情報等は収集しないものの、研究結果の集計に際して研究対象集団に加え、その者に係る基本的な人口学的特性（性別、年齢等）を利用すること等は可能である。

13 イ(イ)②(ii)の「第8の6①から⑪までの事項」に関し、新たに取得した試料・情報を用いて研究を実施しようとする場合には第8の6①から③まで及び⑦から⑪までの事項を、当該試料・情報を提供する場合には第8の6①から⑥まで及び⑨から⑪までの事項を研究対象者等に通知又は研究対象者等が容易に知り得る状態に置くことで、オプトアウトによることができる。なお、「通知」及び「容易に知り得る状態に置く」については、第8の6の解説を参照。

また、研究協力機関が研究者等にイ(イ)②(ii)の情報を提供する場合の「容易に知り得る状態に置く」については、研究協力機関のホームページ等に研究機関が実施する当該研究におけるオプトアウトへのリンクを掲載することを依頼する等の対応が望ましい。

新たに取得した研究に用いられる情報（要配慮個人情報を除く。）を共同研究機関へ提供する場合は、(3)イが準用されることとなり、原則としてインフォームド・コンセント又は適切な同意が必要である。なお、(3)イ(エ)の場合には、例外的に、提供元におけるオプトアウトにより研究に用いられる情報（要配慮個人情報を除く。）を提供することが認められる。

(2) 自らの研究機関において保有している既存試料・情報を研究に用いる場合研究者等は、次のア又はイの手続を行わなければならない。

ア 試料を用いる研究

研究者等は、必ずしも文書によりインフォームド・コンセントを受けることを要しないが、文書によりインフォームド・コンセントを受けない場合には、5の規定による説明事項について口頭によりインフォームド・コンセントを受け、説明の方法及び内容並びに受けた同意の内容に関する記録を作成しなければならない。ただし、次に掲げる(ア)から(エ)までのいずれかの場合に該当するときには、当該手続を行うことを要しない。

(ア)　当該既存試料・情報の全てが次に掲げるいずれかの要件に該当するとき

①　当該既存試料が、既に特定の個人を識別することができない状態にあるときは、当該既存試料を用いることにより個人情報が取得されることがないこと

②　当該研究に用いられる情報が、仮名加工情報（既に作成されているものに限る。）であること

③　当該研究に用いられる情報が、匿名加工情報であること

④　当該研究に用いられる情報が、個人関連情報であること

(イ)　(ア)に該当せず、かつ、インフォームド・コンセントを受けることが困難な場合であって、次に掲げる①又は②のいずれかの要件を満たしているとき

①　研究対象者等に6①から③まで及び⑦から⑩までの事項を通知した上で適切な同意を受けているとき

②　当該既存試料・情報の取得時に当該研究における利用が明示されていない別の研究に係る研究対象者等の同意のみが与えられているときであって、次に掲げる全ての要件を満たしているとき

(i)　当該研究の実施について、6①から③まで、⑦及び⑧の事項を研究対象者等に通知し、又は研究対象者等が容易に知り得る状態に置いていること

(ii)　その同意が当該研究の目的と相当の関連性があると合理的に認められること

(ウ)　(ア)に該当せず、かつ、当該既存試料・情報の取得時に5㉑に掲げる事項について同意を受け、その後、当該同意を受けた範囲内における研究の内容が特定された場合にあっては、当該特定された研究の内容についての情報を研究対象者等に通知し、又は研究対象者等が容易に知り得る状態に置き、研究が実施されることについて、原則として、研究対象者等が同意を撤回できる機会を保障しているとき

(エ)　(ア)から(ウ)までのいずれにも該当せず、かつ、次に掲げる①から③までの全ての要件を満たしているとき

①　当該既存試料を用いなければ研究の実施が困難である場合であって、次に掲げるいずれかの要件を満たしていること

(i)　学術研究機関等に該当する研究機関が学術研究目的で当該既存

試料・情報を取り扱う必要がある場合であって、研究対象者の権利利益を不当に侵害するおそれがないこと

(ii) 当該研究を実施しようとすることに特段の理由がある場合であって、研究対象者等からインフォームド・コンセント及び適切な同意を受けることが困難であること

② 当該研究の実施について、6①から③まで及び⑦から⑩までの事項を研究対象者等に通知し、又は研究対象者等が容易に知り得る状態に置いていること

③ 当該研究が実施又は継続されることについて、原則として、研究対象者等が拒否できる機会を保障すること

イ 試料を用いない研究

研究者等は、必ずしもインフォームド・コンセントを受けることを要しない。ただし、インフォームド・コンセントを受けない場合には、次に掲げる(ア)から(エ)までのいずれかの場合に該当していなければならない。

(ア) 当該研究に用いられる情報が仮名加工情報（既に作成されているものに限る。）、匿名加工情報又は個人関連情報であること

(イ) (ア)に該当せず、かつ、当該研究に用いられる情報の取得時に当該研究における利用が明示されていない別の研究に係る研究対象者等の同意のみが与えられている場合であって、次に掲げる全ての要件を満たしていること

① 当該研究の実施について、6①から③まで、⑦及び⑧の事項を研究対象者等に通知し、又は研究対象者等が容易に知り得る状態に置いていること

② その同意が当該研究の目的と相当の関連性があると合理的に認められること

(ウ) (ア)に該当せず、かつ、当該研究に用いる情報の取得時に5㉑に掲げる事項について同意を受け、その後、当該同意を受けた範囲内における研究の内容が特定された場合にあっては、当該特定された研究の内容についての情報を研究対象者等に通知し、又は研究対象者等が容易に知り得る状態に置き、研究が実施されることについて、原則として、研究対象者等が同意を撤回できる機会を保障していること

(エ) (ア)から(ウ)までのいずれにも該当せず、かつ、研究対象者等に6①から③まで及び⑦から⑩までの事項を通知した上で適切な同意を受けてい

ること又は次に掲げる①から③までの全ての要件を満たしていること
① 次に掲げるいずれかの要件を満たしていること
(i) 当該研究に用いられる情報が仮名加工情報（既に作成されているものを除く。）であること
(ii) 学術研究機関等に該当する研究機関が学術研究目的で当該研究に用いられる情報を取り扱う必要がある場合であって、研究対象者の権利利益を不当に侵害するおそれがないこと
(iii) 当該研究を実施しようとすることに特段の理由がある場合であって、研究対象者等から適切な同意を受けることが困難であること
② 当該研究の実施について、6①から③まで及び⑦から⑩までの事項を研究対象者等に通知し、又は研究対象者等が容易に知り得る状態に置いていること
③ 当該研究が実施又は継続されることについて、原則として、研究対象者等が拒否できる機会を保障すること

1　第8の1(2)の規定は、自らの研究機関において保有している既存試料・情報を用いて研究を実施しようとする場合のインフォームド・コンセントの手続について定めたものである。アの場合（試料を用いる場合）は、文書（電磁的方法に変えることを妨げない。）又は口頭によるインフォームド・コンセントの手続を行うことを原則としている。ただし、ア(ア)から(エ)までに掲げるいずれかに該当するときに限り、当該手続を行うことなく、自らの研究機関において保有している既存試料・情報を利用することができる。イの場合（試料を用いない場合）は、必ずしもインフォームド・コンセントを受ける必要はなく、適切な同意を取得するか、イ(ア)から(エ)までに掲げるいずれかに該当するときはオプトアウト等によることができる。

2　(2)の規定に関して、「自らの研究機関において保有」とは、過去に当該研究機関が別の研究を実施した際に取得し、保有している場合のほか、医療機関を有する法人等において、研究目的でない診療を通じて得た試料・情報を保有している場合などを指す。

なお、一つの機関が、自らの研究機関において保有している既存試料・情報を研究に用いるとともに、他の研究機関に提供する場合、第8の1(2)及び(3)の

規定を遵守する必要があるため、留意が必要である。

3　ア(ア)①の「当該既存試料が、既に特定の個人を識別することができない状態」とは、試料が研究を開始する以前から既に、他の情報等と照合することによっても特定の個人を識別することができない状態にあることをいう。

当該試料に貼られたラベル等に記載された情報と診療記録やいわゆる対応表とを照合することなどにより、特定の個人を識別することができる場合には、「特定の個人を識別することができない状態」に該当しない。また、例えば、研究を実施する部署が対応表等を保有していない場合であっても、同一法人内にある他の部署が対応表等を保有していて、通常の業務における一般的な方法で当該対応表等を照合することで特定の個人を識別することができる場合には、「特定の個人を識別することができない状態」に該当しない。なお、対応表の考え方については、第2(34)の解説を参照。

4　ア(ア)①の「当該既存試料を用いることにより個人情報が取得されることがないこと」とは、研究の実施において、試料の解析等により個人情報を取得することがないことをいう。ゲノム解析を行って個人識別符号に該当するゲノムデータを取得することを予定している場合は、例えゲノム解析前の当該試料が特定の個人を識別することができない状態にある場合であっても、これには該当しない。

5　死者に由来する試料（例えば、発掘された遺骨等）を使用する場合で、現在生存する血縁者を推測することができないときは、ア(ア)①に該当する。

6　ア(ア)②及びイ(ア)の「仮名加工情報（既に作成されているものに限る。）であること」について、研究計画の立案以前に既に作成されていた仮名加工情報を研究に用いる場合をいい、当該研究を実施する目的で既存試料・情報を分析・加工して新たに仮名加工情報を作成する場合は含まれない。既に作成されているものに限って手続不要としているのは、仮名加工情報については個人情報保護法上、識別行為が禁止されていることから、インフォームド・コンセント等の手続を行うことができないためである。なお、個人情報保護法上、個人情報である仮名加工情報の利用目的を変更した場合には、原則として変更後の利用目的を公表しなければならないため、留意が必要である。

7　ア(ア)③の「匿名加工情報であること」とは、既存試料・情報を分析・加工して新たに匿名加工情報を作成する場合及び既に作成されている匿名加工情報を研究に用いる場合をいう。なお、個人情報保護法上、匿名加工情報を作成したときは、匿名加工情報の作成後遅滞なく当該匿名加工情報に含まれる個人に関する情報の項目を公表しなければならないため、留意が必要である。

なお、第3の1ウ③に規定するとおり、既に作成されている匿名加工情報のみを用いる研究についてはこの指針の適用対象外である。他方、例えば、既に作成されている匿名加工情報を他の試料・情報と共に研究に利用する場合にはこの指針の適用対象となる。

8　ア(イ)の「インフォームド・コンセントを受けることが困難な場合」については、後記の「特段の理由がある場合であって、研究対象者等からインフォームド・コンセント及び適切な同意を受けることが困難である」場合の解説を参照。

9　ア(イ)②の「当該既存試料・情報の取得時に当該研究における利用が明示されていない別の研究に係る研究対象者等の同意のみが与えられているとき」とは、同意を受けた先行する研究において明示された目的とは別の利用目的のために試料・情報を利用しようとする場合を指す。

10　ア(イ)②(ii)の「その同意が当該研究の目的と相当の関連性があると合理的に認められる」とは、例えば、前向きコホート研究において研究対象者の追跡情報を取得する場合であって、追加情報を取得するときや、特定の疾患の治療法に関する研究を行う場合であって、採取された細胞や組織、情報を用いて、その後に設定された別の関連疾患との関連性解析を行うときなどが考えられる。なお、先行研究と同様の目的で追加研究を行うなど、先行する研究がこれから実施する研究と関連性があることについては、倫理審査委員会の審査を受けて、研究機関の長の了承を得る必要がある。

11　ア(ウ)及びイ(ウ)の規定については、同意を受ける時点で特定されなかった研究への既存試料・情報の利用の手続について定めたものである。これらの規定の適用は、研究対象者等から同意を受ける時点で第8の5㉑に掲げる事項について想定されるものをできる限り特定して研究対象者等に説明し、研究対象者等から同意を受けていることを前提に、当該同意を受けた範囲内において研究の内容が特定された場合に限られる。研究対象者等から同意を受ける時点で、「医学研究への利用」等と一般的で漠然とした説明をして同意を受けたのみの場合には、本規定の手続によることはできず、いわゆる白紙委任を容認するものではないので、留意する必要がある。

なお、相当の関連性のある別研究についての同意がある場合には、ア(イ)②の規定に基づいて試料・情報の利用が可能であり、本規定の手続による必要はない。

12　第8の5㉑の規定に関して、同意を受ける時点では特定されない将来の研究のために用いる可能性がある場合（別の研究を行う場合のほか、先行する研究を計画変更する場合を含む。）は、先行する研究に係るインフォームド・コンセントの手続において、将来の研究への利用の可能性を含め、少なくとも第8の5②、③、④、⑥、⑫及び⑬について、「同意を受ける時点において想定される内容」として、可能な限り説明されていること。

13　第8の5㉑の「同意を受ける時点では特定されない将来の研究」とは、例えば、一定の疾患領域における研究に用いることについてできる限り特定して研究対象者等から同意を得ていた場合に、その後、同疾患領域内において具体的に特定された研究等が考えられる。この場合は改めてその研究について、研究計画書を作成又は変更した上で、研究機関内で手続を行う必要がある。「研究対象者等が同意を撤回できる機会を保障しなければならない」については、第5の2(3)及び第8の1(1)イ(イ)②(ii)（オプトアウト）の解説を参照。

14　ア(ウ)及びイ(ウ)において、「原則として、研究対象者等が同意を撤回できる機会を保障」としているのは、試料・情報の利用について、研究対象者等が拒否した場合に、当該研究対象者等に係る試料・情報を特定してこれを研究対象から除外することが困難な場合（例えば、対応表等がなく、ゲノムデータのみを保有している場合等）を想定している。

15　ア(エ)①の「当該既存試料を用いなければ研究の実施が困難である場合」とは、新たに試料を取得し、解析等を行うことでは当該研究の実施が困難である場合をいう。

この指針においては、従前、「社会的に重要性の高い研究」が要件とされていたが、その解釈が曖昧であり、また、試料からは科学技術の発展により、予想していなかった情報についても取得されるおそれがあることから、既存試料を用いる研究である場合においては、当該要件に改めたものである。

なお、当該要件に関する考え方については、疫学研究指針のインフォームド・コンセントの簡略化又は免除等の要件を参照。

16　ア(エ)①(ii)の「特段の理由がある場合であって、研究対象者等からインフォームド・コンセント及び適切な同意を受けることが困難である」場合とは、個人情報保護法第18条第3項第2号から第4号までに規定する場合をいう。

「公衆衛生の向上又は児童の健全な育成の推進のために特に必要がある場合であって、本人の同意を得ることが困難であるとき」(個人情報保護法第18条第3項第3号)の解釈については、「個人情報の保護に関する法律についてのガイドライン」に関するQ&Aにおいて以下のように解説されている。

「個人情報の保護に関する法律についてのガイドライン」に関するQ&A

(利用目的による制限の例外)

Q　医療機関等が、以前治療を行った患者の臨床症例を、利用目的の範囲に含まれていない観察研究のために、当該医療機関等内で利用することを考えています。本人の転居等により有効な連絡先を保有していない場合や、同意を取得するための時間的余裕や費用等に照らし、本人の同意を得ることにより当該研究の遂行に支障を及ぼすおそれがある場合は、本人同意なしに利用することは可能ですか。

A　個人情報取扱事業者は、あらかじめ本人の同意を得ないで、特定された利用目的の達成に必要な範囲を超えて、個人情報を取り扱うことができませんが、公衆衛生の向上のために特に必要がある場合であって、本人の同意を得ることが困難であるときには、あらかじめ本人の同意を得ないで、個人情報を当初の利用目的の達成に必要な範囲を超えて取り扱うことが許容されています(法第18条第3項第3号)。一般に、医療機関等における臨床症例を、当該医療機関等における観察研究や診断・治療等の医療技術の向上のために利用することは、当該研究の成果が広く共有・活用されていくことや当該医療機関等を受診する不特定多数の患者に対してより優れた医療サービスを提供できるようになること等により、公衆衛生の向上に特に資するものであると考えられます。

　また、医療機関等が、本人の転居等により有効な連絡先を保有していない場合や、同意を取得するための時間的余裕や費用等に照らし、本人の同意を得ることにより当該研究の遂行に支障を及ぼすおそれがある場合等には、「本人の同意を得ることが困難であるとき」に該当するものと考えられます。

　したがって、医療機関等が保有する患者の臨床症例に係る個人情報を、観察研究のために用いる場合であって、本人の転居等により有効な連絡先を保有しておらず本人からの同意取得が困難であるときや、同意を取得するための時間的余裕や費用等に照らし、本人の同意を得ることにより当該研究の遂行に支障を及ぼすおそれがあるときには、同号の規定によりこれを行うことが許容されると考えられます。なお、当該医療機関等においては、当初の利用目的及び当該研究のためという新たな利用目的の達成に必要な範囲を超えて、当該データを取り扱うことは原則できません。

　この外、医療機関等には、倫理審査委員会の関与、研究対象者が拒否できる機会の保障、研究結果の公表等について規定する医学系研究等に関する指針や、関係法令の遵守が求められていることにも、留意が必要です。
（令和４年５月追加）

　個人情報保護法第18条第３項第２号から第４号までの解釈については、個人情報保護法ガイドライン（通則編）及び「個人情報の保護に関する法律についてのガイドライン」に関するQ&Aを参照。

17　ア㈤①(i)及びイ㈤①(ii)の「学術研究目的」については、第８の１(1)イ(イ)②(i)aの解説を参照。
「学術研究目的で当該既存試料・情報を取り扱う必要がある場合」に関し、要配慮個人情報を取り扱う目的の一部が学術研究目的である場合を含む。

18　イ㈤①(i)の「仮名加工情報（既に作成されているものを除く。）」に関して、インフォームド・コンセント又は適切な同意を受けない場合には、研究対象者の保護の観点から、仮名加工情報を新たに作成する前に、オプトアウトを行うこととし、６①から③まで及び⑦から⑩までの事項を研究対象者等に通知し、又は研究対象者等が容易に知り得る状態に置く必要がある。

19　イ(エ)①(iii)の「特段の理由」については、前記の解説を参照。

20　イ(エ)③の「原則として」及び「研究対象者等が拒否できる機会を保障すること」については、前記の解説を参照。

(3)　他の研究機関に既存試料・情報を提供しようとする場合

他の研究機関に対して既存試料・情報の提供を行う者は、次のア又はイの手続を行わなければならない。

ア　既存の試料及び要配慮個人情報を提供しようとする場合

必ずしも文書によりインフォームド・コンセントを受けることを要しないが、文書によりインフォームド・コンセントを受けない場合には、5の規定による説明事項（当該既存の試料及び要配慮個人情報を提供する旨を含む。）について口頭によりインフォームド・コンセントを受け、説明の方法及び内容並びに受けた同意の内容に関する記録を作成しなければならない。ただし、これらの手続を行うことが困難な場合であって、次に掲げる(ア)から(ウ)までのいずれかの場合に該当するときは、当該手続を行うことを要しない。

(ア)　既存試料のみを提供し、かつ、当該既存試料を特定の個人を識別することができない状態で提供する場合であって、当該既存試料の提供先となる研究機関において当該既存試料を用いることにより個人情報が取得されることがないとき

(イ)　(ア)に該当せず、かつ、当該既存の試料及び要配慮個人情報の取得時に5㉑に掲げる事項について同意を受け、その後、当該同意を受けた範囲内における研究の内容（提供先等を含む。）が特定された場合にあっては、当該特定された研究の内容についての情報を研究対象者等に通知し、又は研究対象者等が容易に知り得る状態に置き、研究が実施されることについて、原則として、研究対象者等が同意を撤回できる機会を保障しているとき

(ウ)　(ア)又は(イ)に該当せず、かつ、当該既存の試料及び要配慮個人情報を提供することについて、研究対象者等に6①から⑥まで及び⑨から⑪までの事項を通知した上で適切な同意を受けているとき又は次に掲げる①から③までの全ての要件を満たしているとき

① 次に掲げるいずれかの要件を満たしていること（既存試料を提供する必要がある場合にあっては、当該既存試料を用いなければ研究の実施が困難である場合に限る。）

(i) 学術研究機関等に該当する研究機関が当該既存の試料及び要配慮個人情報を学術研究目的で共同研究機関に提供する必要がある場合であって、研究対象者の権利利益を不当に侵害するおそれがないこと

(ii) 学術研究機関等に該当する研究機関に当該既存の試料及び要配慮個人情報を提供しようとする場合であって、当該研究機関が学術研究目的で取り扱う必要があり、研究対象者の権利利益を不当に侵害するおそれがないこと

(iii) 当該既存の試料及び要配慮個人情報を提供することに特段の理由がある場合であって、研究対象者等から適切な同意を受けることが困難であること

② 当該既存の試料及び要配慮個人情報を他の研究機関へ提供することについて、6①から⑥まで及び⑨から⑪までの事項を研究対象者等に通知し、又は研究対象者等が容易に知り得る状態に置いていること

③ 当該既存の試料及び要配慮個人情報が提供されることについて、原則として、研究対象者等が拒否できる機会を保障すること

イ　ア以外の場合

研究に用いられる情報（要配慮個人情報を除く。）の提供を行うときは、必ずしもインフォームド・コンセントを受けることを要しないが、インフォームド・コンセントを受けない場合には原則として適切な同意を受けなければならない。ただし、次の(ア)から(エ)までのいずれかの要件に該当するときは、当該手続を行うことを要しない。

(ア) 当該研究に用いられる情報が、個人関連情報である場合であって、次に掲げる①又は②のいずれかの場合に該当するとき

① 提供先となる研究機関が、当該個人関連情報を個人情報として取得することが想定されないとき

② 提供先となる研究機関が、当該個人関連情報を個人情報として取得することが想定される場合であって、次に掲げるいずれかの場合に該当するとき

(i)　ア(ウ)①(i)から(iii)までの規定中「試料及び要配慮個人情報」とあるのを、「個人関連情報」と読み替えた場合におけるア(ウ)①(i)から(iii)までに掲げるいずれかを満たしていること
(ii)　提供先となる研究機関において研究対象者等の適切な同意が得られていることを当該研究に用いられる情報の提供を行う者が確認していること
(イ)　適切な同意を受けることが困難な場合であって、当該研究に用いられる情報が匿名加工情報であるとき
(ウ)　(ア)又は(イ)に該当せず、かつ、当該研究に用いられる情報の取得時に5㉑に掲げる事項について同意を受け、その後、当該同意を受けた範囲内における研究の内容（提供先等を含む。）が特定された場合にあっては、当該特定された研究の内容についての情報を研究対象者等に通知し、又は研究対象者等が容易に知り得る状態に置き、研究が実施されることについて、原則として、研究対象者等が同意を撤回できる機会を保障しているとき
(エ)　(ア)から(ウ)までのいずれにも該当せず、かつ、適切な同意を受けることが困難な場合であって、ア(ウ)①から③までの規定中「試料及び要配慮個人情報」とあるのを、「研究に用いられる情報」と読み替えた場合におけるア(ウ)①から③までに掲げる全ての要件を満たしているとき

1　第8の1(3)の規定は、他の研究機関に既存試料・情報を提供しようとする場合のインフォームド・コンセント等の手続について定めたものである。アの場合（既存の試料及び要配慮個人情報を提供しようとする場合）は、文書又は口頭によるインフォームド・コンセントの手続を行うことを原則としている。イの場合（要配慮個人情報以外の研究に用いられる情報を提供しようとする場合）は、インフォームド・コンセントを受けない場合には適切な同意を取得することを原則としている。(3)の「既存試料・情報」については、第2(7)の解説を参照。

2　研究者等は、他の研究機関に既存試料・情報を提供する場合、第8の1(3)の手続を履行する必要があるが、①委託に伴って提供する場合（個人情報保護法第27条第5項第1号参照）、②共同利用に伴って提供する場合（個人情報保護法第27条第5項第3号参照）には、第8の1(3)の手続を履行する必要はない。

ただし、①委託に伴う提供の場合、提供先の機関は、委託された業務の範囲内で試料・情報を取り扱う必要があり、また、②共同利用に伴う提供の場合、提供先の研究機関は、その特定された利用目的の範囲内でのみ試料・情報を取り扱う必要があるため、留意すること。

多機関共同研究の場合、研究者等は、基本的には、個人情報保護法第27条第1項に基づいて第三者に提供することが考えられるが、②共同利用に伴い試料・情報を提供することも妨げない。

3 仮名加工情報については、研究機関における内部利用を想定したものであることから、個人情報保護法上、原則として第三者提供が禁止されている。そのため、第8の1(3)において、仮名加工情報の第三者提供（他の研究機関への提供）について規定していない。ただし、個人情報保護法上、委託や共同利用に伴って仮名加工情報を提供することは可能とされており（個人情報保護法第41条第6項により読み替えて適用される同法第27条第5項各号、同法第42条第2項により読み替えて準用される同法第27条第5項各号）、この指針においても、研究者等は、委託や共同利用に伴って仮名加工情報を他の研究機関に提供することは可能である。

4 アに関し、要配慮個人情報の提供に当たっては、研究対象者等の権利利益に特に配慮することが必要な場合があり得る。このため、インフォームド・コンセントを取得することが困難な場合であっても、可能な限り適切な同意を取得し、又はオプトアウトによる場合でも手紙やメール等で研究対象者等に通知するなどの特段の配慮の必要性について、倫理審査委員会において十分に検討することが必要である。

アの「手続を行うことが困難な場合」については、(2)ア(エ)①(ii)の「インフォームド・コンセント及び適切な同意を受けることが困難である」場合の解説を参照。

5 イの「原則として適切な同意」に関し、適切な同意を取得する際に明示すべき事項については、(1)イ(イ)②(i)及び(ii)の解説を参照。

6 ア(ア)、イ(ア)①、②(i)、(イ)に関し、以下については、インフォームド・コンセントの手続等は不要である。

① ア(ア)：特定の個人を識別することができない状態の試料（当該既存試料を

用いることにより個人情報が取得されることがない場合であって、インフォームド・コンセント手続を行うことが困難な場合）

② イ(ア)①：個人関連情報（提供先となる研究機関が当該個人関連情報を個人情報として取得することが想定されない場合）

③ イ(ア)②(i)：個人関連情報（提供先となる研究機関が、当該個人関連情報を個人情報として取得することが想定される場合であって、個人情報保護法第27条第1項各号に規定する例外要件に該当するとき）

④ イ(イ)：匿名加工情報（適切な同意を取得することが困難な場合）

「特定の個人を識別することができない状態」及び「当該既存試料を用いることにより個人情報が取得されることがない」については、(2)ア(ア)①の解説を参照。「個人関連情報を個人情報として取得することが想定される」については、後記の解説を参照。

なお、個人情報保護法上、匿名加工情報の第三者提供に当たっては、あらかじめ、第三者に提供される匿名加工情報に含まれる個人に関する情報の項目及びその提供の方法について公表するとともに、当該第三者に対して、当該提供に係る情報が匿名加工情報である旨を明示しなければならない。

7 ア(イ)及びイ(ウ)に関する考え方については、(2)ア(ウ)及びイ(ウ)の同意を受ける時点で特定されなかった研究への既存試料・情報の利用の手続についての解説を参照。ただし、(3)ア(イ)及びイ(ウ)においては、第三者への提供も含まれるため、同意を受けた範囲内における提供であるか否かを適切に判断する必要がある。

なお、既存試料・情報の提供のみを行う者においては、研究責任者が作成する研究計画書に基づいたインフォームド・コンセントの手続等を行う必要がある。

8 イ(ア)に関し、以下の場合に個人関連情報の第三者提供が認められる。

① イ(ア)①：提供先となる研究機関が、当該個人関連情報を個人情報として取得することが想定されないとき

② イ(ア)②：提供先となる研究機関が、当該個人関連情報を個人情報として取得することが想定される場合であって、下記のいずれかに該当する場合

- イ(ア)②(i)：個人情報保護法第27条第1項各号に規定する例外要件に該当するとき
- イ(ア)②(ii)：提供先となる研究機関において研究対象者等の適切な同意が得られていることを、提供元となる研究機関が確認しているとき

イ(ア)②(ii)の「提供先となる研究機関において研究対象者等の適切な同意が得られていること」に関し、適切な同意を取得する主体は、提供先となる研究機関であるが、同等の研究対象者の権利利益の保護が図られることを前提に、適切な同意の取得を提供元となる研究機関が代行することも認められる。

なお、イ(ア)②に該当する場合、提供先となる研究機関においては、研究を実施するにあたって、第8の1(2)イの規定に準じた手続が必要となる（第8の1(5)イ(ア)）。

9　イ(ア)①及び②の「個人関連情報を個人情報として取得」とは、提供先となる研究機関において、個人情報に個人関連情報を付加する等、個人情報として利用しようとする場合をいう。提供先となる研究機関が、提供を受けた個人関連情報を、ID 等を介して提供先が保有する他の個人情報に付加する場合には、「個人情報として取得する」場合に該当する。また、「想定される」とは、提供元となる研究機関において、提供先となる研究機関が「個人情報として取得する」ことを現に想定している場合、又は一般人の認識（同じ種類の研究を行う研究機関の一般的な判断力・理解力を前提とする認識）を基準として「個人情報として取得する」ことを通常想定できる場合をいう。なお、提供元となる研究機関及び提供先となる研究機関間の契約等において、提供先となる研究機関において、提供を受けた個人関連情報を個人情報として利用しない旨が定められている場合には、通常、「個人情報として取得する」ことは想定されないものと考えられる。

10　ア(ウ)、イ(エ)に関し、以下の場合にオプトアウトが認められる。

① インフォームド・コンセント（既存の試料及び要配慮個人情報を提供しようとする場合）又は適切な同意（要配慮個人情報以外の研究に用いられる情報を提供しようとする場合）を取得することが困難であること

② 個人情報保護法第 27 条第 1 項各号に規定する例外要件に該当すること

③ 既存試料を提供する場合においては、当該既存試料を用いなければ研究の実施が困難である場合

既存の試料及び要配慮個人情報については、インフォームド・コンセントを取得することが困難である場合には、研究対象者等に第8の6①から⑥まで及び⑨から⑪までの事項を通知した上で適切な同意を取得することによっても提供することが可能である。

11　ア(ウ)①(iii)の「特段の理由がある場合であって、研究対象者等から適切な同意を受けることが困難であること」とは、個人情報保護法第27条第1項第2号、第3号、第4号に規定する場合をいう。個人情報保護法第27条第1項第2号、第3号、第4号の解釈については、個人情報保護法ガイドライン（通則編）及び「個人情報の保護に関する法律についてのガイドライン」に関するQ&Aを参照。

「公衆衛生の向上又は児童の健全な育成の推進のために特に必要がある場合であって、本人の同意を得ることが困難であるとき」（個人情報保護法第27条第1項第3号）の解釈については、「個人情報の保護に関する法律についてのガイドライン」に関するQ&Aにおいて以下のように解説されている。

「個人情報の保護に関する法律についてのガイドライン」に関するQ&A

（第三者提供の制限の原則）

Q　医療機関等が、以前治療を行った患者の臨床症例を、観察研究のために、他の医療機関等へ提供することを考えています。本人の転居等により有効な連絡先を保有していない場合や、同意を取得するための時間的余裕や費用等に照らし、本人の同意を得ることにより当該研究の遂行に支障を及ぼすおそれがある場合は、本人同意なしに提供することは可能ですか。

A　個人情報取扱事業者は、あらかじめ本人の同意を得ないで、個人データを第三者に提供してはなりませんが、公衆衛生の向上のために特に必要がある場合であって、本人の同意を得ることが困難であるときには、あらかじめ本人の同意を得ないで、個人データを第三者へ提供することが許容されています（法第27条第1項第3号）。

医療機関等は、あらかじめ患者の同意を得ないで、当該患者の個人データを第三者である他の医療機関等へ提供することはできません。

しかし、一般に、医療機関等における臨床症例を、他の医療機関等に提供し、当該他の医療機関等における観察研究や診断・治療等の医療技術の向上のために利用することは、当該研究の成果が広く共有・活用されていくことや当該他の医療機関等を受診する不特定多数の患者に対してより優れた医療サービスを提供できるようになること等により、公衆衛生の向上に特に資するものであると考えられます。

また、医療機関等が、本人の転居等により有効な連絡先を保有していない場合や、同意を取得するための時間的余裕や費用等に照らし、本人の同意を得ることにより当該研究の遂行に支障を及ぼすおそれがある場合等には、「本人の同意を得ることが困難であるとき」に該当するものと考えられます。

したがって、医療機関等が以前治療を行った患者の臨床症例に係る個人データを、観察研究のために他の医療機関等へ提供する場合であって、本人の転居等により有効な連絡先を保有しておらず本人からの同意取得が困難であるときや、同意を取得するための時間的余裕や費用等に照らし、本人の同意を得ることにより当該研究の遂行に支障を及ぼすおそれがあるときには、同号の規定によりこれを行うことが許容されると考えられます。

なお、当該他の医療機関等においては、提供を受けた際に特定された利用目的の範囲内で個人データを取り扱う必要があり、観察研究のためという利用目的の達成に必要な範囲を超えて、提供を受けた個人データを取り扱うことは原則できません。また、法第27条第1項第3号の規定において個人データを提供できるのは「特に必要がある場合」とされていることからも、当該医療機関等が提供する個人データは、利用目的の達成に照らして真に必要な範囲に限定することが必要です。具体的には、利用目的の達成には不要と考えられる氏名、生年月日等の情報は削除又は置換した上で、必要最小限の情報提供とすることなどが考えられます。

この外、提供元及び提供先の医療機関等には、倫理審査委員会の関与、研究対象者が拒否できる機会の保障、研究結果の公表等について規定する医学系研究等に関する指針や、関係法令の遵守が求められていることにも、留意が必要です。（令和3年6月追加・令和4年5月更新）

ア(ウ)①(i)、(ii)の「学術研究目的」については(1)イ(イ)②(i)a、(iii)の「適切な同意を受けることが困難である」については(2)ア(エ)①(ii)の「インフォームド・コンセント及び適切な同意を受けることが困難である」場合の解説を参照。

「学術研究目的で共同研究機関に提供する必要がある場合」及び「提供しようとする場合であって、当該研究機関が学術研究目的で取り扱う必要」がある場合に関し、提供する又は取り扱う目的の一部が学術研究目的である場合を含む。

12　ア(ウ)及びイ(エ)に関し、「研究対象者等が拒否できる機会を保障すること」については第5の2(3)及び第8の1(1)イ(イ)②(ii)（オプトアウト）、「原則として」

については第8の1⑵ア㈦の解説を参照。

なお、ア㈦及びイ㈱に定める手続は、この指針における既存試料・情報の提供に関する拒否機会の保障（オプトアウト）であり、個人情報保護法の第27条第2項の規定するオプトアウトによる個人データの第三者提供とは異なる。すなわち、同法同項で求められる個人情報保護委員会への届出等の手続は要しない。

また、研究者等は、この指針の要件を満たす場合には、他の研究機関からオプトアウトにより取得した試料・情報を、再度、オプトアウトにより他の研究機関に提供することも可能であるが、この場合、オプトアウトによる取得・提供が繰り返されることは研究対象者の権利利益の保護の観点からは望ましくないため、再度のオプトアウトによる提供を認めるかについては、一義的には研究責任者が判断し、その理由を示して倫理審査委員会で審査の上、研究機関の長の許可を得る必要がある。

⑷　既存試料・情報の提供のみを行う者等の手続

既存試料・情報の提供のみを行う者等は、⑶の手続に加えて、次に掲げる全ての要件を満たさなければならない。

ア　既存試料・情報の提供のみを行う者が所属する機関の長（以下「所属機関の長」という。）は、既存試料・情報の提供が適正に行われることを確保するために必要な体制及び規程（試料・情報の取扱いに関する事項を含む。）を整備すること

イ　既存試料・情報の提供のみを行う者は、⑶ア㈠又はイ㈠①、②(i)若しくは㈡により既存試料・情報の提供を行う場合、その提供について所属機関の長に報告すること

ウ　既存試料・情報の提供のみを行う者は、⑶ア㈡若しくは㈢又はイ㈠②(ii)、㈢若しくは㈣により既存試料・情報を提供しようとするときは、倫理審査委員会の意見を聴いた上で、所属機関の長の許可を得ていること

エ　既存試料・情報の提供のみを行う者が⑶ア㈡若しくは㈢又はイ㈢若しくは㈣により既存試料・情報の提供を行う場合には、所属機関の長は、当該既存試料・情報の提供に関する情報を研究対象者等に通知し、又は研究対象者等が容易に知り得る状態に置かれることを確保すること

1　第8の1⑷の規定は、既存試料・情報の提供のみを行う者等の手続について

定めたものである。既存試料・情報の提供のみを行う者等が、他の研究機関に既存試料・情報を提供する場合、第８の１(1)の新規取得の場合における研究協力機関とは異なり、提供元となる当該者が提供に係るインフォームド・コンセント等の手続を実施する必要がある。

2　アの「既存試料・情報の提供が適正に行われることを確保するために必要な体制及び規程（試料・情報の取扱いに関する事項を含む。）を整備」に関しては、あらかじめ当該機関の長が他の研究機関への提供時の取扱いや手続等（機関の長へ報告するための方法や試料・情報の提供に関する記録の保存方法等）に関する規程を定めることが考えられる。なお、試料・情報の提供に関する記録については、第８の３の解説を参照。

3　イに関し、既存試料・情報の提供に際し、インフォームド・コンセントの手続等が不要な場合（前記第８の１(3)の解説を参照。）には、その提供について所属機関の長に報告する必要がある。

4　ウに関し、既存試料・情報の提供に際し、インフォームド・コンセントの手続等が必要な場合（前記第８の１(3)の解説を参照。）には、インフォームド・コンセントの手続、説明内容又は通知若しくは研究対象者等が容易に知り得る状態に置くべき事項について倫理審査委員会の意見を聴いた上で、既存試料・情報の提供のみを行う機関の長の許可を得ている必要がある。ウの「倫理審査委員会の意見を聴いた上で」について、既存試料・情報の提供のみを行う者は、必要に応じて、提供先その他の機関に設置された倫理審査委員会に審査を依頼することもできる。既存試料・情報の提供の適否について倫理審査委員会の意見を聴く場合は、提供先の機関で作成された研究計画書等と合わせて審査する方法も考えられる。

5　エの規定に関しては、第５の２(3)の解説を参照。

(5)　(3)の手続に基づく既存試料・情報の提供を受けて研究を実施しようとする場合

(3)の手続に基づく既存試料・情報の提供を受けて研究を実施しようとす

る場合、研究者等は、次のア及びイの手続を行わなければならない。
ア　研究者等は、次に掲げる全ての事項を確認すること
(ア)　当該既存試料・情報に関するインフォームド・コンセントの内容又は(3)の規定による当該既存試料・情報の提供に当たって講じた措置の内容
(イ)　当該既存試料・情報の提供を行った他の機関の名称、住所及びその長の氏名
(ウ)　当該既存試料・情報の提供を行った他の機関による当該既存試料・情報の取得の経緯
イ　既存試料・情報の提供を受ける場合（(3)ア(ア)又はイ(ア)①若しくは(イ)に該当する場合を除く。）であって、次に掲げるいずれかの要件を満たしていること
(ア)　(3)イ(ア)②に該当することにより、既存の個人関連情報の提供を受けて研究を行う場合には、(2)イの規定に準じた手続を行うこと
(イ)　(3)ア(イ)若しくは(ウ)又はイ(ウ)若しくは(エ)に該当することにより、特定の個人を識別することができる既存試料・情報の提供を受けて研究しようとする場合には、６①から③まで及び⑦から⑩までの事項を研究対象者等が容易に知り得る状態に置き、かつ研究が実施又は継続されることについて、原則として、研究対象者等が拒否できる機会を保障すること

1　第８の１(5)の規定は、既存試料・情報の提供を受けて研究を実施しようとする場合のインフォームド・コンセントの手続について定めたものである。

2　ア(ア)について、既存試料・情報の提供のみを行う者から提供を受ける場合は、提供元の機関における規程に沿って適切に提供が行われているかについても併せて確認することが望ましい。

なお、ア(イ)及びア(ウ)を確認する趣旨は、提供を受けようとする既存試料・情報が適切に入手されたものではないと疑われる場合に、当該試料・情報の利用・流通を未然に防止する点にある。

提供を受けようとする既存試料・情報が適切に入手されたものではないと疑われる場合について、例えば、民間企業（データ販売会社等）から既存試料・情報を購入する場合や、外国にある者から既存試料・情報の提供を受ける際に

は、提供元の機関での既存試料・情報の入手方法等が不確かな場合もあると想定される。このような場合に確認すべき「取得の経緯」の具体的な内容は、第三者提供の態様などにより異なり得るが、基本的には、当該既存試料・情報の取得元の別（本人、他の機関、いわゆる公開情報等）及び取得の方法（本人から直接取得したか、有償で取得したか、いわゆる公開情報から取得したか等）などを確認する必要がある。

なお、あくまで、当該提供に関する直接の提供元の機関による取得の経緯を確認すれば足り、そこから遡って当該提供元の機関より前に取得した者の取得の経緯を確認する義務はない。

3　イ(ア)の規定については、第8の1(3)イ(ア)の解説を参照。

4　イ(イ)の「研究対象者等が拒否できる機会を保障する」については、第5の2(3)及び第8の1(1)イ(イ)②(ii)（オプトアウト）と同様の対応を講ずる必要がある。

なお、「原則として」については、第8の1(2)ア(ウ)の解説を参照。

(6)　外国にある者へ試料・情報を提供する場合の取扱い

ア　外国にある者（個人情報保護法施行規則第16条に定める基準に適合する体制を整備している者を除く。以下ア及びイにおいて同じ。）に対し、試料・情報を提供する場合（当該試料・情報の取扱いの全部又は一部を外国にある者に委託する場合を含む。）は、当該者に対し試料・情報を提供することについて、あらかじめ、イに掲げる全ての情報を当該研究対象者等に提供した上で、研究対象者等の適切な同意を受けなければならない。ただし、次に掲げる(ア)から(ウ)までのいずれかの場合に該当するときは、この限りでない。

(ア)　提供する試料・情報の全てが次に掲げる①又は②のいずれかの場合に該当するとき

①　当該試料・情報（②に該当する研究に用いられる情報を除く。）の全てが次に掲げるいずれかの要件に該当し、当該試料・情報の提供について、当該試料・情報の提供を行う機関の長に報告すること

(i)　適切な同意を受けることが困難な場合であって、提供しようとする試料が特定の個人を識別することができない状態にあり、提

供先となる研究機関において当該試料を用いることにより個人情報が取得されることがないこと

(ii)　適切な同意を受けることが困難な場合であって、提供しようとする研究に用いられる情報が匿名加工情報であること

(iii)　提供しようとする研究に用いられる情報が、個人関連情報（提供先となる研究機関が当該個人関連情報を個人情報として取得することが想定される場合を除く。）であること

②　提供しようとする研究に用いられる情報が個人関連情報（提供先となる研究機関が当該個人関連情報を個人情報として取得することが想定される場合に限る。）であって、次に掲げるいずれかの要件に該当し又は提供先となる研究機関において同意が得られていることを当該個人関連情報の提供を行う者が確認し、倫理審査委員会の意見を聴いた上で、当該個人関連情報の提供を行う機関の長の許可を得ていること

(i)　学術研究機関等に該当する研究機関が当該個人関連情報を学術研究目的で共同研究機関である外国にある者に提供する必要がある場合であって、研究対象者の権利利益を不当に侵害するおそれがないこと

(ii)　学術研究機関等に該当する外国にある者に当該個人関連情報を提供する場合であって、提供先となる研究機関が学術研究目的で取り扱う必要があり、研究対象者の権利利益を不当に侵害するおそれがないこと

(iii)　当該個人関連情報を提供することに特段の理由がある場合であって、提供先となる研究機関において研究対象者等の適切な同意を取得することが困難であること

(イ)　(1)イ(イ)②(i)ただし書きの規定により要配慮個人情報を新たに取得して、当該要配慮個人情報を外国にある者に提供する場合であって、次に掲げる全ての要件を満たしていることについて倫理審査委員会の意見を聴いた上で、試料・情報の提供を行う機関の長の許可を得ているとき

①　適切な同意を受けることが困難であること

②　(ア)②(i)から(iii)までの規定中「個人関連情報」とあるのを、「要配慮個人情報」と読み替えた場合に、(ア)②(i)から(iii)までに掲げるいずれ

かの要件に該当すること

③ 8(1)に掲げる要件を全て満たし、8(2)の規定による適切な措置を講ずること

④ イに掲げる全ての情報を研究対象者等に提供すること

(ウ) 適切な同意を受けることが困難な場合であって、(ア)又は(イ)に該当しないときに、次に掲げる全ての要件を満たしていることについて倫理審査委員会の意見を聴いた上で、試料・情報の提供を行う機関の長の許可を得ているとき

① (ア)②(i)から(iii)までの規定中「個人関連情報」とあるのを、「試料・情報」と読み替えた場合に(ア)②(i)から(iii)までに掲げるいずれかの要件を満たしていること

② 当該研究の実施及び当該試料・情報の外国にある者への提供について、あらかじめ、イに掲げる全ての情報並びに6①から⑥まで、⑨及び⑩の事項を研究対象者等に通知し、又は研究対象者等が容易に知り得る状態に置いていること

③ 当該試料・情報が提供されることについて、原則として、研究対象者等が拒否できる機会を保障すること

イ 外国にある者に対し、試料・情報を提供する者が、アの規定において、研究対象者等に提供しなければならない情報は以下のとおりとする。

① 当該外国の名称

② 適切かつ合理的な方法により得られた当該外国における個人情報の保護に関する制度に関する情報

③ 当該者が講ずる個人情報の保護のための措置に関する情報

ウ 外国にある者（個人情報保護法施行規則第16条に定める基準に適合する体制を整備している者に限る。）に対し、試料・情報を提供する者は、研究対象者等の適切な同意を受けずに当該者に試料・情報を提供した場合には、個人情報の取扱いについて、個人情報保護法第28条第3項で求めている必要な措置を講ずるとともに、研究対象者等の求めに応じて当該必要な措置に関する情報を当該研究対象者等に提供しなければならない。

1 第8の1(6)の規定は、外国にある者（研究機関や検査受託会社等の事業者を含む。）に対し、試料・情報を提供する場合の手続について定めたものである。

外国にある者に提供する場合（当該試料・情報の取扱いの全部又は一部を外国にある者に委託する場合を含む。）には、第8の1(1)から(5)までの該当する規定に加えて、第8の1(6)の手続を履行する必要がある。

（参考）個人情報保護法上の外国にある第三者への提供の制限

個人情報保護法上、外国にある第三者への提供の制限（個人情報保護法第28条）について、同法第27条第5項各号（委託、事業承継及び共同利用に伴う提供）に相当する例外規定は存在しない。外国にある第三者に個人データを提供する場合には、それが委託や共同利用に伴う提供か否かにかかわらず、原則として本人の同意（個人情報保護法第28条第1項）を得る必要がある。

2　試料・情報を外国にある者に提供するに当たっては、以下の①又は②のいずれかに該当する場合を除き、原則として、あらかじめ、外国にある者への試料・情報の提供を認める旨の研究対象者等の適切な同意を受けなければならない。

①　当該第三者が、我が国と同等の水準にあると認められる個人情報保護制度を有している国として個人情報保護法施行規則で定める国にある場合

②　当該第三者が、個人情報保護法施行規則第16条に定める基準に適合する体制を整備している場合

なお、①又は②のいずれかに該当する場合、(6)アの適切な同意を受ける必要はないが、(3)に規定する手続を履行する必要があるため、留意されたい（ただし、委託に伴って提供する場合には、(3)の手続を履行する必要はない。）。

また、②に該当する場合、(6)アの適切な同意を受けない場合には、ウの規定に従う必要があるため、留意されたい。

3　アの「外国」とは、我が国の域外にある国又は地域（個人情報保護委員会が個人情報保護法施行規則第15条第1項各号のいずれにも該当する外国として定めるものを除く。）をいう。「個人情報保護委員会が個人情報保護法施行規則第15条第1項各号のいずれにも該当する外国として定めるもの」については、EU及び英国が該当する。この点につき、個人情報保護法ガイドライン（外国にある第三者への提供編）に以下のように記載されている。

個人情報保護法ガイドライン（外国にある第三者への提供編）

個人の権利利益を保護する上で我が国と同等の水準にあると認められる個

人情報の保護に関する制度を有している外国は、EU 及び英国が該当する。ここでいう EU とは、「個人の権利利益を保護する上で我が国と同等の水準にあると認められる個人情報の保護に関する制度を有している外国等」(平成 31 年個人情報保護委員会告示第 1 号) に定める国を指す (ただし、英国は含まない。)。

詳細については、個人情報保護法ガイドライン (外国にある第三者への提供編) の「3 個人の権利利益を保護する上で我が国と同等の水準にあると認められる個人情報の保護に関する制度を有している外国」を参照。

4 アの「個人情報保護法施行規則第 16 条に定める基準」について、個人情報保護法施行規則第 16 条は以下のように規定している。

個人情報保護法施行規則第 16 条

法第 28 条第 1 項個人情報保護委員会規則で定める基準は、次の各号のいずれかに該当することとする。

(1) 個人情報取扱事業者と個人データの提供を受ける者との間で、当該提供を受ける者における当該個人データの取扱いについて、適切かつ合理的な方法により、法第 4 章第 2 節の規定の趣旨に沿った措置の実施が確保されていること。

(2) 個人データの提供を受ける者が、個人情報の取扱いに係る国際的な枠組みに基づく認定を受けていること。

なお、このような体制が整備されていることを確認している場合は、その旨を研究計画書に明記する必要がある。

(1)の「適切かつ合理的な方法」は、個々の事例ごとに判断されるべきであるが、試料・情報の提供先である外国にある者が、我が国の個人情報取扱事業者が講ずべきこととされている措置に相当する措置を継続的に講ずることを担保することができる方法である必要があり、例えば、外国にある者に試料・情報の取扱いを委託する場合については、提供元及び提供先間の契約、確認書、覚書等が該当する。

(2)の「個人情報の取扱いに係る国際的な枠組みに基づく認定」とは、国際機関等において合意された規律に基づき権限のある認証機関等が認定するものをいい、当該枠組みは、個人情報取扱事業者が講ずべきこととされている措置に相当する措置を継続的に講ずることのできるものである必要がある。これには、提供先の外国にある者が、APECのCBPRシステムの認証を取得していることが該当する。

詳細については、個人情報保護法ガイドライン（外国にある第三者への提供編）の「4　個人情報取扱事業者が講ずべき措置に相当する措置を継続的に講ずるために必要な体制の基準」を参照。

5　ここでいう「適切な同意」とは、研究対象者の試料・情報が、外国にある者に提供されることを承諾する旨の研究対象者等の意思表示をいう。「適切な同意」を受けるとは、研究対象者等の承諾する旨の意思表示を認識することをいい、事業の性質及び試料・情報の取扱状況に応じ、研究対象者等が同意に係る判断を行うために必要と考えられる合理的かつ適切な方法によらなければならない。「適切な同意」の詳細については第2(23)の解説を参照すること。

6「適切な同意を受けることが困難な場合」については、第8の1(2)ア(エ)①(ii)の「特段の理由がある場合であって、研究対象者等からインフォームド・コンセント及び適切な同意を受けることが困難である」場合の解説を参照。

7　ア(ア)①の「当該試料・情報の提供について、当該試料・情報の提供を行う機関の長に報告すること」については、第8の1(3)と同様に、あらかじめ当該機関の長が外国にある者への提供時の取扱いや手続等に関する規程を定めた上で、既存試料・情報の提供を行う者が当該規程に基づき試料・情報の提供について、当該機関の長に報告を行うこと。機関の長への申請・報告書様式については、末尾の参考様式1－1、1－2を参照のこと。

8　ア(ア)から(ウ)までの規定については、第8の1(3)の解説を参照。

なお、ア(ウ)の規定に基づくオプトアウトによる手続が認められるのは、個人情報保護法第27条第1項各号に規定する例外要件に該当するときに限られる（ア(ウ)①）。

9　イに関し、アの規定により「適切な同意」を得ようとする場合には、研究対象者等に対し、イ①から③までの情報をあらかじめ提供しなければならない。また、ア(ウ)の規定に基づくオプトアウトによる場合には、あらかじめ、イ①から③までの情報を、研究対象者等に通知し又は研究対象者等が容易に知り得る状態に置く必要がある（ア(ウ)②）。他方、ア(イ)の規定に基づく簡略化による場合には、イ①から③までの情報を事後的に提供することが認められる（ア(イ)④）。

研究対象者等に対する情報提供は、イ①から③までの情報を研究対象者等が確実に認識できると考えられる適切な方法で行わなければならない。

（例）

「○○病に関する罹患率や原因を明らかにする研究に用いるため、貴方の診療情報を□□（外国の名称）に所在する●●学会に提供します。

□□（外国の名称）における個人情報の保護に関する制度に関する情報については、以下をご参照下さい。

（※記載事項1）

また、●●学会が講ずる個人情報の保護のための措置については、以下をご参照下さい。

（※記載事項2）」

※記載事項1については、後記の解説を参照。※記載事項2については提供先の研究機関に確認した上で記載すること。

また、イ①から③までの情報のほか、以下の事項についても研究対象者等に対して情報提供することが望ましい。

- 研究計画の科学的・倫理的妥当性について、外国にある者が所在する国が定める法令、指針等に基づいた手続を経て研究が実施されること
- 外国にある者における試料の取扱いに関する情報

10　イ②の「適切かつ合理的な方法により得られた当該外国における個人情報の保護に関する制度に関する情報」について、個人情報保護委員会は、事業者に参考となる情報を提供する観点から、一定の国又は地域における個人情報の保護に関する制度と我が国の個人情報保護法との間の本質的な差異の把握に資する一定の情報を公表しているため、必要に応じて、参照されたい。

https://www.ppc.go.jp/personalinfo/legal/kaiseihogohou/#gaikoku

11　イに関し、アの規定により「適切な同意」を得る場合、あらかじめ、イ①から③までの情報を研究対象者等に提供した上で、研究対象者等の「適切な同意」を得る必要がある。

「適切な同意」を得ようとする時点において、外国にある者の一部について、イ①から③までの情報を特定できていない場合（例えば、国際共同研究において、事後的に研究機関が追加されることが見込まれるが、どの研究機関が追加されることになるか未確定である場合等）、当該外国にある者に対する試料・情報の提供について「適切な同意」を得ることはできないため、事後的にこれらを特定できた後、当該外国にある者に対する試料・情報の提供について、研究対象者等にイ①から③までの情報について提供した上で、「適切な同意」を得る必要がある。なお、個人情報保護法第27条第１項各号に該当すること等により、ア(イ)又は(ウ)の要件を満たす場合には、この限りではない。

12　外国にある者の一部について、イ①から③までの情報を特定できていない場合、当初の「適切な同意」を得る時点において、当該外国にある者について、下記の情報を研究対象者等に情報提供することが望ましい。

（当初の「適切な同意」を得る時点において、イ①を特定できていない場合）

- 当該外国の名称が特定できない旨及びその理由
- 当該外国の名称に代わる研究対象者等に参考となるべき情報がある場合には、当該情報

（当初の「適切な同意」を得る時点において、イ③を情報提供できない場合）

- 当該外国にある者が講ずる個人情報の保護のための措置に関する情報について情報提供できない旨及びその理由

なお、当該情報提供に関しては、オプトアウトや簡略化の手続を行う場合も同様である。

13　ウの「個人情報保護法施行規則第16条に定める基準」については、前記の解説を参照。詳細については、個人情報保護法ガイドライン（外国にある第三者への提供編）の「6　個人情報取扱事業者が講ずべき措置に相当する措置を継続的に講ずるために必要な体制を整備している者に個人データを提供した場合に講ずべき措置等」を参照。

２　電磁的方法によるインフォームド・コンセントの取得

研究者等又は既存試料・情報の提供のみを行う者は、次に掲げる全ての事項に配慮した上で、１における文書によるインフォームド・コンセントに代え

て、電磁的方法によりインフォームド・コンセントを受けることができる。
① 研究対象者等に対し、本人確認を適切に行うこと
② 研究対象者等が説明内容に関する質問をする機会を確保し、かつ、当該質問に十分に答えること
③ インフォームド・コンセントを受けた後も5の規定による説明事項を含めた同意事項を容易に閲覧できるようにし、特に研究対象者等が求める場合には文書を交付すること

1 第8の2の規定は、第8の1の規定によるインフォームド・コンセントを電磁的方法により受ける際の留意事項について定めたものであり、文書によるインフォームド・コンセントと同じく実施することができる。なお、必ずしも文書によるインフォームド・コンセントを要しない研究においても本規定を適用することは差し支えない。

2 研究責任者は、研究計画書の内容に応じて、インフォームド・コンセントを電磁的方法により受けることの適否、またその具体的手法及び本人確認方法等の配慮事項の措置について検討した上で、研究計画書にその内容に加え、研究対象者等に示す予定の画面・動画等の画像等を明記することにより倫理審査委員会の意見を聴くものとする。

3 電磁的方法によりインフォームド・コンセントを受ける際には、後述の通り説明・同意の具体的な方法が「適切な同意」及び「オプトアウト」と類似する点があるが、第8の5の規定における説明事項の全てを説明し、同意を受ける必要があり、また、①から③までの配慮事項を全て満たす必要がある点等で異なる。

4 インフォームド・コンセントにおいて、説明あるいは同意のいずれか一方のみを電磁的方法によることも可能である。いずれか一方のみを電磁的方法による場合でも、①から③までの事項に配慮すること。

5 「電磁的方法」による説明とは、電磁的に記録された文章等により説明することを指す。具体的には以下の方法が考えられる。特に非対面（テレビ電話等の対面を含む。以下同じ。）の場合、研究対象者等が確実に説明を受け、説明内容を理解したことを確認しなければ、同意を受けてはならない。

- 直接対面でパソコン等の映像面上に説明文書等を映し、閲覧に供する。
- 電気通信回線を通じたテレビ電話等での対面で、パソコン等の映像面上に説明文書等を映し、閲覧に供する。
- 電気通信回線を通じて電子メールで送付又は研究機関のホームページ等に掲載し、研究対象者等の閲覧に供する。
- DVD、USBメモリ等の電磁的記録媒体を渡し、研究対象者等自身のパソコン等において、閲覧に供する。

説明においては文書を用いることとするが、研究対象者等のよりよい理解のための説明動画や絵図等、又はそれらを組み合わせたコンテンツ等を併用することを妨げるものではない。

6　「電磁的方法」による同意とは、書面に代えて電気通信回線を通じて同意を得る方法である。具体的な事例としては、パソコン等（当該媒体の所持者は問わない。）の映像面上における説明事項のチェックボックスへのチェックと同意ボタンの押下、パソコン等の映像面上へのサイン、電子メールによる同意の表明等が該当する。

説明及び同意の文書を読むことができない研究対象者等や麻痺等のある研究対象者等に対しては、電磁的方法による工夫を行う他、同意の立会人を立ち会わせ代理操作等も認める等の配慮を行うことが望ましい。ここでいう「立会人」については、研究者等から不当に影響を受けることがないよう、当該研究の実施に携わらない者とする。

7　①の「本人確認」とは、手続を実施する人物が、実在する本人であるかを確認することである。非対面の場合、研究者等による、研究対象者等の身元確認又は当人認証の実施が該当し、具体例は以下が考えられる。

		具体例
本人確認（非対面の場合）	身元確認	・自己申告 ・身分証明書の提示を受ける 等
	当人認証	・単要素認証（例えば、IDと紐付けて、パスワード等の単一の要素を用いる方法） ・多要素認証（例えば、IDと紐付けて、「知識（パスワード、秘密の質問など）」、「所持」（スマートフォンのSMS・アプリ認証、ワンタイムパスワードのメール送付、トークン、クレジットカード等）、「生体」（顔・指紋など）などのうち複数の要素を組み合わせる方法）

「適切に行う」に関して、本人確認の方法は、研究の内容や性質に応じて、適切な強度でなければならず、例えば、研究対象者に対する侵襲があるなど、一定のリスクや負担が認められ、別途研究協力機関等においても対面での本人確認が行われない場合には、オンラインによる公的身分証明書（マイナンバーカード、運転免許証、パスポート、健康保険証等）の確認を行うことなども考えられる。一方、侵襲を伴わないなど、研究対象者の被るリスクや負担が大きくない場合には、必要以上に多くの情報を求めないようにするなど、過重な負担を課するものとならないよう配慮する必要がある。

なお、身分証明書の提示を受ける方法を選択する場合には、必要以上に研究対象者等の個人情報を取得しないようにする、マイナンバーの取扱いに注意するなど、個人情報の取扱いには特に注意が必要である。

8　②の「質問をする機会を確保し」に関して、研究対象者等が説明を受け、研究の内容等を理解するために必要な質問を考える時間を考慮する必要がある。特に非対面で行う場合の具体的な事例としては、問合せフォームの設置、電話番号、メールアドレスの提示等が該当する。

「当該質問に十分に答えること」について、インフォームド・コンセントを受ける主体である研究者等が回答を行い、研究対象者等の理解が得られたことを確認した上で同意を受ける必要がある。

9　③の「インフォームド・コンセントを受けた後も５の規定による説明事項を含めた同意事項を容易に閲覧できるように」するとは、具体的には、文書の交付のほか、電子メールの送付、研究機関のホームページ等への掲載、研究機関において閲覧に供しておくこと等が該当する。

３　試料・情報の提供に関する記録

(1)　試料・情報の提供を行う場合

研究責任者又は試料・情報の提供のみを行う者は、当該試料・情報の提供に関する記録を作成し、当該記録に係る当該試料・情報の提供を行った日から３年を経過した日までの期間保管しなければならない。なお、研究協力機関においては、試料・情報の提供のみを行う者は、その提供について、当該研究協力機関の長に報告しなければならない。

⑵　試料・情報の提供を受ける場合
　他の研究機関等から試料・情報の提供を受ける場合は、研究者等は、当該試料・情報の提供を行う者によって適切な手続がとられていること等を確認するとともに、当該試料・情報の提供に関する記録を作成しなければならない。
　研究責任者は、研究者等が作成した当該記録を、当該研究の終了について報告された日から5年を経過した日までの期間保管しなければならない。

1　第8の3の規定は、共同研究機関間あるいは、試料・情報の提供のみを行う者と研究機関が試料・情報の授受を行う場合に記録すべき事項等を定めたものである。なお、情報の種類は問わない。

2「当該試料・情報の提供に関する記録」を作成し保管するのは、不適切と考えられる試料・情報の流通が発生した際に事後的に流通経路を追跡することができるよう、提供元の機関と提供先の研究機関において、いつ、誰に、どのような情報を提供したのかがわかるように記録を残すという趣旨である。具体的には、提供元の機関においては、試料・情報の提供に関する記録を作成し、当該試料・情報の提供をした日から3年を経過した日までの期間保管する必要がある。
　多機関共同研究を実施する場合は、提供元と提供先の各共同研究機関においてそれぞれ試料・情報の提供に関する記録を作成・保管する必要がある。

3　⑴の「試料・情報の提供に関する記録」については、例えば、提供元の機関の長への申請・報告書（参考様式1－1、1－2）及び提供先の研究機関の長への報告書（参考様式2）を作成し、当該記録として活用する方法も考えられる（末尾参考様式集参照）。

4　⑵の「他の研究機関等から試料・情報の提供を受ける場合」における「当該試料・情報の提供を行う者によって適切な手続がとられていること等を確認」とは、研究機関又は既存試料・情報の提供のみを行う機関において研究の実施に関するインフォームド・コンセント等の手続が適切に行われていることを確認する趣旨であり、インフォームド・コンセント又は適切な同意を受けている場合には、当該事実及びその内容を指し、研究対象者等に研究に関する情報を通知し又は容易に知り得る状態に置き、拒否できる機会を保障している場合（オプトアウトによる場合）には、その通知し又は容易に知り得る状態に置いている事実及び内容を指す。

確認する方法については、提供元の機関から申告を受ける方法その他適切な方法によって行う必要があり、具体的には以下の方法が考えられる。

事例 1）口頭で申告を受ける方法

事例 2）所定の書式に記載された書類の送付を受け入れる方法

事例 3）ホームページで確認する方法

事例 4）メールで受け付ける方法

なお、不要な情報については削除した上で、参考様式 1 － 1、1 － 2（末尾参考様式集）の写しを提供元の機関から提供してもらう方法も考えられる。

5　(2)の「試料・情報の提供に関する記録」は、任意の様式により作成することができ、例えば、提供元の機関が参考様式 2（末尾参考様式集）により必要な事項を記入して試料・情報と併せて提供し、提供先の研究機関が当該様式に記載された内容を確認し保管する方法が考えられる。なお、必要事項が記載された研究計画書の写しや「提供に関する契約書（MTA（material transfer agreement）、DTA（data transfer agreement）等）」の書類等で代用して作成及び保管することも可能である。また、何らかの電磁的方法（例：EDC（※）、電子カルテ等）を用いて記録することもできる。

※EDC（Electronic Data Capturing）：研究データを紙媒体を経由せず、電子データの形式で直接収集すること又は収集するための端末のこと

6　試料・情報の提供に関する記録を作成する場合は、提供を実施する度に作成する方法を基本とするが、一連の提供が終了した際、第 11 の 2(5)に規定する報告又は第 6 の 6(1)に規定する研究終了後の報告を行う際に一括して記録を作成することもできる。この場合、研究計画書の中で実施される全ての試料・情報の授受ごとに提供元の機関と提供先の研究機関を特定して記載する必要はなく、一連の試料・情報の授受の内容について、事後的に追跡できるように必要な範囲で記載されていればよい。

7　前記で解説した提供元の機関の記録の作成及び保管の義務について、提供元の機関が提供先の研究機関に問い合わせをすればいつでも当該記録を確認できる体制を構築している場合は、提供先の研究機関が当該記録を保管することで、提供元の機関の記録作成・保管の義務を代行して実施することができる（ただし、提供元の機関で記録すべき事項が当該記録に記載されている場合に限る。）。また、同様の体制を確保することにより、提供先の研究機関の義務を提供元の機関が代行して実施することも可能である（この場合、保管すべき期間が提供元の機関と提供先の研究機関で異なる点に留意すること。）。

8　なお、国内の他の法人又は個人事業主に、研究の一部の業務（試料・情報の解析等）を委託する場合においては、当該業務を委託する機関と受託機関との間において、必要事項（提供される試料・情報の内容、廃棄の方法・時期、多機関共同研究の場合は提供元機関名等）が記載されたもの（契約書、確認書、覚書等）が保管されていれば、試料・情報のやりとりを行う場合であってもこの指針で定める試料・情報の提供に関する記録の作成は不要である。

他方、外国にある者に対する内容については、第8の1(6)の解説を参照。

> 4　研究計画書の変更
>
> 研究者等は、研究計画書を変更して研究を実施しようとする場合には、変更箇所について、原則として改めて1の規定によるインフォームド・コンセントの手続等を行わなければならない。ただし、倫理審査委員会の意見を受けて研究機関の長の許可を受けた場合には、当該許可に係る変更箇所については、この限りでない。

1　第8の4の規定は、研究計画書を変更しようとする場合の、インフォームド・コンセントを受ける手続等について定めたものである。この場合、第8の1の規定によるインフォームド・コンセントの手続等を行うことを原則とする。この原則の適用に関しては、研究の内容やインフォームド・コンセントの手続等に係る研究対象者等の負担等も考慮した上で、一義的には研究責任者が判断し、研究計画書に記載の上、その妥当性を倫理審査委員会で審査する。倫理審査委員会の意見を受けて研究機関の長が許可した変更箇所については、説明を省略することが可能である。例えば、研究計画において果たす役割の小さい共同研究機関の研究責任者の変更などが、説明を省略する箇所として考えられる。ただし、説明を省略する箇所については省略したことを明らかにし、後日、研究対象者等の求めに応じて研究計画書を開示できるようにしておくなどの配慮が必要である。

5　説明事項

インフォームド・コンセントを受ける際に研究対象者等に対し説明すべき事項は、原則として以下のとおりとする。ただし、倫理審査委員会の意見を受けて研究機関の長が許可した事項については、この限りでない。

①　研究の名称及び当該研究の実施について研究機関の長の許可を受けている旨

②　当該研究対象者に係る研究協力機関の名称、既存試料・情報の提供のみを行う者の氏名及び所属する機関の名称並びに全ての研究責任者の氏名及び研究機関の名称

③　研究の目的及び意義

④　研究の方法（研究対象者から取得された試料・情報の利用目的及び取扱いを含む。）及び期間

⑤　研究対象者として選定された理由

⑥　研究対象者に生じる負担並びに予測されるリスク及び利益

⑦　研究が実施又は継続されることに同意した場合であっても随時これを撤回できる旨（研究対象者等からの撤回の内容に従った措置を講ずることが困難となる場合があるときは、その旨及びその理由を含む。）

⑧　研究が実施又は継続されることに同意しないこと又は同意を撤回することによって研究対象者等が不利益な取扱いを受けない旨

⑨　研究に関する情報公開の方法

⑩　研究対象者等の求めに応じて、他の研究対象者等の個人情報等の保護及び当該研究の独創性の確保に支障がない範囲内で研究計画書及び研究の方法に関する資料を入手又は閲覧できる旨並びにその入手又は閲覧の方法

⑪　個人情報等の取扱い（加工する場合にはその方法、仮名加工情報又は匿名加工情報を作成する場合にはその旨を含む。）

⑫　試料・情報の保管及び廃棄の方法

⑬　研究の資金源その他の研究機関の研究に係る利益相反及び個人の収益その他の研究者等の研究に係る利益相反に関する状況
⑭　研究により得られた結果等の取扱い
⑮　研究対象者等及びその関係者からの相談等への対応（遺伝カウンセリングを含む。）
⑯　外国にある者に対して試料・情報を提供する場合には、1⑹イに規定する情報
⑰　研究対象者等に経済的負担又は謝礼がある場合には、その旨及びその内容
⑱　通常の診療を超える医療行為を伴う研究の場合には、他の治療方法等に関する事項
⑲　通常の診療を超える医療行為を伴う研究の場合には、研究対象者への研究実施後における医療の提供に関する対応
⑳　侵襲を伴う研究の場合には、当該研究によって生じた健康被害に対する補償の有無及びその内容
㉑　研究対象者から取得された試料・情報について、研究対象者等から同意を受ける時点では特定されない将来の研究のために用いられる可能性又は他の研究機関に提供する可能性がある場合には、その旨、同意を受ける時点において想定される内容並びに実施される研究及び提供先となる研究機関に関する情報を研究対象者等が確認する方法
㉒　侵襲（軽微な侵襲を除く。）を伴う研究であって介入を行うものの場合には、研究対象者の秘密が保全されることを前提として、モニタリングに従事する者及び監査に従事する者並びに倫理審査委員会が、必要な範囲内において当該研究対象者に関する試料・情報を閲覧する旨

1　第8の5の規定は、インフォームド・コンセントを受ける際に研究対象者等に対し説明すべき事項を定めたものである。説明すべき内容は、①から㉑までの全ての事項（⑯から㉑までは該当する場合のみ）とすることを原則とする。各事項に関して、第7の解説を参照。ただし、研究の内容等によっては、必ずしも説明を要しない項目もあり得る。特定の事項を省略するかどうかは、一義的には研究責任者が判断し、その理由を示して倫理審査委員会で審査の上、妥当であるとの意見を受けて研究機関の長の許可を得る必要がある。説明する内容や程度については、個々の研究内容やインフォームド・コンセントを受ける

手続に係る研究対象者等の負担等を考慮した上で、各研究機関において判断する必要がある。ただし、説明を省略する場合は、研究計画書の当該項目にその内容及び理由を記載する必要がある。説明を省略する箇所については、後日、研究対象者等の求めに応じて研究計画書を開示できるようにしておくなどの配慮が必要である。

また、ここに掲げられた事項のほか、試料・情報の知的財産権及び所有権の帰属先など、研究の内容等に応じて必要と認められる事項については、各研究機関の判断により適宜追加することが望ましい。

2 ①の規定に関して、倫理審査委員会の審査も受けている旨を説明することが望ましい。

3 ②の「既存試料・情報の提供のみを行う者の氏名及び所属する機関の名称」に関して、当該者が個人の場合には氏名のみを記載することで足り、所属する機関の名称については記載することを要しない。

4 ④の規定に関して、他機関に試料・情報を提供することを想定している場合（委託や共同利用に伴って提供する場合を含む。）には、その旨を説明する必要がある。例えば、研究で用いた試料・情報を試料・情報の収集・提供を行う機関に提供する場合や他機関の管理するデータベース等へのデータ登録をする場合に、その旨を説明することが考えられる。また、多機関共同研究の場合に、共同研究機関間において、試料・情報の提供を想定している場合にあっては、提供する旨、提供される項目、提供する機関（提供元）、利用目的、当該試料・情報の管理について責任を有する者の氏名及び所属研究機関の名称を含むこととする。

外国にある者に試料・情報を提供する場合（委託により提供する場合を含む。）には、第8の1⑹の規定に沿って原則その旨の同意を受ける必要があるが、同意を得て外国にある者に提供する場合はその旨も併せて説明することとする。

なお、試料・情報の提供に関する記録の作成方法等については、不適切と考えられる試料・情報の流通が発生した際に事後的に流通経路を追跡することができるように記録を残すという趣旨であるため、一義的には研究対象者等に説明する必要はない。

5　⑪の規定に関して、研究対象者等に係る個人情報を他の研究機関に提供するとき（委託や共同利用に伴って個人情報を提供する場合を含む。）は、提供する個人情報の内容、提供を受ける研究機関の名称、当該研究機関における利用目的、提供された個人情報の管理について責任を有する者の氏名又は名称を含めて説明する必要がある。試料に係る情報の取扱いについても含む。なお、共同研究機関に提供された個人情報について、研究対象者等から、個人情報保護法に規定される開示、訂正等及び利用停止等に関する求めがなされたときは、該当する個人情報を保有している全ての共同研究機関において対応が必要となる場合がある。

6　⑫の規定に関して、研究に用いられる情報の管理について、クラウドサービスを利用する場合には、クラウドサービス提供事業者の名称及び情報が保存されるサーバが所在する国の名称について説明することが望ましい。また、この場合においては、これらの内容に変更が生じた場合の公表方法（場所等）についても予め説明しておくこと。

7　⑭の規定に関しては、第10の1の解説を参照。

8　⑮の規定に関して、他の研究対象者等の個人情報や研究者等の知的財産権の保護等の観点から回答ができないことがある場合は、その旨を説明する必要がある。

9　⑱の規定に関して、説明を要する「他の治療方法」は、原則として既に確立した治療法に限られるが、必要に応じて他の研究への参加等について説明してもよい。また、研究の内容によっては、積極的な治療以外の選択肢（緩和ケアや経過観察等）についても説明を要する「他の治療方法等」に含まれる。

10　㉑の規定に関して、同意を受ける時点では特定されない研究を将来的に行う可能性がある場合（別の研究を行う場合のほか、先行する研究を計画変更する場合を含む。）は、先行する研究に係るインフォームド・コンセントの手続において、将来の研究への利用の可能性を含め、少なくとも②、③、④、⑥、⑫及び⑬について、想定される内容を可能な限り説明するものとする。「実施される研究及び提供先となる研究機関に関する情報を研究対象者等が確認する方法」とは、例えば、電子メールや文書による通知、ホームページのURL、電話番号等が考えられる。

研究対象者等から、将来の研究への利用について同意を受けている場合は、第8の1(2)ア(ウ)及びイ(ウ)並びに(3)ア(イ)及びイ(ウ)の規定により、研究対象者等に情報を通知し、又は研究対象者等が容易に知り得る状態に置き、同意を撤回できる機会を保障することにより、改めてインフォームド・コンセントを受ける手続は要しない。ただし、これは、単なる「医学研究への利用」といった一般的で漠然とした形のいわゆる白紙委任を容認するものではないので留意する必要がある。なお、外国にある者に提供する可能性がある場合は、原則その旨の同意を受ける必要がある。

11　㉒の規定に関して、規制当局等の調査は、その際に研究対象者の情報を確認することもあり得るが、重大な指針不適合があった場合に行われるものであるため、インフォームド・コンセントを受ける際の説明事項として一律に義務付けられているものではない。

6　研究対象者等に通知し、又は研究対象者等が容易に知り得る状態に置くべき事項1の規定において、研究対象者等に通知し、又は研究対象者等が容易に知り得る状態に置くべき事項は以下のとおりとする。

①　試料・情報の利用目的及び利用方法（他の機関へ提供される場合はその方法を含む。）
②　利用し、又は提供する試料・情報の項目
③　利用又は提供を開始する予定日
④　試料・情報の提供を行う機関の名称及びその長の氏名
⑤　提供する試料・情報の取得の方法
⑥　提供する試料・情報を用いる研究に係る研究責任者（多機関共同研究にあっては、研究代表者）の氏名及び当該者が所属する研究機関の名称
⑦　利用する者の範囲
⑧　試料・情報の管理について責任を有する者の氏名又は名称
⑨　研究対象者等の求めに応じて、研究対象者が識別される試料・情報の利用又は他の研究機関への提供を停止する旨
⑩　⑨の研究対象者等の求めを受け付ける方法

⑪　外国にある者に対して試料・情報を提供する場合には、1(6)イに規定する情報

1　「研究対象者等に通知」とは、研究対象者等に直接知らしめることをいい、研究の性質及び試料・情報の取扱い状況に応じ、内容が研究対象者等に認識される合理的かつ適切な方法によらなければならない。

事例1）ちらし等の文書を直接渡すことにより知らせること。

事例2）口頭又は自動応答装置等で知らせること。

事例3）電子メール、FAX等により送信し、又は文書を郵便等で送付することにより知らせること。

2　「研究対象者等が容易に知り得る状態」とは、広く一般に研究を実施する旨を知らせること（不特定多数の人々が知ることができるように発表すること）をいい、公開に当たっては、研究の性質及び試料・情報の取扱い状況に応じ、合理的かつ適切な方法によらなければならない。なお、当該研究機関の長は、当該公開場所及び公開方法の妥当性についても確認する必要がある。

事例1）研究機関のホームページのトップページから1回程度の操作で到達できる場所への掲載

事例2）医療機関等、研究対象者等が訪れることが想定される場所におけるポスター等の掲示、パンフレット等の備置き・配布

3　①の「試料・情報の利用目的及び利用方法（他の機関へ提供される場合はその方法を含む。）」とは、研究に関する概要（名称、目的、研究期間等）を含む。研究に関する概要を通知し、又は研究対象者等が容易に知り得る状態に置く場合には、当該研究における研究対象者の範囲が第三者から見て明確に分かるように配慮することとする。

共同研究機関や外国にある者に提供する場合や不特定多数が容易に知り得る状態に置く場合は、どのような方法で提供等を行うのかが研究対象者等に分かるよう、必要な範囲でその方法（記録媒体、郵送、電子的配信、インターネットに掲載等）も含むこと。

「他の機関へ提供される場合はその方法を含む。」に関し、他機関に試料・情報を提供することを想定している場合（委託や共同利用に伴って提供する場合を含む。）、研究の一部を委託する可能性が有る場合には、その旨を研究対象者

等に通知し、又は研究対象者等が容易に知り得る状態に置く必要がある。例えば、研究で用いた試料・情報を試料・情報の収集・提供を行う機関に提供する場合や他機関の管理するデータベース等へのデータ登録をする場合に、その旨を研究対象者等に通知し、又は研究対象者等が容易に知り得る状態に置くことが考えられる。

4　②の「利用し、又は提供する試料・情報の項目」とは、利用又は提供する試料・情報の一般的な名称（例えば、血液、毛髪、唾液、排泄物、検査データ、診療記録等）を指しており、どのような試料・情報を用いるのかが研究対象者等に分かるよう、必要な範囲でその内容を含むこととする。

5　④の「提供を行う機関」とは、提供元の機関を指す。

6　⑦の「利用する者の範囲」とは、当該研究を実施する全ての共同研究機関の名称及び研究責任者の氏名を指す。研究機関が委託に伴って試料・情報を提供する場合の、委託先の名称等も可能な限り含むこととする。ただし、利用する者の数が多く、その全てを個別に列挙することが困難な場合については、以下の代替方法によることができる。

- 代表的な研究機関の名称、当該研究機関の研究責任者の氏名と併せて利用する者全体に関する属性等を通知し又は研究対象者等が容易に知り得る状態に置くことにより、研究対象者等がどの機関まで将来利用されるか判断できる程度に明確にする
- 代表的な研究機関のホームページ等で利用する者の範囲が公表されている場合、そのサイトを分かりやすく記載する

7　⑧の「試料・情報の管理について責任を有する者の氏名又は名称」とは、研究機関の長の氏名又は研究機関の名称を指す。

8　⑨の「研究対象者等の求めに応じて、研究対象者が識別される試料・情報の利用又は他の研究機関への提供を停止する旨」とは、研究対象者に関する試料・情報を当該研究に用いること（他の研究機関への提供も含む。）について、研究対象者等が拒否する機会を保障する旨を指す。

9　⑩の「⑨の研究対象者等の求めを受け付ける方法」とは、例えば以下のような方法が考えられる。

事例1）郵送

事例2）メール送信

事例3）ホームページ上の指定フォームへの入力

事例4）事業所の窓口での受付

事例5）電話

10　研究対象者等に通知し、又は研究対象者等が容易に知り得る状態に置く際、以下の事項についても併せて開示することが考えられる。

- 研究計画書及び研究の方法に関する資料を入手又は閲覧できる旨（他の研究対象者等の個人情報及び知的財産の保護等に支障がない範囲内に限られる旨を含む。）並びにその入手・閲覧の方法
- 個人情報保護法第33条の規定による個人情報の開示に係る手続（同法第38条の規定により手数料の額を定めたときは、その手数料の額を含む。）
- 個人情報保護法第21条の規定による利用目的の通知、同法第33条の規定による開示又は同法第36条の規定による理由の説明を行うことができない場合は当該事項及びその理由
- 研究対象者等及びその関係者からの相談等への対応に関する情報（第10の2の解説を参照）

7　研究対象者に緊急かつ明白な生命の危機が生じている状況における研究の取扱い研究者等は、あらかじめ研究計画書に定めるところにより、次に掲げる全ての要件に該当すると判断したときは、研究対象者等の同意を受けずに研究を実施することができる。ただし、当該研究を実施した場合には、速やかに、5の規定による説明事項を記載した文書又は電磁的方法によりインフォームド・コンセントの手続を行わなければならない。

①　研究対象者に緊急かつ明白な生命の危機が生じていること

②　介入を行う研究の場合には、通常の診療では十分な効果が期待できず、研究の実施により研究対象者の生命の危機が回避できる可能性が十分にあると認められること

③　研究の実施に伴って研究対象者に生じる負担及びリスクが必要最小限

のものであること
④ 代諾者又は代諾者となるべき者と直ちに連絡を取ることができないこと

1 第8の7の規定は、研究対象者に緊急かつ明白な生命の危機が生じている状況における研究の取扱いについて定めたものである。この手続を行う場合は、第7⑴⑦の内容として、あらかじめ研究計画書に記載しておく必要がある。

2 ①の「緊急かつ明白な生命の危機が生じている」とは、時間的にも極めて切迫しており、研究対象者本人はもとより、代諾者からもインフォームド・コンセント等の手続をとることができない状況であることを想定しており、例えば、重症頭部外傷や心停止の状態などが考えられる。

3 ②の「生命の危機が回避できる可能性が十分にある」とは、必ずしも、有効性が既に証明された研究を行う場合に限定されるものではない。

8 インフォームド・コンセントの手続等の簡略化
1又は4の規定において、次の⑴①から④までに掲げる要件を全て満たし、⑵①から③までに掲げる措置を講ずる場合には、1又は4の規定に基づきインフォームド・コンセントの手続等の簡略化を行うことができる。
⑴ 研究者等は、次に掲げる全ての要件に該当する研究を実施しようとする場合には、当該研究の実施について研究機関の長の許可を受けた研究計画書に定めるところにより、1及び4に規定されているとおり手続の一部を簡略化することができる。
① 研究の実施に侵襲（軽微な侵襲を除く。）を伴わないこと
② 1及び4の規定による手続を簡略化することが、研究対象者の不利益とならないこと
③ 1及び4の規定による手続を簡略化しなければ、研究の実施が困難であり、又は研究の価値を著しく損ねること
④ 社会的に重要性が高い研究と認められるものであること（1⑹ア(ｲ)に基づき外国にある者へ試料・情報を提供する場合に限る。）
⑵ 研究者等は、⑴の規定により手続が簡略化される場合には、次に掲げるもののうち適切な措置を講じなければならない。

① 研究対象者等が含まれる集団に対し、試料・情報の取得及び利用の目的及び内容（方法を含む。）について広報すること
② 研究対象者等に対し、速やかに、事後的説明（集団に対するものを含む。）を行うこと
③ 長期間にわたって継続的に試料・情報が取得され、又は利用される場合には、社会に対し、その実情を当該試料・情報の取得又は利用の目的及び方法を含めて広報し、社会に周知されるよう努めること

1 第8の8の規定は、インフォームド・コンセントの手続等の簡略化について定めたものである。インフォームド・コンセントの手続の一部を簡略化する場合は、(1)の要件を満たすことについて、その理由を第7(1)⑦の内容として、あらかじめ研究計画書に定めておく必要がある。

なお、手続を簡略化することができる研究としては、例えば、調査の目的を事前に伝えることにより、研究結果にバイアスが生じるおそれがある研究や悉皆性を求めるような研究などが考えられる。本規定は、手続の簡略化を行わないことで、研究の実施が困難又は研究の価値を著しく損ねるような研究のみを想定している。

2 (1)の規定によってインフォームド・コンセントの手続等の簡略化を行う場合は、研究対象者の権利利益の保護と研究で得られる成果との比較考量の観点から、倫理審査委員会において適否が判断されるべきである。また、インフォームド・コンセントの手続等の簡略化を行う場合であっても、個人情報保護法及び条例等を遵守しなければならない。個人情報保護法・条例等との整合性については、一義的には研究責任者が判断し、その理由を示して倫理審査委員会で審査の上、妥当であるとの意見を受けて研究機関の長の許可を得る必要がある。

3 (1)④の「社会的に重要性が高い研究」とは、例えば、公衆衛生上の危害の発生又は拡大を防止するため早急に研究を実施する必要がある場合であって、社会全体の組織的な協力により、試料・情報を活用する必要がある場合を指す。

この規定によって試料を用いて研究を実施しようとする場合は、「手術等で摘出されたヒト組織を用いた研究開発の在り方について」（厚生科学審議会答申（平成10年12月16日））等を参考に、研究対象者の保護と研究で得られる成果との比較考量の観点から、倫理審査委員会において適否が判断されるべき

である。

4 (2)①の「研究対象者等が含まれる集団」とは、例えば、当該研究対象者等が居住する地域に対して疫学的な調査を実施する場合における、当該地域住民からなる集団等を指す。当該集団への広報の方法としては、全住戸に対する文書回覧や公民館等における公示、当該集団のホームページへの掲載などが考えられる。

5 (2)③の「その実情」とは、例えば、長期間に渡ってインフォームド・コンセントを受けずにその研究を行うことの必要性、重要性、危険性を比較考量して判断すること等が考えられる。

9 同意の撤回等

研究者等は、研究対象者等から次に掲げるいずれかに該当する同意の撤回又は拒否があった場合には、遅滞なく、当該撤回又は拒否の内容に従った措置を講ずるとともに、その旨を当該研究対象者等に説明しなければならない。ただし、当該措置を講ずることが困難な場合であって、当該措置を講じないことについて倫理審査委員会の意見を聴いた上で研究機関の長が許可したときは、この限りでない。この場合において、当該撤回又は拒否の内容に従った措置を講じない旨及びその理由について、研究者等が研究対象者等に説明し、理解を得るよう努めなければならない。

① 研究が実施又は継続されることに関して与えた同意の全部又は一部の撤回

② 研究について通知され、又は容易に知り得る状態に置かれた情報に基づく、当該研究が実施又は継続されることの全部又は一部に対する拒否(第9の1(1)イ(ア)②の拒否を含む。)

③ 7の規定によるインフォームド・コンセントの手続における、研究が実施又は継続されることの全部又は一部に対する拒否

④ 代諾者が同意を与えた研究について、研究対象者からのインフォームド・コンセントの手続における、当該研究が実施又は継続されることの全部又は一部に対する拒否

1　第8の9の規定は、同意の撤回又は拒否があった場合の手続について定めたものである。なお、既存試料・情報の提供を行う者がインフォームド・コンセントを受け、又は研究について研究対象者等に通知し、若しくは容易に知り得る状態に置いた場合であって、既存試料・情報の提供を行う者に対して研究対象者等から同意の撤回又は拒否があったときは、既存試料・情報の提供を行う者は、当該既存試料・情報の提供先の研究者等に対して、速やかに当該同意の撤回又は拒否があった旨及びその内容を伝えるものとする。

2　研究対象者等から、研究を実施又は継続されることについて同意の撤回又は拒否がなされる場合は、その旨が文書により研究者等に表明されることが望ましい。一方で、文書が求められることにより、研究対象者等が同意の撤回又は拒否を行うことを躊躇することがないよう、研究責任者は、あらかじめ撤回又は拒否の文書様式を用意するなどの配慮をすることが適当である。ただし、研究対象者等から口頭で同意の撤回又は拒否がなされた場合には、文書による意思表示を待つことなく、速やかに必要な措置を取るなど、柔軟に対応することが望ましい。なお、同意の撤回又は拒否の申出に際して理由の提示を求めることは、当該申出を萎縮させることにつながるおそれがあるため、有害事象の発生が疑われる場合など必要な場合を除き、適切ではない。

3　「当該撤回又は拒否の内容に従った措置」とは、例えば、既に取得した試料・情報の使用停止・廃棄、他機関への試料・情報の提供の差し止め等が想定される。

4　「措置を講ずることが困難な場合」とは、例えば、研究により摂取した食品等に係る同意の撤回、既に解析済みであって再解析が困難である場合の同意の撤回や、論文として既に公表している研究結果に係る同意の撤回などが考えられる。このような場合であって、当該措置を講じないことについて倫理審査委員会の意見を聴いた上で研究機関の長が許可した場合は、同意の撤回又は拒否に係る措置を講じなくてよいが、当該措置を講じない又は講ずることができない旨及びその理由については、研究者等が研究対象者等に説明し、理解を得るよう努めなければならないので、留意する必要がある。

5　研究計画書を作成する際には、第7⑴⑦の内容として同意の撤回又は拒否への対応方針を明らかにしておくとともに、インフォームド・コンセントを受ける際には、第8の5⑦の内容として同意の撤回への対応についても十分に説明し、同意を得ておく必要がある。具体的には、同意の撤回の措置を講ずることができない、又は困難であることが研究開始前から想定し得るときは、インフォームド・コンセントにおいてその旨を説明しておくことが望ましい。

なお、侵襲を伴う研究において、研究対象者等から同意の撤回があったときに、当該研究を中止しなければならない場合は、一般的に「当該措置を講ずることが困難な場合」には該当しないと考えられる。

6 ④の「代諾者が同意を与えた研究について、研究対象者からのインフォームド・コンセントの手続」とは、代諾者からインフォームド・コンセントを受けて研究を実施した場合であって、その後に研究対象者が自らインフォームド・コンセントを与えることができる状況（例えば、第9の1⑶に規定する状況）に至った以降も、当該研究対象者に研究が継続されるとき（同じ研究計画書に基づいて、その研究対象者について引き続き、侵襲を伴うこと、介入を行うこと又は試料・情報を新たに取得することが見込まれる場合を指す。）等において、当該研究対象者からのインフォームド・コンセントの手続を行うことを想定したものである。

7 研究対象者に直接の健康上の利益が期待されない研究であって侵襲を伴うものの実施に際しては、研究対象者に対して特に綿密な観察を行い、不当な苦痛を受けていると見受けられたときは、研究対象者から同意撤回の意向が表されなくとも、当該研究対象者に対する研究の継続を差し控えることが適当である。

第９　代諾者等からインフォームド・コンセントを受ける場合の手続等

１　代諾の要件等

⑴　研究者等又は既存試料・情報の提供のみを行う者が、第８の規定による手続において代諾者等からインフォームド・コンセントを受ける場合には、次に掲げる全ての要件を満たさなければならない。

ア　研究計画書に次に掲げる全ての事項が記載されていること

①　代諾者等の選定方針

②　代諾者等への説明事項（イ㈠又は㈡に該当する者を研究対象者とする場合には、当該者を研究対象者とすることが必要な理由を含む。）

イ　研究対象者が次に掲げる㈠から㈢までのいずれかの場合に該当していること

㈠　未成年者であること。ただし、研究対象者が中学校等の課程を修了している又は16歳以上の未成年者であり、かつ、研究を実施されることに関する十分な判断能力を有すると判断される場合であって、次に掲げる全ての事項が研究計画書に記載され、当該研究の実施について倫理審査委員会の意見を聴き、研究機関の長の許可を受けたときは、代諾者ではなく当該研究対象者からインフォームド・コンセントを受けるものとする。

①　研究の実施に侵襲を伴わない旨

②　研究の目的及び試料・情報の取扱いを含む研究の実施についての情報を親権者又は未成年後見人等が容易に知り得る状態に置き、当該研究が実施又は継続されることについて、当該者が拒否できる機会を保障する旨

㈡　成年であって、インフォームド・コンセントを与える能力を欠くと客観的に判断される者であること

㈢　死者であること。ただし、研究を実施されることが、その生前における明示的な意思に反している場合を除く。

⑵　研究者等又は既存試料・情報の提供のみを行う者が、第８の規定による手続において代諾者等からインフォームド・コンセントを受ける場合には、⑴ア①の選定方針に従って代諾者等を選定し、当該代諾者等に対して、第８の５の規定による説明事項に加えて⑴ア②に規定する説明事項を説明しなければならない。

(3) 研究者等又は既存試料・情報の提供のみを行う者が、代諾者からインフォームド・コンセントを受けた場合であって、研究対象者が中学校等の課程を修了している又は16歳以上の未成年者であり、かつ、研究を実施されることに関する十分な判断能力を有すると判断されるときには、当該研究対象者からもインフォームド・コンセントを受けなければならない。

1 第9の1の規定は、研究者等又は既存試料・情報の提供のみを行う者が、代諾者等に対して、第8の規定によるインフォームド・コンセントを受ける手続等を行う場合に満たすべき要件、遵守すべき事項等について定めたものである。

2 (1)ア①の「代諾者等の選定方針」については、一般的には、次の①から③までに掲げる者の中から、代諾者等を選定することを基本とする。

① (研究対象者が未成年者である場合) 親権者又は未成年後見人

② 研究対象者の配偶者、父母、兄弟姉妹、子・孫、祖父母、同居の親族又はそれら近親者に準ずると考えられる者 (未成年者を除く。)

③ 研究対象者の代理人 (代理権を付与された任意後見人を含む。)

ただし、画一的に選定するのではなく、個々の研究対象者における状況、例えば、研究対象者とのパートナー関係や信頼関係等の精神的な共同関係のほか、場合によっては研究対象者に対する虐待の可能性等も考慮した上で、研究対象者の意思及び利益を代弁できると考えられる者が選定されることが望ましい。また、代諾者等からインフォームド・コンセントを受けたとき等は、当該者と研究対象者との関係を示す記録を残すことも重要である。

3 (1)ア②の「当該者を研究対象者とすることが必要な理由」に関して、自らインフォームド・コンセントを与えることができる研究対象者から取得することが十分可能な試料・情報を、インフォームド・コンセントを与える能力を欠く者から取得することは適当でない。代諾者等からインフォームド・コンセントを受けるなどにより実施する妥当性が認められ得るのは、基本的に、その研究対象者とする集団 (例えば、乳幼児、知的障害者、施設入所者など) に主として見られる特有の事象に係る研究に限られることに留意する必要がある。

4 研究対象者から受けたインフォームド・コンセントに基づいて研究を実施し

た後に当該研究対象者が傷病等によりインフォームド・コンセントを与える能力を欠くに至った場合であって、当該研究対象者に研究が継続され、又は当該研究対象者から既に取得した試料・情報の取扱いが変更されようとするときには、第９の１⑴及び⑵の規定により適切な代諾者を選定し、そのインフォームド・コンセントを受けるなどの手続を行うこととなる。なお、⑴のア②の規定により、インフォームド・コンセントを与える能力を欠くと客観的に判断される者を引き続き研究対象者とすることが必要な理由があらかじめ研究計画書に記載されていることが前提であり、当該研究の実施について倫理審査委員会の意見を聴いて研究機関の長が許可している場合に限られることに留意する必要がある。

5　⑴イ㋐の「未成年者」は、民法の規定に準じて、2024 年４月１日より前にあっては、満 18 歳未満であって婚姻したことがない者、当該期日以降にあっては満 18 歳未満を指す。

6　⑴イ㋐及び⑶の「中学校等の課程を修了」については、日本における中学校等の課程を想定しており、外国の中学校等の課程を修了した場合においては、基本的に 16 歳以上であることを要件とする。「中学校等」には、中学校に相当する特別支援学校などが含まれる。

7　⑴イ㋐及び⑶の「研究を実施されることに関する十分な判断能力を有すると判断される」に関して、中学校等の課程を修了している又は 16 歳以上の未成年者について、健常な精神の発達及び精神的な健康が認められれば、基本的に、研究を実施されることに関する十分な判断能力を有するものと判断してよい。なお、侵襲を伴う研究に関しては、そうした研究対象者単独で有効なインフォームド・コンセントを与えることはできず、親権者等の代諾者からインフォームド・コンセントを受けた上で、⑶の規定により、当該研究対象者からもインフォームド・コンセントを受けるなどの必要がある。

　代諾者からインフォームド・コンセントを受けて研究を実施した場合であって、その後に研究対象者が中学校等の課程を修了し、又は満 16 歳に達し、研究を実施されることに関する十分な判断能力を有すると判断されるに至った以降も、当該研究対象者に研究が継続されるときには、当該研究対象者からインフォームド・コンセントを受ける必要がある。なお、代諾者から受けた同意に基づいて当該研究対象者から既に取得済みの試料・情報について、その同意の範囲内で解析等をする場合は、この限りではない。

8 (1)イ(ア)②の「親権者又は未成年後見人等」の「等」とは、児童福祉施設長、児童養護施設長、里親等が含まれ得る。

9 (1)イ(イ)の「成年であって、インフォームド・コンセントを与える能力を欠くと客観的に判断される者」に関連して、成年後見人による医療の同意権に関する見解が法律家の間で定まっていないことを踏まえ、研究目的での医療行為、特に、通常の診療を超える医療行為であって研究目的で実施するものや、研究対象者に直接の健康上の利益が期待されないもの（例えば、傷病の予防、診断及び治療を目的としない採血、薬物投与など）について、研究対象者に成年後見人、保佐人等が選任されている場合に、それらから代諾者を選定することの適否は慎重に判断すべきものと考えられる。

10 成年後見人、保佐人等が選任されていることのみをもって直ちにインフォームド・コンセントを与える能力を欠くと判断することは適当でなく、個々の研究対象者の状態のほか、実施又は継続される研究の内容（研究対象者への負担並びに予測されるリスク及び利益の有無、内容等）も踏まえて判断する必要がある。

なお、インフォームド・コンセントを与える能力を欠くと判断されるか否かによらず、成年後見人、保佐人等が選任されている人は通常、第１の⑥の「社会的に弱い立場にある者」と考えられ、研究対象者とすることの妥当性を慎重に判断するとともに、特別な配慮が求められる。

11 (1)イ(イ)の「成年であって、インフォームド・コンセントを与える能力を欠くと客観的に判断される者」について、その典型例として、傷病により意識不明の状態となっている患者、昏睡状態となっている人などが考えられる。なお、認知症、統合失調症等の診断がなされていることのみをもって直ちに「インフォームド・コンセントを与える能力を欠く」と判断することは適当でなく、個々の研究対象者の状態のほか、実施又は継続される研究の内容（研究対象者への負担並びに予測されるリスク及び利益の有無、内容等）も踏まえて判断する必要がある。「客観的に判断される」とは、その研究の実施に携わっていない者（必ずしも医師に限らない。）からみてもそう判断されることを指し、例えば、2人以上の医療・介護従事者（互いに異なる職種が望ましい。）による確認や、代諾者となり得る者（家族等）との話し合い、地域の相談支援専門員・介護支援専門員等との連携などが考えられる。関係学会・職能団体等において示されたガイドライン等があれば、研究の内容に応じて適宜参照し、研究計画書に反映することが望ましい。

(1)イ(イ)に該当する者として代諾者からインフォームド・コンセントを受けるなどにより研究を実施した場合であって、その後に研究対象者が(1)イ(イ)に該当しなくなった（インフォームド・コンセントを与えることができる状況に至った）以降も、当該研究対象者に研究が継続されるときには、当該研究対象者からインフォームド・コンセントを受けるなどの必要がある。なお、前項と同様、代諾者から受けた同意に基づいて当該研究対象者から既に取得済みの試料・情報について、その同意の範囲内で解析等をする場合は、この限りではない。

2　インフォームド・アセントを得る場合の手続等

(1)　研究者等又は既存試料・情報の提供のみを行う者が、代諾者からインフォームド・コンセントを受けた場合であって、研究対象者が研究を実施されることについて自らの意向を表することができると判断されるときには、インフォームド・アセントを得るよう努めなければならない。ただし、1(3)の規定により研究対象者からインフォームド・コンセントを受けるときは、この限りでない。

(2)　研究責任者は、(1)の規定によるインフォームド・アセントの手続を行うことが予測される研究を実施しようとする場合には、あらかじめ研究対象者への説明事項及び説明方法を研究計画書に記載しなければならない。

(3)　研究者等及び既存試料・情報の提供のみを行う者は、(1)の規定によるインフォームド・アセントの手続において、研究対象者が、研究が実施又は継続されることの全部又は一部に対する拒否の意向を表した場合には、その意向を尊重するよう努めなければならない。ただし、当該研究を実施又は継続することにより研究対象者に直接の健康上の利益が期待され、かつ、代諾者がそれに同意するときは、この限りでない。

1　第9の2の規定は、研究者等又は既存試料・情報の提供のみを行う者がインフォームド・アセントを得るよう努める必要がある場合、研究者等又は既存試料・情報の提供のみを受ける者がインフォームド・アセントを得る場合において遵守すべき事項等について定めたものである。

2　諸外国において「アセント」又は「インフォームド・アセント」は小児を研究対象者とする場合について用いられることが多いが、この指針では、小児に限らず、研究対象者が傷病等によりインフォームド・コンセントを与えることができない場合も含めて規定している。

3　(1)の「研究を実施されることについて自らの意向を表することができると判断されるとき」とは、言語理解が可能で、理性的な思考に基づき自らの意思を表することができる状態にあることを指し、例えば、16歳未満の未成年者を研究対象者とする場合には、個々の研究対象者の知的成熟度に応じて対処することが望ましい。

ICHにおいて合意されている小児集団における医薬品の臨床試験に関するガイダンスに関する質疑応答集（Q&A）（平成13年6月22日厚生労働省医薬局審査管理課事務連絡）では、小児被験者からアセントを取得する年齢について、米国小児学会のガイドラインを参考に、おおむね7歳以上（文書によるアセントは、おおむね中学生以上）との目安を示しており、研究の内容に応じて適宜参考としてよい。

4　代諾者からインフォームド・コンセントを受けて研究を実施し、その後に研究対象者が研究を継続されることについて自らの意思を表することができると判断されるに至った場合であって、当該研究対象者に研究が継続されようとするときは、研究者等は、当該研究対象者からインフォームド・アセントを得るよう努める必要がある。また、代諾者からインフォームド・コンセントを受けて研究を実施し、その後に研究対象者が研究を継続されることについて自らの意思を表することができると判断されるに至った場合であって、当該研究対象者から取得された試料・情報の取扱いが変更されようとするときは、研究者等は、その変更について、改めて当該代諾者からのインフォームド・コンセントの手続を行うとともに、当該研究対象者からインフォームド・アセントを得るよう努める必要がある。

5　(2)のインフォームド・アセントの手続における研究対象者への説明事項に関しては、研究計画書でインフォームド・コンセントを受ける際の説明事項として定めている事項のうち、その研究対象者が理解できると考えられるものについて説明するよう努めるものとする。

　また、インフォームド・アセントの手続における研究対象者への説明方法に関して、研究対象者の理解力に応じた分かりやすい言葉によるほか、挿絵や図表入りの書面を用いることや、理解に要する時間について配慮する等が検討されることが望ましい。

6　代諾者からインフォームド・コンセントを受ける場合であって、個々の研究対象者の知的成熟度に鑑みて、インフォームド・アセントを得る対象としないときも、実施又は継続されようとする研究に関して理解できると考えられる事項があれば説明することが望ましい。

未成年者を研究対象者とする場合のインフォームド・コンセント及びインフォームド・アセント

研究対象者の年齢等	中学校等の課程を未修了であり、且つ16歳未満の未成年者	中学校等の課程を修了している又は16歳以上の未成年者	18歳以上又は婚姻したことがある者
代諾者に対する手続	インフォームド・コンセント	侵襲を伴う研究 インフォームド・コンセント 侵襲を伴わない研究 親権者等に対するオプトアウト 研究対象者が十分な判断能力を有すると判断される場合※	
研究対象者に対する手続	インフォームド・アセント 自らの意向を表することができると判断される場合（努力義務）	インフォームド・コンセント 十分な判断能力を有すると判断される場合※	

※研究対象者が研究を実施されることに関する判断能力を欠くと判断される場合には、代諾者からインフォームド・コンセントを受ける。
その上で、研究対象者が自らの意向を表することができると判断されるときは、当該研究対象者からインフォームド・アセントを得る（努力義務）。

第５章　研究により得られた結果等の取扱い

第10　研究により得られた結果等の説明

1　研究により得られた結果等の説明に係る手続等

(1)　研究責任者は、実施しようとする研究及び当該研究により得られる結果等の特性を踏まえ、当該研究により得られる結果等の研究対象者への説明方針を定め、研究計画書に記載しなければならない。当該方針を定める際には、次に掲げる全ての事項について考慮する必要がある。

ア　当該結果等が研究対象者の健康状態等を評価するための情報として、その精度や確実性が十分であるか

イ　当該結果等が研究対象者の健康等にとって重要な事実であるか

ウ　当該結果等の説明が研究業務の適正な実施に著しい支障を及ぼす可能性があるか

(2)　研究者等は、研究対象者等からインフォームド・コンセントを受ける際には、(1)における研究により得られた結果等の説明に関する方針を説明し、理解を得なければならない。その上で、研究対象者等が当該研究により得られた結果等の説明を希望しない場合には、その意思を尊重しなければならない。ただし、研究者等は、研究対象者等が研究により得られた結果等の説明を希望していない場合であっても、その結果等が研究対象者、研究対象者の血縁者等の生命に重大な影響を与えることが判明し、かつ、有効な対処方法があるときは、研究責任者に報告しなければならない。

(3)　研究責任者は、(2)の規定により報告を受けた場合には、研究対象者等への説明に関して、説明の可否、方法及び内容について次の観点を含めて考慮し、倫理審査委員会の意見を求めなければならない。

①　研究対象者及び研究対象者の血縁者等の生命に及ぼす影響

②　有効な治療法の有無と研究対象者の健康状態

③　研究対象者の血縁者等が同一の疾患等に罹患している可能性

④　インフォームド・コンセントに際しての研究結果等の説明に関する内容

(4)　研究者等は、(3)における倫理審査委員会の意見を踏まえ、研究対象者等に対し、十分な説明を行った上で、当該研究対象者等の意向を確認し、なお説明を希望しない場合には、説明してはならない。

(5)　研究者等は、研究対象者等の同意がない場合には、研究対象者の研究

により得られた結果等を研究対象者等以外の人に対し、原則として説明してはならない。ただし、研究対象者の血縁者等が、研究により得られた結果等の説明を希望する場合であって、研究責任者が、その説明を求める理由と必要性を踏まえ説明することの可否について倫理審査委員会の意見を聴いた上で、必要と判断したときはこの限りでない。

1　第10の1の規定は、個別の研究により得られた結果とその結果に関連する情報を、研究対象者に対して説明する際に留意すべき事項について定めたものである。個人情報の開示等に関しては、個人情報保護法及び条例等に規定されており、この項における規定とは区別する必要がある。

2　(1)の規定に関して、「研究により得られる結果等」の中には、当該研究計画において明らかにしようとした主たる結果や所見のみならず、当該研究実施に伴って二次的に得られた結果や所見（いわゆる偶発的所見）が含まれる。いずれの場合も、研究対象者等にそれらの結果等を説明する際の方針は、研究計画を立案する段階で、本項の規定に沿って決定しておく必要があり、研究対象者等に対してその方針について説明をし、理解を得ておく必要がある。なお「偶発的所見」とは、研究の過程において偶然見つかった、生命に重大な影響を及ぼすおそれのある情報（例えば、がんや遺伝病への罹患等）をいう。

3　(1)の「研究対象者への説明方針」とは、例えば、個人の全ゲノム配列の解析を実施する場合、研究対象者の健康状態等を評価するための情報としての精度や確実性が十分でないものも含まれるため、そのような情報も含めて全ての遺伝情報について説明することは困難であり、適正な研究の実施に影響が出ないよう、説明を実施する際には、研究対象者の健康状態等の評価に確実に利用できる部分に限定すること等の配慮が必要である。

個々の事例に対して方針を決定する際、研究の目的や方法によって得られる結果の内容や研究対象者に与える影響等が異なることにも留意しつつ、社会通念に照らして客観的かつ慎重に判断することが必要である。

4　(2)の「その結果等が研究対象者、研究対象者の血縁者等の生命に重大な影響を与えること」とは、例えば、遺伝子解析研究を行った結果が、家族性に発症する可能性が確実であり、かつ生命に重大な影響を与える可能性のある疾患である場合や、その他、研究対象者がある特定の感染症等に罹患している事実が判明し、公衆衛生上の理由から感染症等の疾病伝播を予防する必要があると考えられる場合などが考えられる。

5 ⑷の規定に関して、⑶における倫理審査委員会での結論を踏まえ、必要な結果等を研究対象者に説明することとなった場合は、研究責任者は改めて研究対象者の理解を求め、その影響が及ぶと考えられる者に対する必要な情報の提供につき承諾を得られるよう努める必要がある。

6 ⑸の規定に関して、当該研究実施に関する同意を代諾者から得た場合、求めに応じて代諾者に研究により得られた研究結果等を説明することができる。一方、研究対象者自身から研究実施に関する同意を得ているが、研究対象者以外の人への説明に関する同意を得られていない場合、その血縁者等から個別に、研究により得られた研究結果等の説明を求められた際、倫理審査委員会に諮る必要がある。

研究対象者が16歳以上の未成年者の場合で代諾者に説明する際は、研究対象者の意向を確認し、これを尊重しなければならない。

7 研究者等は、未成年者の遺伝情報に関する結果を説明することによって、研究対象者が自らを傷つけたり、研究対象者に対する差別、養育拒否、治療への悪影響が心配される場合には、研究責任者に報告しなければならない。研究責任者は、結果の説明の前に、必要に応じ倫理審査委員会の意見や未成年者とその代諾者との話合いを求めた上、結果の説明の可否並びにその内容及び方法についての決定をすることとする。

2 研究に係る相談実施体制等

研究責任者は、研究により得られた結果等を取り扱う場合、その結果等の特性を踏まえ、医学的又は精神的な影響等を十分考慮し、研究対象者等が当該研究に係る相談を適宜行うことができる体制を整備しなければならない。また、研究責任者は、体制を整備する中で診療を担当する医師と緊密な連携を行うことが重要であり、遺伝情報を取り扱う場合にあっては、遺伝カウンセリングを実施する者や遺伝医療の専門家との連携が確保できるよう努めなければならない。

1　第10の2の規定は、個別の研究に係る相談実施体制等を研究責任者が整備する際に留意すべき事項について定めたものである。

2　「研究に係る相談」とは、個別の研究計画や研究実施に関する手続の相談から、研究により得られた結果等に関する相談まで幅広く想定する必要がある。診断や治療に関するカウンセリングは医療現場で行われるものであり、すぐに連携できる体制を整備することが求められる。研究実施においては、研究責任者が当該研究における相談窓口を設置するなどして、相談を行うことができるようにする必要がある。

3　試料・情報の提供を行う機関において、カウンセリング体制が整備されていない場合に、研究対象者及びその家族又は血縁者からカウンセリングの求めがあったときには、そのための適切な施設を紹介することとする。

4　遺伝カウンセリングでは臨床遺伝専門医、認定遺伝カウンセラー等との密な連携を取り、必要に応じ複数回のカウンセリングを行うことが求められる。

第６章 研究の信頼性確保

第11 研究に係る適切な対応と報告

> 1 研究の倫理的妥当性及び科学的合理性の確保等
>
> (1) 研究者等は、研究の倫理的妥当性又は科学的合理性を損なう又はそのおそれがある事実を知り、又は情報を得た場合（(2)に該当する場合を除く。）には、速やかに研究責任者に報告しなければならない。
>
> (2) 研究者等は、研究の実施の適正性又は研究結果の信頼を損なう又はそのおそれがある事実を知り、又は情報を得た場合には、速やかに研究責任者又は研究機関の長に報告しなければならない。
>
> (3) 研究者等は、研究に関連する情報の漏えい等、研究対象者等の人権を尊重する観点又は研究の実施上の観点から重大な懸念が生じた場合には、速やかに研究機関の長及び研究責任者に報告しなければならない。

1 第11の１の規定は、研究者等が研究を適正に実施する上で遵守すべき内容や、知り得た情報の報告対応について定めたものである。

2 (1)の「研究の倫理的妥当性」を損なう事実とは、当該研究を実施するに当たって、インフォームド・コンセントを受ける手続の不備、試料・情報の不適切な取扱い等、研究対象者の人権の保護や福利への配慮の観点から、研究の実施に当たり適切に対応すべき事実を指す。また、「科学的合理性を損なう事実」とは、当該研究について、研究開始後に判明した新たな科学的な知見や内容、国内外の規制当局において実施された安全対策上の措置情報等により、研究開始前に研究責任者が研究計画に記載した、研究対象者に生じる負担並びに予測されるリスク及び利益の総合的評価が変わり得るような事実を指す。さらに、「損なうおそれのある情報」とは、上記のような内容を知り得てから、事実であるか確定するまでの情報をいう。

3 (2)の「研究の実施の適正性」を損なう事実や情報とは、研究の実施において、研究計画に基づく研究対象者の選定方針や研究方法から逸脱した等の事実や情報を指す。また、「研究結果の信頼を損なう」事実や情報とは、研究データの改ざんやねつ造といった事実や情報を指す。さらに、「損なうおそれのある情報」とは、上記のような内容を知り得てから、事実であるか確定に至っていない情報をいう。なお、研究責任者に報告した場合であって、当該研究責任者による隠蔽の懸念があるときは、研究機関の長に直接報告する必要がある。

4　(3)の「研究対象者等の人権を尊重する観点又は研究の実施上の観点から重大な懸念が生じた場合」としては、「研究に関連する情報の漏えい」のほか、例えば、研究の参加について研究対象者の自発的な意思決定が制限された場合や重大な有害事象が発生した場合等、研究の継続に影響を与えるような情報を知り得た場合も考えられる。

5　(3)の「研究に関連する情報の漏えい等」の「漏えい等」とは、漏えい（情報が外部に流出すること）、滅失（情報の内容が失われること）又は毀損（情報の内容が意図しない形で変更されることや、内容を保ちつつも利用不能な状態となること）を指す。委託先における漏えい等を含む。研究機関の長は、漏えい等事案（漏えい等又はそのおそれのある事案）が生じたときは、倫理審査委員会の意見を聴き、必要な対応（不適合の程度が重大であると判断される場合には、第11の3に規定される大臣への報告等を含む。）を行うこととする。研究機関の長は、個人情報保護法第26条又は第68条に基づき、個人情報保護法施行規則第7条又は第43条の定める報告対象事態に該当する漏えい等事案が生じたときは、当該事態が生じた旨を個人情報保護委員会に報告し、また、本人に対して通知等する必要があるため、留意すること。

なお、死者の情報については、要配慮個人情報に相当する情報の漏えい等があった場合等、親族への影響が否定されない場合には、当該親族への通知等が必要となる。

2　研究の進捗状況の管理・監督及び有害事象等の把握・報告

(1)　研究責任者は、研究の実施に係る必要な情報を取得するなど、研究の適正な実施及び研究結果の信頼性の確保に努めなければならない。

(2)　研究責任者は、1(1)による報告を受けた場合であって、研究の継続に影響を与えると考えられるものを得た場合（(3)に該当する場合を除く。）には、遅滞なく、研究機関の長に報告し、必要に応じて、研究を停止し、若しくは中止し、又は研究計画書を変更しなければならない。

(3)　研究責任者は、1(2)又は(3)による報告を受けた場合には、速やかに研究機関の長に報告し、必要に応じて、研究を停止し、若しくは中止し、又は研究計画書を変更しなければならない。

(4) 研究責任者は、研究の実施において、当該研究により期待される利益よりも予測されるリスクが高いと判断される場合又は当該研究により十分な成果が得られた若しくは十分な成果が得られないと判断される場合には、当該研究を中止しなければならない。

(5) 研究責任者は、研究計画書に定めるところにより、研究の進捗状況及び研究の実施に伴う有害事象の発生状況を倫理審査委員会及び研究機関の長に報告しなければならない。

(6) 研究責任者は、多機関共同研究を実施する場合には、共同研究機関の研究責任者に対し、当該研究に関連する必要な情報を共有しなければならない。

(7) 研究機関の長は、1(2)若しくは(3)又は2(2)若しくは(3)の規定による報告を受けた場合には、必要に応じて、倫理審査委員会の意見を聴き、速やかに研究の中止、原因究明等の適切な対応を取らなければならない。この場合、倫理審査委員会が意見を述べる前においては、必要に応じ、研究責任者に対し、研究の停止又は暫定的な措置を講ずるよう指示しなければならない。

1　第11の2の規定は、研究実施期間中における研究の継続や中止等に関する判断や、研究機関の長への報告義務など、研究責任者としての責務について定めたものである。

2　(1)の規定に関して、研究責任者は研究を終了するまでの間、当該研究の実施に伴うリスクの予測や安全性の確保に必要な情報について、当該研究に関連する国内外における学会発表、論文発表等の情報（以下「発表情報等」という。）の把握に努めるとともに、把握した当該発表情報等が(2)の規定に該当する場合には、研究機関の長に対し報告することが必要である。

他の研究機関と共同で研究を実施する場合には、(6)の規定により、共同研究機関の研究責任者に対し、把握した発表情報等について随時共有を図る必要がある。

3　(1)の「研究の適正な実施及び研究結果の信頼性の確保に努め」る対応として、

「研究の実施に係る必要な情報を取得する」ことのほかに、研究の内容に応じたモニタリングや必要に応じた監査の実施、試料・情報等の保存等も考えられる。

4　(2)の規定において、研究責任者は、当該情報を得た場合には、それが研究の継続に影響を与えるものか否かを判断し、当該報告を受けた研究機関の長が(7)の規定による措置を講ずるのを待つことなく、研究責任者は自発的に必要な対応を講ずる必要がある。

5　(2)の「遅滞なく」とは、理由のない滞りを生じさせることなくという趣旨であり、判断に一定の時間を要することを考慮したものである。

6　(3)の規定について研究責任者は、当該情報については、速やかに研究機関の長に報告する必要がある。また、当該報告を受けた研究機関の長が(7)の規定による措置を講ずるのを待たずして、研究責任者は自発的に必要な対応を講ずる必要がある。

7　(4)の「当該研究により期待される利益よりも予測されるリスクが高いと判断される場合」に関して、研究責任者は研究を終了するまでの間、第11の1(1)の規定により他の研究者等から報告された事実や情報、第15の1の規定により報告された重篤な有害事象のほか、(1)の規定により自ら取得した研究の実施に係る必要な情報を精査し、研究開始前に行った研究対象者への負担並びに予測されるリスク及び利益の総合的評価を継続的に行う必要がある。

8　(4)の「十分な成果が得られた」と判断される場合とは、例えば、研究期間の途中において研究計画書にあらかじめ定めた目標症例数に到達し、研究計画書に記載された研究目的が達成された場合等をいう。なお、「十分な成果」は、必ずしも仮説を裏付ける結果でない場合を含むものとする。すなわち、研究責任者は、研究を継続するに当たって、当該研究の目的が達成されたか否か、あるいはこれ以上研究を継続しても明らかに目的は達成しないかについて随時判断する必要がある。

9　(5)の「研究の進捗状況及び研究の実施に伴う有害事象の発生状況」については、研究協力機関が関係するような場合においては、当該機関からも情報を得る必要がある。

10 (5)の規定に関して、報告は文書により原則として年1回とするが、研究内容により、例えば3年に1回とするなど、その研究の性質に応じて定めた期間でよい。ただし、その場合においても、報告の頻度及び報告を行う時期についてあらかじめ研究計画書に定めておく必要があり、定期報告を不要とするものではない。

11 (5)の報告すべき事項としては、一般的に以下のような項目が挙げられる。
- 研究の進捗状況（実施症例数や解析された試料・情報の数等を含む。）
- 有害事象、その他問題の発生の有無及び状況
- 試料・情報の保管の方法
- 他機関への試料・情報の提供状況

12 (6)の規定に関して、多機関共同研究を実施する場合、研究代表者が選任されるが、必ずしも研究代表者自身が共有しなければならないわけではない。研究代表者は、共同研究機関の研究責任者間で当該研究に関連する必要な情報の共有が円滑になされるよう、当該研究に係る事務局を設置する等、当該研究に関連する必要な情報（重篤な有害事象を含む。）を共有するための窓口を明確化しておくことが望ましい。研究代表者は、これらの共同研究機関の研究責任者と連携して研究の適正かつ円滑な実施を図る役割等を研究計画書において研究の実施体制として記載する必要がある。

3　大臣への報告等

(1)　研究機関の長は、当該研究機関が実施している又は過去に実施した研究について、この指針に適合していないことを知った場合（1(2)若しくは(3)又は2(2)若しくは(3)の規定による報告を含む。）には、速やかに倫理審査委員会の意見を聴き、必要な対応を行うとともに、不適合の程度が重大であるときは、その対応の状況・結果を厚生労働大臣（文部科学省の所管する研究機関にあっては文部科学大臣及び厚生労働大臣。経済産業省の所管する研究機関にあっては厚生労働大臣及び経済産業大臣。以下単に「大臣」という。）に報告し、公表しなければならない。

> (2) 研究機関の長は、当該研究機関における研究がこの指針に適合していることについて、大臣又はその委託を受けた者（以下「大臣等」という。）が実施する調査に協力しなければならない。

1　第11の3の規定は、当該研究機関において実施される研究において、この指針に適合していない内容で重大なものが発生した場合等における研究機関の長としての責務や措置について定めたものである。

2　(1)の規定に関して、この指針の対象となる研究は、その内容が極めて多岐に渡ることから、「不適合の程度が重大」であるか否かの判断については、研究ごとに倫理審査委員会の意見を聴いて、当該研究の倫理的妥当性及び科学的合理性が損なわれるほどに著しくこの指針から逸脱しているかという観点で判断する必要がある。

ただし、下記に例示するような場合は、研究の内容にかかわらず、不適合の程度が重大であると考えられ、大臣に報告し公表する必要がある。

- 倫理審査委員会の審査又は研究機関の長の許可を受けずに研究を実施した場合
- 必要なインフォームド・コンセントの手続を行わずに研究を実施した場合
- 研究内容の信頼性を損なう研究結果のねつ造や改ざんが発覚した場合
- 1(3)の「研究に関連する情報の漏えい等」の報告を受けた場合

3　(1)の「文部科学省の所管する研究機関」とは、大学及び独立行政法人等の文部科学省所管法人を指す。「経済産業省の所管する研究機関」とは、独立行政法人等の経済産業省所管法人を指す。

4　(1)の規定に関して、多機関共同研究の場合、研究代表者が所属する研究機関の長が、各共同研究機関の報告内容を取りまとめて大臣へ報告してもよい。あるいは、当該研究に参加する各共同研究機関のうち、重大な不適合に関わったものの長がそれぞれ大臣へ報告することでもよい。なお、当該不適合の内容が複数機関に該当する場合においては、報告の内容を該当機関同士で確認した上で、それぞれの研究機関の長の連名で提出することでも良い。

5　(1)の規定により大臣へ報告する内容は、倫理審査委員会の意見を聴いて必要な対応を行った上で、その対応状況・結果を含めた報告とする。なお、この際の倫理審査委員会は、当該研究の内容及びこれまでの審査の内容を把握していることから、当該研究を審査している倫理審査委員会に限る。

6　重大な不適合については、その事案ごとに報告時期は異なるが、「速やかに」対応する必要がある。また、「この指針に適合していないことを知った場合」と規定しており、この指針の施行以前に実施された研究に遡及してこの指針を適用することはないが、臨床研究指針及び医学系指針においても同規定があり、臨床研究指針に則って実施された臨床研究においては当該臨床研究指針の規定に則り、医学系指針に則って実施された医学系研究においては当該医学系指針の規定に則り、厚生労働大臣への報告対象となり得る。

7　⑴の規定による公表の方法については、公表の内容に応じて検討されるべきであるが、例えば、報道機関に対し会見を行うことや、研究実施機関のホームページへ掲載すること等が考えられる。

8　国外で実施される研究については、第３の３⑴に基づきこの指針に従って実施された場合は、⑴の規定に基づく報告の対象となり得る。

9　⑵の「調査」とは、大臣が当該研究機関の研究実施体制等を確認するため、必要と判断した場合に実施される。

第12　利益相反の管理

(1)　研究者等は、研究を実施するときは、個人の収益等、当該研究に係る利益相反に関する状況について、その状況を研究責任者に報告し、透明性を確保するよう適切に対応しなければならない。

(2)　研究責任者は、医薬品又は医療機器の有効性又は安全性に関する研究等、商業活動に関連し得る研究を実施する場合には、当該研究に係る利益相反に関する状況を把握し、研究計画書に記載しなければならない。

(3)　研究者等は、(2)の規定により研究計画書に記載された利益相反に関する状況を、第8に規定するインフォームド・コンセントを受ける手続において研究対象者等に説明しなければならない。

1　第12の規定は、研究に係る利益相反について、研究者等及び研究責任者が行わなければならない手続や責務について定めたものである。

利益相反の考え方に関するガイドライン及び指針等については、第7(1)の解説を参照。

2　(1)の規定に関して、研究者等は所属機関において定められた利益相反に関する規程に基づき、研究責任者に自らの利益相反に関する状況を報告する必要がある。

3　(2)の規定に関して、研究責任者は研究機関の利益相反に関する状況についての研究者等からの報告の他、当該研究の資金源等の研究機関の研究に係る利益相反に関する状況も含めて把握し、研究計画書に記載する必要がある。

4　利益相反の管理にあたっては、研究責任者は、研究の実施体制を踏まえて適正に管理することとする。また、透明性確保のため、研究計画固有の利益相反管理計画や利益相反関係の確認方法を研究計画書に定める等の措置を講ずることが望ましい。

5　利益相反委員会を設置している機関においては、研究の利益相反に関する状況について利益相反委員会の意見を求めることでも良い。なお、当該利益相反委員会に意見を求める場合は、各研究機関において規程等を定めることでよい。利益相反委員会は、当該研究にかかる利益相反に関する状況（自己申告書等を用いても良い。）を評価し、研究者が利益相反状態にあると判定された場合は、要約書や意見書を申請者及び倫理審査委員会へ報告することが望ましい。

6　多機関共同研究である場合、個々の研究者の利益相反について、各研究機関における利益相反委員会の結果を研究代表者が取りまとめて、倫理審査委員会へ報告することでも良い。

第13　研究に係る試料及び情報等の保管

(1)　研究者等は、研究に用いられる情報及び試料・情報に係る資料（試料・情報の提供に関する記録を含む。以下「情報等」という。）を正確なものにしなければならない。

(2)　研究責任者は、試料及び情報等を保管するときは、(3)の規定による手順書に基づき、研究計画書にその方法を記載するとともに、研究者等が情報等を正確なものにするよう指導・管理し、試料及び情報等の漏えい、混交、盗難又は紛失等が起こらないよう必要な管理を行わなければならない。

(3)　研究機関の長は、試料及び情報等の保管に関する手順書を作成し、当該手順書に従って、当該研究機関の長が実施を許可した研究に係る試料及び情報等が適切に保管されるよう必要な監督を行わなければならない。

(4)　研究責任者は、(3)の規定による手順書に従って、(2)の規定による管理の状況について研究機関の長に報告しなければならない。

(5)　研究機関の長は、当該研究機関において保管する情報等について、可能な限り長期間保管されるよう努めなければならず、侵襲（軽微な侵襲を除く。）を伴う研究であって介入を行うものを実施する場合には、少なくとも、当該研究の終了について報告された日から5年を経過した日又は当該研究の結果の最終の公表について報告された日から3年を経過した日のいずれか遅い日までの期間、適切に保管されるよう必要な監督を行わなければならない。また、仮名加工情報及び削除情報等（個人情報保護法第41条第1項の規定により行われた加工の方法に関する情報にあっては、その情報を用いて仮名加工情報の作成に用いられた個人情報を復元できるものに限る。）並びに匿名加工情報及び加工方法等情報の保管（削除情報等又は加工方法等情報については、これらの情報を破棄する場合を除く。）についても同様とする。また、試料・情報の提供に関する記録について、試料・情報を提供する場合は提供を行った日から3年を経過した日までの期間、試料・情報の提供を受ける場合は当該研究の終了について報告された日から5年を経過した日までの期間、適切に保管されるよう必要な監督を行わなければならない。

(6)　研究機関の長は、試料及び情報等を廃棄する場合には、特定の個人を識別することができないようにするための適切な措置が講じられるよう必要な監督を行わなければならない。

1　第13の規定は、試料及び情報等の保管について、研究責任者及び研究機関の長が行わなければならない対応や責務について定めたものである。なお、個人情報等の取扱いに関しては、この指針の規定のほか、個人情報保護法に規定する個人情報取扱事業者や行政機関等に適用される規律、条例等を遵守しなければならない。詳細については、第18の解説を参照。

2　(1)の「試料・情報に係る資料」には、研究対象者等の同意文書や試料・情報の提供に関する記録に加え、症例報告書や研究対象者が作成する記録、修正履歴（日付、氏名含む。）、第8の3の規定により作成された試料・情報の提供に関する記録なども含まれる。情報等の修正を行う際には、修正履歴（日付、氏名含む。）だけでなく、その理由も記録に残すことが望ましい。

3　(1)の「情報等」のうち、当該研究に係る個人情報については、個人情報保護法上、利用目的の達成に必要な範囲内において、正確かつ最新の内容（住所変更等）に保つよう努めることが求められている。

4　(1)の「正確なもの」には、研究者等自らが作成しない情報（研究対象者が作成する記録）等が正確に作成されたことを確認することも含まれる。

5　(2)の規定に関して、研究責任者は試料及び情報等を適切に、かつ、研究結果の確認に資するよう整然と管理する必要がある。なお、情報等の保管は、情報等の名称、保管場所、研究対象者等から得た同意の内容を把握できるようにしておく形で行う必要がある。

6　(3)の規定に関して、情報等の保管業務については研究機関の長が指名する者に委任する（管理責任者の設置を含む。）ほか、必要な安全管理等を含む文書による契約に基づき、他に委託して行ってよい。

7　(3)の規定に関して、研究機関の長は手順書に従って研究責任者から情報等の管理状況について報告を受け、必要時には適切な指導をするとともに、保管対象となるもの及びその責任者、保管場所、保管方法等も考慮し、当該手順書を定める必要がある。

8　(3)の規定における保管が電磁的記録媒体等による場合は、データを適切に保管するために、セキュリティシステムの保持、データのバックアップの実施等の他、データの真正性、保存性、見読性の保持等が必要となるので留意する必要がある。これら条件の下、紙媒体を電子化し、電子的に保管することも可能である。

9　(5)の規定に関して、研究機関の長及び研究責任者は、これらの情報等がこの保存義務期間中に漏えい等又は廃棄されることがないように、また、求めに応じて提示できるように必要な措置を講ずる。

10　(5)の規定に関して、研究においては、数年後に検証が必要となる場合があるため、研究機関以外の既存試料・情報の提供を行う機関の長においても、提供を行った情報について可能な限り長期間保管されるよう努めることが望ましい。

11　(6)の「適切な措置」とは、例えば、人体から取得された試料においてはオートクレーブ処理、情報においては紙で保存されている場合はシュレッダー処理、データで保存されている場合はデータの削除等が考えられる。

第14 モニタリング及び監査

(1) 研究責任者は、研究の信頼性の確保に努めなければならず、侵襲（軽微な侵襲を除く。）を伴う研究であって介入を行うものを実施する場合には、当該研究の実施について研究機関の長の許可を受けた研究計画書に定めるところにより、モニタリング及び必要に応じて監査を実施しなければならない。

(2) 研究責任者は、当該研究の実施について研究機関の長の許可を受けた研究計画書に定めるところにより適切にモニタリング及び監査が行われるよう、モニタリングに従事する者及び監査に従事する者に対して必要な指導・管理を行わなければならない。

(3) 研究責任者は、監査の対象となる研究の実施に携わる者及びそのモニタリングに従事する者に、監査を行わせてはならない。

(4) モニタリングに従事する者は、当該モニタリングの結果を研究責任者に報告しなければならない。また、監査に従事する者は、当該監査の結果を研究責任者及び研究機関の長に報告しなければならない。

(5) モニタリングに従事する者及び監査に従事する者は、その業務上知り得た情報を正当な理由なく漏らしてはならない。その業務に従事しなくなった後も同様とする。

(6) 研究機関の長は、(1)の規定によるモニタリング及び監査の実施に協力するとともに、当該実施に必要な措置を講じなければならない。

1 第14の規定は、モニタリングや監査が対象となる研究やその業務に携わる者について定めたものである。

2 (1)の規定に関して、モニタリング及び監査について研究計画書に定めるべき実施体制及び実施手順に関する事項としては、モニタリング及び監査に従事する担当者や、当該業務を委託する場合には、その委託先等が考えられる。

また、研究責任者はモニタリングに関する手順書、監査に関する手順書を作成することで実施手順については研究計画書の定めに替えることができる。その際、第7(1)㉕の規定により、当該手順書も研究計画書と同様に、倫理審査委員会への付議等の手続を行う必要がある。

監査の必要性については、研究の社会的及び学術的な意義、研究対象者への負担並びに予測されるリスク及び利益等を踏まえ、研究の質や透明性の確保等の観点から総合的に評価し、一義的には研究計画書の作成に際して研究責任者が判断し、その判断の妥当性を含めて倫理審査委員会の審査を受ける必要がある。

3 ⑵の規定に関して、モニタリングの手法については、画一的なものではなく個々の研究の目的や性質等によって、適切かつ効率的に行われることが求められる。

モニタリングの手法については、例えば、あらかじめ定められた方法により原資料等を直接確認することのほか、多機関共同研究においては、EDC（第8の3の解説参照）を用いた方法等による、中央にてデータを一括管理し評価すること等も考えられるが、一義的には研究責任者が作成する研究計画書にその実施体制及び実施手順を記載し、その妥当性を含めて倫理審査委員会による審査を受ける必要がある。

4 ⑵の規定に関して、研究責任者はモニタリング方法の他にモニタリングに従事する者の責務や評価項目等、当該研究におけるモニタリングの適切な範囲及び方法を決定し、研究計画書に定める必要がある。

5 ⑵の規定に関して、研究責任者はモニタリングに従事する者及び監査に従事する者について、研究に関する倫理並びにモニタリング、監査の実施に必要な知識等を有している者を指定することが適当である。

6 ⑶の規定に関して、監査に従事する者は当該研究に携わる者及びモニタリングに従事する者以外であれば、当該研究機関内の者でもよい。

7 ⑷の規定に関して、モニタリングに従事する者が報告する結果には、モニタリング方法に応じて変わり得るが、日付、実施場所、担当者の氏名、モニタリング結果の概要等が含まれる。

8 ⑷の規定に関して、モニタリングに従事する者及び監査に従事する者は、多機関共同研究を実施する場合には、研究代表者にもそれぞれの報告内容を共有することが望ましい。

9 ⑷の規定に関して、監査に従事する者が報告する結果には、日付、実施場所、担当者の氏名、監査の対象、監査結果の概要等が含まれる。

10 ⑷の規定に関して、監査に従事する者は研究責任者だけでなく研究機関の長にも監査の結果について報告する必要がある。

11 ⑹の規定に関して、研究機関の長はモニタリングに従事する者及び監査に従事する者に対して、情報等の閲覧に協力する必要がある。

第７章　重篤な有害事象への対応

第 15　重篤な有害事象への対応

> 1　研究者等の対応
> 研究者等は、侵襲を伴う研究の実施において重篤な有害事象の発生を知った場合には、2(1)及び３の規定による手順書等に従い、研究対象者等への説明等、必要な措置を講ずるとともに、速やかに研究責任者に報告しなければならない。

1　第 15 の１の規定は、研究の実施に伴い研究対象者に重篤な有害事象が発生した際に、研究者等が行わなければならない責務について定めたものである。侵襲を伴う研究を実施している間に重篤な有害事象の発生を認めたときは、当該研究との因果関係の有無にかかわらず、全ての重篤な有害事象を報告するという趣旨である。

2　「手順書等」には、研究計画書や研究機関の長の指示も含まれる。

3　重篤まで至らない有害事象の発生における対応等の手順書の作成や発生時の報告の手順等については、各研究機関の判断により対応する。

4　医薬品又は医療機器を用いる研究において、当該医薬品等の副作用、不具合等によるものと疑われる症例等の発生を知った場合の副作用等の報告については、医薬品医療機器等法の規定に留意し、適切に対応する必要がある。

> 2　研究責任者の対応
> (1)　研究責任者は、侵襲を伴う研究を実施しようとする場合には、あらかじめ、研究計画書に重篤な有害事象が発生した際に研究者等が実施すべき事項に関する手順を記載し、当該手順に従って適正かつ円滑に対応が行われるよう必要な措置を講じなければならない。
> (2)　研究責任者は、研究に係る試料・情報の取得を研究協力機関に依頼した場合であって、研究対象者に重篤な有害事象が発生した場合には、速やかな報告を受けなければならない。

(3) 研究責任者は、侵襲を伴う研究の実施において重篤な有害事象の発生を知った場合には、速やかに、当該有害事象や研究の継続等について倫理審査委員会に意見を聴いた上で、その旨を研究機関の長に報告するとともに、(1)及び3の規定による手順書等に従い、適切な対応を図らなければならない。また、速やかに当該研究の実施に携わる研究者等に対して、当該有害事象の発生に係る情報を共有しなければならない。

(4) 研究代表者は、多機関共同研究で実施する侵襲を伴う研究の実施において重篤な有害事象の発生を知った場合には、速やかに当該研究を実施する共同研究機関の研究責任者に対して、(3)の対応を含む当該有害事象の発生に係る情報を共有しなければならない。

(5) 侵襲（軽微な侵襲を除く。）を伴う研究であって介入を行うものの実施において予測できない重篤な有害事象が発生し、当該研究との直接の因果関係が否定できない場合には、当該有害事象が発生した研究機関の研究責任者は、研究機関の長に報告した上で、速やかに、(2)及び(3)の規定による対応の状況及び結果を大臣（厚生労働大臣に限る。）に報告し、公表しなければならない。

1 第15の2の規定は、研究対象者に重篤な有害事象の発生を知った際の研究責任者が行わなければならない責務について定めたものである。

2 研究責任者は、倫理審査委員会における審査のほかに、有害事象等の評価及びそれに伴う研究の継続の適否、研究の変更について審議させるために、効果安全性評価委員会を設置することができる。

3 効果安全性評価委員会は、研究の進行、安全性データ及び重要な評価項目を適当な間隔で評価し、研究責任者に研究の継続、停止や中止、研究計画の変更を提言することを目的として、研究責任者が設置することができる。効果安全性評価委員会は、研究責任者、研究の実施に携わる者及び倫理審査委員会から独立した委員会とするため、当該研究の実施に携わる者、当該研究に関して審査を行う倫理審査委員会の委員、研究機関の長が効果安全性評価委員会の委員になることは望ましくない。

4 効果安全性評価委員会は、以下の条件を全て満たす場合に、倫理審査委員会の行う行為のうち、有害事象等の評価に伴う①研究の継続の適否及び②計画の変更について、評価を行うことができるものとし、かつ、その評価結果は倫理審査委員会の評価に代えることができるものとする。

○研究計画書に効果安全性評価委員会の構成、機能及びその手続について適切に規定されており、当該内容について倫理審査委員会の審査を受け了承を得ていること

○効果安全性評価委員会の評価結果に基づいて対応を行い、その結果も含めて当該効果安全性評価委員会から倫理審査委員会に当該評価内容について報告すること

5　⑴の規定に関して、研究責任者は第7⑴⑳の規定により、当該手順書も研究計画書と同様に、倫理審査委員会への付議等の手続を行う必要がある。特に、多機関共同研究である場合には、研究代表者が一律に倫理審査委員会への付議の手続きを行うことから、各機関からの情報の収集方法等についても当該手順書に定める必要があるため留意する必要がある。

6　⑵の規定に関して、研究責任者は研究の実施体制に研究協力機関を含む場合、当該研究協力機関において重篤な有害事象が発生した場合、適宜情報共有ができる体制を整え、遅滞なく研究責任者が把握する必要がある。

7　⑷の規定に関して、研究責任者は研究対象者の安全に悪影響を及ぼし、研究の実施に影響を与え、又は研究継続に関する倫理審査委員会の承認を変更する可能性のある情報を、研究に関与する全ての研究責任者、研究機関の長に周知し又は報告する必要がある。

8　⑷の規定に関して、多機関共同研究を実施している場合には、当該事象が発生した研究機関の研究責任者は、当該研究機関の長に報告した上で研究代表者に重篤な有害事象の発生を報告し、研究代表者又は当該事務的な手続等に従事する者等（第11の2⑹の解説参照。）を通じて他の共同研究機関の研究責任者へ連絡することでよい。ただし、その場合にはあらかじめ研究計画書に当該対応方法を記載しておく必要がある。

9　⑸の規定に関して、厚生労働大臣への報告の際の様式は、参考様式3（末尾

参考様式集）のとおりである。公表の方法については、例えば、研究実施機関において立ち上げているホームページへ掲載すること等が考えられる。

10 国外で実施される研究については、第3の3(1)に基づきこの指針に従って実施された場合は、(5)の規定に基づく報告の対象となり得る。

3 研究機関の長の対応

研究機関の長は、侵襲を伴う研究を実施しようとする場合には、あらかじめ、重篤な有害事象が発生した際に研究者等が実施すべき事項に関する手順書を作成し、当該手順書に従って適正かつ円滑に対応が行われるよう必要な措置を講じなければならない。

1 第15の3の規定は、研究対象者に重篤な有害事象が発生した際に、研究者等及び自らが適正に行動できるようあらかじめ手順を定めるなど、研究機関の長が行わなければならない責務について定めたものである。

2 「当該手順書に従って適正かつ円滑に対応が行われるよう必要な措置」には、研究が適正かつ円滑に行われるための必要な体制整備も含まれる。

第 8 章　倫理審査委員会

第 16　倫理審査委員会の設置等

> 1　倫理審査委員会の設置の要件
> 　倫理審査委員会の設置者は、次に掲げる全ての要件を満たしていなければならない。
> ①　審査に関する事務を的確に行うための能力があること
> ②　倫理審査委員会を継続的に運営する能力があること
> ③　倫理審査委員会を中立的かつ公正に運営する能力があること

1　第 16 の 1 の規定は、倫理審査委員会を設置しようとする際に、設置者に求める能力について定めたものである。

2　①の「審査に関する事務を的確に行うための能力」とは、研究責任者等からの審査依頼に対応するための事務局を設置すること及びその窓口を明確にすることや、2⑴の規定による倫理審査委員会の組織及び運営に関する規程を作成し、倫理審査に関する事務を、この指針を遵守し、円滑に行える体制を整備できることを指す。

3　②の「倫理審査委員会を継続的に運営する能力」とは、倫理審査委員会の継続的な運営に関する業務を適切に遂行するために必要な事務担当者等の人材を確保できること及び倫理審査委員会を長期にわたり定期的に開催することができる財政的基盤を有していることを指す。

4　③の「倫理審査委員会を中立的かつ公正に運営する能力」とは、第 17 の 2⑴の規定の委員が独立的な立場であって、2⑶の規定による倫理審査委員会の公表を的確に行うことを指す。また、倫理審査委員会の設置者は、審査対象となる研究に関与している者と当該倫理審査委員会の委員との利害関係についても適宜確認する必要がある。

5　倫理審査委員会の設置者は、①から③までの要件の全てを満たす場合に限り、1 つに限らず複数の倫理審査委員会を設置してもよい。
　また、事情により倫理審査委員会の設置者が倫理審査委員会の設置・運営を休止又は取りやめる場合は、他の設置者が設置した倫理審査委員会において審査が継承されるよう、当該審査を依頼した研究責任者に早急に連絡をするとともに、それまで審査を行った案件に係る記録等を求めに応じて情報提供を行う等適切な対応を図る必要がある。

6　この指針における「倫理審査委員会の設置者」は、必ずしも各種法人や学術団体等の代表者に限定するものではなく、第16の1に定める要件を満たしていれば、法人等において定められた組織規程等により明確に区分または権限の委託された組織・施設の長（例えば、学部長、研究所長、病院長など）も「倫理審査委員会の設置者」となることができる。

2　倫理審査委員会の設置者の責務

(1)　倫理審査委員会の設置者は、当該倫理審査委員会の組織及び運営に関する規程を定め、当該規程により、倫理審査委員会の委員及びその事務に従事する者に業務を行わせなければならない。

(2)　倫理審査委員会の設置者は、当該倫理審査委員会が審査を行った研究に関する審査資料を当該研究の終了が報告される日までの期間（侵襲（軽微な侵襲を除く。）を伴う研究であって介入を行うものに関する審査資料にあっては、当該研究の終了が報告された日から5年を経過した日までの期間）、適切に保管しなければならない。

(3)　倫理審査委員会の設置者は、当該倫理審査委員会の運営を開始するに当たって、倫理審査委員会の組織及び運営に関する規程並びに委員名簿を倫理審査委員会報告システムにおいて公表しなければならない。

また、倫理審査委員会の設置者は、年1回以上、当該倫理審査委員会の開催状況及び審査の概要について、当該システムにおいて公表しなければならない。ただし、審査の概要のうち、研究対象者等及びその関係者の人権又は研究者等及びその関係者の権利利益の保護のため非公開とすることが必要な内容として倫理審査委員会が判断したものについては、この限りでない。

(4)　倫理審査委員会の設置者は、当該倫理審査委員会の委員及びその事務に従事する者が審査及び関連する業務に関する教育・研修を受けることを確保するため必要な措置を講じなければならない。

(5)　倫理審査委員会の設置者は、当該倫理審査委員会の組織及び運営がこの指針に適合していることについて、大臣等が実施する調査に協力しなければならない。

1　第16の2の規定は、倫理審査委員会の設置者として倫理審査委員会を設置したときから継続して行わなければならない手続や審査の運営に係る規程の策定、審査資料の保管等、設置者の責務について定めたものである。

2　(1)の規定に関して、倫理審査委員会の設置者は新規審査とは別に、研究計画書の記載整備など内容に応じて、持ち回りにより十分な審査が可能と判断される場合について類型化し、規程にあらかじめ定めてもよい。

3　審査の運営において、テレビ会議等の双方向の円滑な意思疎通が可能な手段を用いて行うことでも良い（電話等の音声のみによる手段は除く。）。ただし、委員会に出席した場合と遜色のないシステム環境を整備するよう努めるとともに、委員長は適宜出席委員の意見の有無を確認する等、出席委員が発言しやすい進行について配慮する必要がある。

4　(1)の「倫理審査委員会の組織及び運営に関する規程」には、以下の例示する事項も含めて考慮し、倫理審査委員会の役割・責務等を果たすため、当該倫理審査委員会の運営に関する手続及び審査資料の保管等について定める必要がある。

①　委員の構成及び任期等
②　委員長の選任方法
③　全会一致が困難な場合の議決方法
④　審査資料の保管場所や保管方法等
⑤　その他運営に関する必要な事項

5　(3)の規定に関して、会議の開催状況には審査日及び開催場所のほかに、委員の出席状況、会議の審議時間等も含まれる。

6　(3)の「倫理審査委員会報告システム」は、厚生労働省のサイト https://www.mhlw.go.jp/stf/seisakunitsuite/bunya/hokabunya/kenkyujigyou/i-kenkyu/index.html において公表されている。倫理審査委員会が非公開とすることが必要な内容と判断したものは、審査の概要の当該内容に係る部分をマスキングするなどして公表する必要がある。

7　⑷の規定に関して、教育・研修は倫理審査委員会の委員及びその事務に従事する者が倫理指針等の研究に関して遵守すべき各種規則をはじめとして、研究実施の適否等について審査する際に必要な知識を習得するため、倫理審査委員会の設置者は、その審査及び関連する業務に関する教育・研修の機会を確保する必要がある。

第17　倫理審査委員会の役割・責務等

> 1　役割・責務
> ⑴　倫理審査委員会は、研究責任者から研究の実施の適否等について意見を求められたときは、この指針に基づき、倫理的観点及び科学的観点から、当該研究に係る研究機関及び研究者等の利益相反に関する情報も含めて中立的かつ公正に審査を行い、文書又は電磁的方法により意見を述べなければならない。
> ⑵　倫理審査委員会は、⑴の規定により審査を行った研究について、倫理的観点及び科学的観点から必要な調査を行い、研究責任者に対して、研究計画書の変更、研究の中止その他当該研究に関し必要な意見を述べるものとする。
> ⑶　倫理審査委員会は、⑴の規定により審査を行った研究のうち、侵襲(軽微な侵襲を除く。)を伴う研究であって介入を行うものについて、当該研究の実施の適正性及び研究結果の信頼性を確保するために必要な調査を行い、研究責任者に対して、研究計画書の変更、研究の中止その他当該研究に関し必要な意見を述べるものとする。
> ⑷　倫理審査委員会の委員、有識者及びその事務に従事する者等は、その業務上知り得た情報を正当な理由なく漏らしてはならない。その業務に従事しなくなった後も同様とする。
> ⑸　倫理審査委員会の委員及びその事務に従事する者は、⑴の規定により審査を行った研究に関連する情報の漏えい等、研究対象者等の人権を尊重する観点並びに当該研究の実施上の観点及び審査の中立性若しくは公正性の観点から重大な懸念が生じたことを知った場合には、速やかに倫理審査委員会の設置者に報告しなければならない。
> ⑹　倫理審査委員会の委員及びその事務に従事する者は、審査及び関連する業務に先立ち、倫理的観点及び科学的観点からの審査等に必要な知識を習得するための教育・研修を受けなければならない。また、その後も、適宜継続して教育・研修を受けなければならない。

1　第17の1の規定は、倫理審査委員会の審査や業務における責務や、倫理審査委員会の委員及びその事務に従事する者に求められる責務について定めたものである。

2 ⑴の規定に関して、倫理審査委員会は研究の実施の適否等を審査するに当たって、研究計画書に記載されている個人情報等の適正な取扱いや利益相反に関する状況等も含めて検討する必要がある。なお、利益相反委員会を設置している場合は、利益相反委員会の意見書等を倫理審査委員会の審査書類に添付するなど、倫理審査委員会及び当該利益相反委員会との間で連携協力を図ることが望ましい。

3 ⑴の規定に関して、倫理審査委員会は審査する研究内容により、他に審査に必要な資料（研究機関の実施体制に関する資料や使用する医薬品の概要書等）がある場合には、追加資料の提出を求めることができる。

4 ⑴の規定に関して、倫理審査委員会の審査結果の類型としては、「承認」、「不承認」のほかに、「継続審査」、「停止（研究の継続には更なる説明が必要）」、「中止（研究の継続は適当でない）」等が考えられる。この場合、「修正の上、承認」等の審査結果が不明確なものは望ましくない。

5 ⑴の規定における審査を行い、意見を述べた際、倫理審査委員会は当該審査の過程がわかる記録や委員の出欠状況がわかるものも同時に研究責任（代表）者に渡す必要がある。特に、多機関共同研究の一括審査を行う場合においては、当該意見等をもって各研究機関において、研究の実施の許可を受ける必要があるため、早急な対応が必要となることに留意する必要がある。

6 ⑵の「倫理的観点及び科学的観点から必要な調査」は、当該倫理審査委員会が過去に審査を行った研究について、研究対象者の人権の保護や福利への配慮の観点から、また研究対象者に期待される利益と予期される危険の総合的評価が変わり得るような事実の有無の観点から調査が必要と判断された場合に行うことができる。

7 ⑶の「研究の実施の適正性及び研究結果の信頼性を確保するために必要な調査」は、当該倫理審査委員会が過去に審査を行った研究について、研究内容のねつ造や改ざんといった事実の有無の観点から調査が必要と判断された場合に行うことができる。

8　(2)及び(3)の規定により、倫理審査委員会が実施する調査は、いずれも当該倫理審査委員会が必要と判断した場合に、調査目的を明確にした上で行う。

9　(4)の「有識者及びその事務に従事する者等」の「等」とは、例えば特別な配慮を必要とする者を研究対象者とした場合に、意見を述べることができる識見を有する者などをいう。

10　(6)の規定に関して、教育・研修の内容は倫理指針等の研究に関して遵守すべき各種規則をはじめとして、研究実施の適否等について審査する際に必要な知識を習得する必要がある。教育・研修の方法として、倫理審査委員会の設置者が開催する研修会に限らず、外部機関で開催されている研修会、e-learning等も含まれる。

11　(6)の「適宜継続」は、少なくとも年に1回程度は教育・研修を受けることが望ましい。

2　構成及び会議の成立要件等

(1)　倫理審査委員会の構成は、研究計画書の審査等の業務を適切に実施できるよう、次に掲げる全ての要件を満たさなければならず、①から③までに掲げる者については、それぞれ他を同時に兼ねることはできない。会議の成立についても同様の要件とする。

①　医学・医療の専門家等、自然科学の有識者が含まれていること

②　倫理学・法律学の専門家等、人文・社会科学の有識者が含まれていること

③　研究対象者の観点も含めて一般の立場から意見を述べることのできる者が含まれていること

④　倫理審査委員会の設置者の所属機関に所属しない者が複数含まれていること

⑤　男女両性で構成されていること

⑥　5名以上であること

(2)　審査の対象となる研究の実施に携わる研究者等は、倫理審査委員会の審議及び意見の決定に同席してはならない。ただし、当該倫理審査委員

会の求めに応じて、その会議に出席し、当該研究に関する説明を行うことはできる。
(3) 審査を依頼した研究責任者は、倫理審査委員会の審議及び意見の決定に参加してはならない。ただし、倫理審査委員会における当該審査の内容を把握するために必要な場合には、当該倫理審査委員会の同意を得た上で、その会議に同席することができる。
(4) 倫理審査委員会は、審査の対象、内容等に応じて有識者に意見を求めることができる。
(5) 倫理審査委員会は、特別な配慮を必要とする者を研究対象者とする研究計画書の審査を行い、意見を述べる際は、必要に応じてこれらの者について識見を有する者に意見を求めなければならない。
(6) 倫理審査委員会の意見は、全会一致をもって決定するよう努めなければならない。

1 第17の2の規定は、倫理審査委員会のあるべき構成や研究の性質によって審査する際に求めるべき内容について定めたものである。

2 (1)の規定に関して、単にその委員の有する専門性だけでなく、異なる立場の委員による十分な議論の上で合意を形成し、公正かつバランスのとれた審議結果となることが倫理審査委員会に期待される。また、①から④までがどの委員に該当するかを明確にする必要がある。

3 (1)の規定に関して、委員が複数の倫理審査委員会の委員を兼務してもよい。

4 (1)②の「倫理学・法律学の専門家等、人文・社会科学の有識者」における倫理学・法律学の専門家とは、倫理学又は法律学に関する専門的知識に基づいて、大学等において教育又は研究に従事している者、また、弁護士又は司法書士等として業務に従事している者が含まれる。

5 (1)③の「研究対象者の観点も含めて一般の立場」は、生命科学・医学系研究に関する知識を十分に有しているとは限らない研究対象者の視点から、研究の内容を踏まえた同意説明文書等の内容が一般的に理解できる内容であるか等、客観的な意見が言える立場であることを指す。

6　(1)④の「倫理審査委員会の設置者の所属機関に所属しない者」(以下「外部委員」という。)に関して、例えば、附属病院を有する大学において、病院長や医学部長が「倫理審査委員会の設置者」となっている場合は、その「倫理審査委員会の設置者の所属機関」はそれぞれ当該病院、医学部であり、その大学で当該病院、医学部に所属しない教員・職員であって、それら機関と業務上の関係がない者であれば外部委員としてよい。

7　(1)に関して、研究毎に取り扱う情報によって、適切なインフォームド・コンセントの手続きについて意見を述べられるような委員を構成する必要がある。

8　(2)及び(3)の規定に関して、倫理審査委員会は研究の妥当性について当該研究を実施する研究責任者に対して、中立的かつ公正に意見を述べるための組織であることから、当該研究に関与する立場の者である当該研究を実施する当事者や関係者、当該研究機関の長(その権限又は事務の委任を受けた者を含む。)が委員として参画することは適当ではない。したがって、倫理審査委員会の設置者は、倫理審査委員会の設置・運営に当たって、審査する研究に関与する立場の当該研究機関の長や当該研究を実施する当事者等が委員として参画することのないように人選、審査時の退席等の配慮をする必要がある。

9　(5)の「特別な配慮を必要とする者」の考え方については、第1の「目的及び基本方針」の基本方針⑥に関する解説を参照するとともに、これらの者を研究対象者とする場合には、特に慎重な配慮を払う必要がある。

倫理審査委員会は、これらの者を研究対象者とする研究計画を審査する場合には、その審査時又は審査前に、必要性に応じてこれらの者及び研究に係る知識を十分に有している者に意見を求め、その協力を得ることが望ましい。なお、委員に該当する識見を有する者がいない場合には、事前に書面で意見を求めてもよい。

10　(6)の規定に関して、「全会一致」が困難な場合には、審議を尽くしても意見が取りまとまらない場合に限り、全会一致ではない議決によることができる。また、全会一致によらずに議決する場合にあっても、過半数による議決は不可であり、出席委員の大多数の意見をもって、当該倫理審査委員会の意見とすることができる。倫理審査委員会の設置者は、採決における要件についてもあらかじめ規程に定める必要がある。

3　迅速審査等

⑴　倫理審査委員会は、次に掲げるいずれかの審査に該当する場合、当該倫理審査委員会が指名する委員による審査（以下「迅速審査」という。）を行い、意見を述べることができる。迅速審査の結果は倫理審査委員会の意見として取り扱うものとし、当該審査結果は全ての委員に報告されなければならない。

①　多機関共同研究であって、既に当該研究の全体について第6の2⑸に規定する倫理審査委員会の審査を受け、その実施について適当である旨の意見を得ている場合の審査

②　研究計画書の軽微な変更に関する審査

③　侵襲を伴わない研究であって介入を行わないものに関する審査

④　軽微な侵襲を伴う研究であって介入を行わないものに関する審査

⑵　倫理審査委員会は、⑴②に該当する事項のうち、委員会が事前に確認のみで良いと認めたものについて、第16の2⑴に定める規程にあらかじめ具体的にその内容と運用等を定めることで、報告事項として取り扱うことができる。

1　第17の3の規定は、審査の類型の1つとして迅速審査でも可能なものについて示したものである。また、迅速審査の場合の報告について定めたものである。

2　倫理審査委員会の設置者は、迅速審査を実施する場合には、あらかじめ第16の2⑴の規定による倫理審査委員会の運営に係る規程において、迅速審査の適用範囲、審査方法等実施手順についても定める必要がある。

3　迅速審査について、倫理審査委員会が指名する委員は1名に限らず数名を選出し、研究分野に応じて異なる委員を選出してもよい。

4　迅速審査を担当する者は、審査の対象となる研究が、この指針及び倫理審査委員会の設置者が規定するものに照らして、迅速審査では困難と判断した場合には、改めて倫理審査委員会における審査を求めることができる。

5　迅速審査の結果の報告を受けた委員は、委員長に対し、理由を付した上で、当該事項について、改めて倫理審査委員会における審査を求めることができる。この場合において、委員長は、相当の理由があると認めるときは、倫理審査委員会を速やかに開催し、当該事項について審査する必要がある。

6　①の規定に関して、迅速審査を行う場合であっても通常の審査を行う場合であっても、倫理審査委員会の責任に変わりはない。適切に審査が行われるためには、必要な情報を基に評価することが求められる。迅速審査を行う場合は、倫理審査委員会が研究の全体について適当である旨の意見を示した事実とその審査経緯等も含めて確認することが適当である。

7　②の「研究計画書の軽微な変更」とは、研究の実施に影響を与えない範囲で、研究対象者への負担やリスクが増大しない変更を指す。例えば、研究計画書の内容の変更を伴わない誤記における記載整備等が考えられるが、倫理審査委員会の設置者は迅速審査が可能である項目について、あらかじめ、倫理審査委員会の運営に係る規程に定めておく必要がある。

8　(2)の規定に関して、(1)②の「研究計画書の軽微な変更」うち、報告事項として挙げられるものを第16の2(1)に示す倫理審査委員会の運営に関する規程に定めておく必要がある。例えば、研究責任者の職名変更、研究者の氏名変更等、明らかに審議の対象にならないものが考えられる。

4　他の研究機関が実施する研究に関する審査

(1)　研究責任者が、自らの研究機関以外に設置された倫理審査委員会に審査を依頼する場合には、当該倫理審査委員会は、研究の実施体制について十分把握した上で審査を行い、意見を述べなければならない。

(2)　倫理審査委員会は、他の研究機関が実施する研究について審査を行った後、継続して当該研究責任者から当該研究に関する審査を依頼された場合には、審査を行い、意見を述べなければならない。

1　第17の4の規定は、外部の研究機関で実施する研究の審査を受託する際の責務について定めたものである。

2 ⑴の規定に関して、倫理審査委員会は他の研究機関が実施する研究について審査する場合は、当該研究機関の研究における事務局体制や研究の実施に際して必要と考えられる体制等についても考慮し、審査する必要がある。また、研究責任者が、自らの研究機関以外の倫理審査委員会に審査を依頼する場合は、審査を依頼する倫理審査委員会の手順書等の規程を十分把握した上で依頼する必要がある。

3 ⑵の「継続して当該研究責任者から当該研究に関する審査を依頼された場合」とは、重篤な有害事象の発生等研究の停止や中止、研究計画書の変更等について意見を求められた場合等を指す。

第 9 章　個人情報等、試料及び死者の試料・情報に係る基本的責務

第 18　個人情報の保護等

> 1　個人情報等の取扱い
>
> 研究者等及び研究機関の長は、個人情報の不適正な取得及び利用の禁止、正確性の確保等、安全管理措置、漏えい等の報告、開示等請求への対応などを含め、個人情報等の取扱いに関して、この指針の規定のほか、個人情報保護法に規定する個人情報取扱事業者や行政機関等に適用される規律、条例等を遵守しなければならない。
>
> 2　試料の取扱い
>
> 研究者等及び研究機関の長は、試料の取扱いに関して、この指針の規定を遵守するほか、個人情報保護法、条例等の規定に準じて、必要かつ適切な措置を講ずるよう努めなければならない。
>
> 3　死者の試料・情報の取扱い
>
> 研究者等及び研究機関の長は、死者の尊厳及び遺族等の感情に鑑み、死者について特定の個人を識別することができる試料・情報に関しても、この指針の規定のほか、個人情報保護法、条例等の規定に準じて適切に取り扱い、必要かつ適切な措置を講ずるよう努めなければならない。

1　第 18 の規定は、個人情報等の取扱いに関して適用を受ける法令の規定の遵守、また、試料及び死者について特定の個人を識別することができる試料・情報に係るこの指針の適用について定めたものである。

2　第 18 の 1 で掲げている個人情報等の取扱いに関し、個人情報保護法においては、概ね以下の内容が規定されている。これらに関しては、個人情報の保護に関する法律についてのガイドライン（通則編）を参照。

①　個人情報の取得・利用・提供に際してのルール

②　適正・安全な管理（正確性の確保、安全管理措置、従業者・委託先の監督等）

③　本人関与の仕組み（利用目的の通知、開示、訂正等、利用停止等）

④　苦情の処理の仕組み（苦情処理窓口の設置等）

⑤　仮名加工情報・匿名加工情報の作成・利用・提供に際してのルール

⑥　個人情報の漏えい等事案が発生した場合の対応（個人情報保護委員会への報告、本人への通知等）

⑦　実効性担保の仕組み（個人情報保護委員会による報告の徴収・助言、勧告・命令等）

3　第18の1の「行政機関等に適用される規律」に関し、行政機関等匿名加工情報の提供等に当たっては、個人情報保護法第5章第5節、個人情報の保護に関する法律についてのガイドライン（行政機関等編）、個人情報の保護に関する法律についての事務対応ガイド（行政機関等向け）及び個人情報の保護に関する法律についてのQ&A（行政機関等編）等を参照。

4　下表のとおり、以下の法人における個人情報、仮名加工情報又は個人関連情報の取扱いについては、基本的に民間部門における個人情報、仮名加工情報又は個人関連情報の取扱いに係る規律が適用される（ただし、個人情報保護法第5章の規律のうち、個人情報ファイル、開示等及び匿名加工情報に関する規律については、行政機関等に係る規律が適用される（個人情報保護法第58条第1項並びに第125条第2項及び第3項））。

○個人情報保護法別表第2に掲げる法人

○地方独立行政法人のうち試験研究を行うこと等を主たる目的とするもの、大学等の設置及び管理等を目的とするもの並びに病院事業の経営を目的とするもの

また、地方公共団体の機関及び独立行政法人労働者健康安全機構は「行政機関等」に該当するものの、これらの者が行う以下の業務における個人情報、仮名加工情報又は個人関連情報の取扱いについては、民間部門における個人情報、仮名加工情報又は個人関連情報の取扱いに係る規律が適用される（個人情報保護法第58条第2項並びに第125条第1項及び第3項）。

○地方公共団体の機関が行う業務のうち病院及び診療所並びに大学の運営の業務（個人情報保護法第58条第2項第1号）

○独立行政法人労働者健康安全機構が行う病院の運営の業務（同項第2号）

<table>
<tr><th></th><th>個人情報等の取扱い等に関する規律</th><th>個人情報ファイル簿に関する規律</th><th>開示・訂正・利用停止等に関する規律</th><th>匿名加工情報に関する規律</th></tr>
<tr><td>国の行政機関</td><td>公的部門の規律
（第5章第2節）</td><td>公的部門の規律
（第5章第3節）</td><td rowspan="7">公的部門の規律
（第5章第4節）</td><td rowspan="7">公的部門の規律
（第5章第5節）</td></tr>
<tr><td>独立行政法人等</td><td>公的部門の規律
（第5章第2節）</td><td rowspan="6">公的部門の規律
（第5章第3節）
※第75条のみ</td></tr>
<tr><td>別表第二に掲げる法人及び（独）労働者健康安全機構 ※1</td><td>民間部門の規律
（第4章）※2</td></tr>
<tr><td>地方公共団体の機関</td><td>公的部門の規律
（第5章第2節）</td></tr>
<tr><td>病院、診療所、及び大学の運営の業務</td><td>民間部門の規律
（第4章）※2</td></tr>
<tr><td>地方独立行政法人</td><td>公的部門の規律
（第5章第2節）</td></tr>
<tr><td>試験研究等を主たる目的とするもの、大学等の設置・管理及び病院事業の経営を目的とするもの</td><td>民間部門の規律
（第4章）※2</td></tr>
</table>

※1　独立行政法人労働者健康安全機構については、病院の運営の業務に限る。
※2　保有個人データに関する事項の公表等（第32条）並びに開示、訂正等及び利用停止等（第33条～第39条）に関する規定及び民間の事業者である匿名加工情報取扱事業者等の義務（第4節）に関する規定は適用されない。また、法令に基づき行う業務であって政令で定めるものを行う場合における個人情報の取扱いについては、民間部門の規律に加えて、行政機関等に対する規律が準用される。

5　個人情報保護法上、大学の自治を始めとする学術研究機関等の自律性を尊重する観点から、学術研究機関等が、個人情報を利用した研究の適正な実施のための自主規範を単独又は共同して策定・公表した場合であって、当該自主規範の内容が個人の権利利益の保護の観点から適切であり、その取扱いが当該自主規範に則っているときは、個人情報保護法第149条第1項の趣旨を踏まえ、個人情報保護委員会は、これを尊重するものとされている（個人情報保護法ガイドライン（通則編）を参照。）。「学術研究機関等」に該当する各研究機関においては、この指針の規定を参照し、人を対象とする生命・医学系研究における個人情報等の適正な取扱いに関する規程を、上記自主規範の一部として作成することが想定される。

6　人を対象とする生命科学・医学系研究では、生存する個人だけでなく死者を研究対象者とすることもあり、また、「医療・介護関係事業者における個人情報の適切な取扱いのためのガイダンス」(平成29年4月14日個情第534号、医政発0414第6号、薬生発0414第1号、老発0414第1号個人情報保護委員会事務局長・厚生労働省医政局長・医薬・生活衛生局長・老健局長通知) や「診療情報の提供等に関する指針」(平成15年9月12日医政発第0912001号厚生労働省医政局長通知) では、患者・利用者が死去した後も同等の安全管理措置を講ずることや、遺族に対して診療情報を提供することを規定していることを踏まえ、この指針における死者の試料・情報の取扱いを第18の3に定めている。

7　死者に係る情報については、遺族等の生存する個人に関する情報でもある場合を除き、個人情報保護法上の規制の対象ではない。もっとも、この指針においては、死者の情報の開示、利用停止について、研究対象者本人の生前の意思、名誉等を十分に尊重するものとした上で、その請求を行い得る者は、当該死者の情報が生存する個人に関する情報でもある場合の当該個人に加え、研究対象者の配偶者、子、父母及びこれに準ずる者とし、また、開示・利用停止に係る手続は、個人情報保護法等の規定に準ずる。

8　研究対象者が研究を実施された後に死去した場合や、死者を研究対象者とした場合などは、第18の3の規定が適用されることに留意する必要がある。

なお、ある情報が同時に複数の個人に関する情報となっていることがあり、死者に関する情報が同時に遺族等の生存する個人に関する情報でもある場合には、当該生存する個人に係る「個人情報」として、その本人等に対して第18の1の規定により対応する必要がある。

＜参考＞個人情報の保護に関する法令

個人情報保護委員会HP（https://www.ppc.go.jp/personalinfo/legal）において、下記の文書が公表されている。

○個人情報の保護に関する法律（平成15年5月30日法律第57号）
○個人情報の保護に関する法律施行令（平成15年12月10日政令第507号）
○個人情報の保護に関する法律施行規則（平成28年10月5日個人情報保護委員会規則第3号）
○個人情報の保護に関する法律に係るEU及び英国域内から十分性認定により移転を受けた個人データの取扱いに関する補完的ルール（令和4年4月個人情報保護委員会）
○個人情報の保護に関する法律についてのガイドライン
- 通則編（平成28年11月個人情報保護委員会）
- 外国にある第三者への提供編（平成28年11月個人情報保護委員会）
- 第三者提供時の確認・記録義務編（平成28年11月個人情報保護委員会）
- 仮名加工情報・匿名加工情報編（平成28年11月個人情報保護委員会）
- 認定個人情報保護団体編（令和3年8月個人情報保護委員会）
- 行政機関等編（令和4年1月個人情報保護委員会）

○「個人情報の保護に関する法律についてのガイドライン」に関するQ&A（平成29年2月16日個人情報保護委員会）
○個人の権利利益を保護する上で我が国と同等の水準にあると認められる個人情報の保護に関する制度を有している外国等（平成31年個人情報保護委員会告示第1号）
○個人情報の保護に関する法律についての事務対応ガイド（行政機関等向け）（令和4年2月個人情報保護委員会事務局）
○個人情報の保護に関する法律についてのQ&A（行政機関等編）（令和4年2月個人情報保護委員会事務局）
○仮名加工情報・匿名加工情報　信頼ある個人情報の利活用に向けて―制度編―（平成29年2月個人情報保護委員会）
○仮名加工情報・匿名加工情報　信頼ある個人情報の利活用に向けて―事例編―（平成29年2月個人情報保護委員会）

（参考様式１－１）

年　　月　　日

他の研究機関への試料・情報の提供に関する（申請・報告）書

（提供元の機関の長の氏名）　殿

報　告　者　所属組織:
職　　名:
氏　　名:

当機関における「人を対象とした生命科学・医学系研究の実施に関する規程」に基づき、当機関で保有する試料・情報を、他の研究機関へ（第三者提供・共同利用に伴う提供）をいたしますので、指針第８の１⑴⑶の規定への適合性について、以下のとおり（申請・報告）します。

添付資料
□　提供先の機関における研究計画書
□　提供先の機関における倫理審査委員会承認の証書
□　その他（　　　　）

1．研究に関する事項	
研究課題	
研究代表者	**氏名：** **所属研究機関：**
研究計画書に記載のある予定研究期間	年　　月　　日 ～　　年　　月　　日
提供する試料・情報の項目	どのような試料・情報を提供したかが分かるように必要な範囲で記載 （例：検査データ、診療記録、血液、毛髪　等） □ 試料　□ 要配慮個人情報　□ 個人関連情報　□ その他　　を含む
提供する試料・情報の取得の経緯	当該試料・情報が適正な手続により取得されたものであることを必要な範囲で記載 （例：診療の過程で取得された、○○研究を実施する過程で取得された　等）
研究対象者の情報 ✧ 匿名加工情報・個人関連情報の提供、仮名加工情報の共同利用に伴う提供の場合は不要	誰の試料・情報を提供したかが分かるように記載 （例：氏名、研究用ＩＤ）
提供方法	
提供先の機関 ○ 共同研究機関の名称・各研究機関の研究責任者を含む	**研究機関の名称：** **責任者の職名：** **責任者の氏名：**

2．確認事項	
研究対象者等の同意の取得状況等 ✧ 研究対象者等ごとに、提供に関するインフォームド・コンセント又は適切な同意を受けている旨がわかるように記載	□ インフォームド・コンセントを受けている✧ （□文書　□口頭　□電磁的記録） □ 適切な同意を受けている✧ □ 簡略化による場合 □ オプトアウトによる場合 （通知等の方法（例：通知、書面掲示（掲示場所）、ウェブページへの掲載（URL）等）：　） □ 上記手続が不要な場合 □ 特定の個人を識別することができない試料（提供先において個人情報が取得されることがない場合に限る。）を提供する場合 □ 匿名加工情報を提供する場合 □ 個人関連情報（提供先が個人関連情報を個人情報として取得することが想定されない場合に限る。）を提供する場合 □ 委託・共同利用に伴い提供する場合
加工の方法、削除した情報の有無	いわゆる対応表の有無や管理者等の情報を記載する。 □ あり（管理者：　）（管理部署：　） □ なし
試料・情報の提供に関する記録の作成・保管方法	□ この申請書を記録として保管する （管理者：　）（管理部署：　） □ 別途書式を提供先の機関に送付し、提供先の機関で記録を保管する □ その他（　）

◆　（機関管理用）	
倫理審査委員会における審査	□ 不要 □ 要（承認日：　年　月　日）
提供の可否	□ 研究機関の長の許可（　年　月　日） □ 研究協力機関の長への報告（　年　月　日） □ 既存試料・情報の提供のみを行う機関の長への報告 （第８の１⑷イに規定する場合に限る。） （　年　月　日） □ 既存試料・情報の提供のみを行う機関の長の許可 （第８の１⑷ウに規定する場合に限る。） （　年　月　日） □ 不許可（　年　月　日）

（参考様式１－２）

年　　月　　日

日本国外にある機関への試料・情報の提供に関する（申請・報告）書

（提供元の機関の長の氏名）　殿

報　告　者　所属組織:
職　　名:
氏　　名:

当機関における「人を対象とした生命科学・医学系研究の実施に関する規程」に基づき、当機関で保有する試料・情報を日本国外にある〔研究機関へ提供・機関へ委託に伴う提供〕をいたしますので、参考様式１－１に加え、指針第８の１(6)の規定への適合性について、以下のとおり〔申請・報告〕します。

内容	詳細
日本国外にある者へ試料・情報を提供することについての研究対象者等の同意の取得状況等	□ 情報提供※1を行った上で、インフォームド・コンセント又は適切な同意を受けている場合 □ 手続を簡略化し、情報提供※1を行う場合 □ 情報提供※1を行った上で、オプトアウトによる場合 （通知等の方法（例：通知、書面掲示（掲示場所）、ウェブページへの掲載（URL）等）:　　　　　　　） □ 上記手続が不要な場合 　□ 第三者が、我が国と同等の水準にあると認められる個人情報保護制度を有している国として個人情報保護法施行規則で定める国※2にある場合 　□ 第三者が、個人情報保護法施行規則第 16 条に定める基準に適合する体制を整備している場合 　□ 特定の個人を識別することができない試料（提供先において個人情報が取得されることがない場合に限る。）を提供する場合 　□ 匿名加工情報を提供する場合 　□ 個人関連情報（提供先が個人関連情報を個人情報として取得することが想定されない場合に限る。）を提供する場合
提供先の国名	

※１ ①　当該外国の名称
　　②　適切かつ合理的な方法により得られた当該外国における個人情報の保護に関する制度に関する情報
　　③　当該者が講ずる個人情報の保護のための措置に関する情報

※２ 「個人情報保護法施行規則で定める国」は、EU 及び英国をいう。

（参考様式２）

年　　月　　日

他の研究機関への試料・情報の提供に関する報告書

提供先の研究機関の長　殿

提供元の機関　　名　称：
住　所：
機関の長　氏　名：
責任者　　職　名：
氏　名：
提供先の研究機関　名　称：
研究責任者　氏　名：

研究課題「○○○○」のため、研究に用いる試料・情報を貴機関へ（第三者提供・共同利用に伴う提供）をいたします。内容は以下のとおりです。

内容	詳細
提供する試料・情報の項目	どのような試料・情報の提供を受けたかが分かるように必要な範囲で記載 （例：検査データ、診療記録、血液、毛髪 等）
取得の経緯	当該試料・情報が適正な手続により取得されたものであるかについて確認した内容 （例：診療の過程で得られた試料の残余検体　等）
研究対象者の情報 ✧ 匿名加工情報・個人関連情報の提供、仮名加工情報の共同利用に伴う提供の場合は不要	誰の試料・情報を提供したかが分かるように記載※ （例：氏名、研究用ＩＤ）
同意の取得状況	□あり（方法：　　　　　） □なし
加工の方法、削除した情報の有無	□あり（対応表の作成の有無　□あり　□なし　） □なし

※　提供先は、個人関連情報を個人情報として取得した場合には、研究対象者の情報を別途記録することが必要となる。

以上

（参考様式３）

E-mail：ethics@mhlw.go.jp

予測できない重篤な有害事象報告

令和　年　月　日

厚生労働大臣 殿

以下の研究に関連する予測できない重篤な有害事象について、下記のとおり報告する。

1. 研究機関情報

(1) 研究機関名・その長の職名及び氏名：

(2) 研究責任者名：

(3) 研究課題名：

(4) 研究登録 ID：

（※あらかじめ登録した研究計画公開データベースより付与された登録 ID 等、研究を特定するための固有な番号等を記載する。当該研究に係る報告は、関係する全ての研究機関において同じ番号を用いること。）

(5) 連絡先：　TEL：　FAX：

e-mail：

2. 報告内容

(1) 発生機関：□自機関　□他の機関（機関名：　）

(2) 重篤な有害事象名・経過

（発生日、重篤と判断した理由、侵襲・介入の内容と因果関係、経過、転帰等を簡潔に記入）

(3) 重篤な有害事象に対する措置

（新規登録の中断、説明同意文書の改訂、他の研究対象者への再同意等）

(4) 倫理審査委員会における審査日、審査内容の概要、結果、必要な措置等

(5) 共同研究機関への周知等：

共同研究機関　□無　□有（総機関数（自機関含む）　機関）

当該情報周知の有無　□無　□有

周知の方法：

(6) 結果の公表

（公表されている又はされる予定の URL 等）

以上

人を対象とする生命科学・医学系研究に関する 倫理指針説明資料

※原文ママで掲載

人を対象とする生命科学・医学系研究に関する倫理指針について

（策定経緯及び医学系指針及びゲノム指針からの主な変更点）

令和３年４月

文部科学省　研究振興局ライフサイエンス課生命倫理・安全対策室
厚生労働省　大臣官房厚生科学課、医政局研究開発振興課
経済産業省　商務・サービスグループ生物化学産業課

人を対象とする医学系研究に関する倫理指針／ヒトゲノム・遺伝子解析研究に関する倫理指針の策定経緯等について

疫学研究に関する倫理指針

○ 平成14年6月　策定

○ 平成16年12月　全部改正
<改正点>
・ 個人情報の保護に関する措置　等

○平成19年8月　全部改正
<改正点>
・ 疫学研究を指導する者の指導･監督義務の追加　等

臨床研究に関する倫理指針

○ 平成15年7月　策定

○ 平成16年12月　全部改正
<改正点>
・ 個人情報の保護に関する措置　等

○ 平成20年7月　全部改正
<改正点>
・ 倫理審査委員会に関する規定追加
・ 健康被害に対する補償規定追加
等

人を対象とする医学系研究に関する倫理指針

○ 平成26年12月　策定
<改正点>
・「疫学研究に関する倫理指針」及び「臨床研究に関する倫理指針」を統合

○ 平成29年2月　一部改正
<改正点>
・ 個人情報保護法等の改正に伴う見直し

ヒトゲノム･遺伝子解析研究に関する倫理指針

○ 平成13年3月　策定

○ 平成16年12月　全部改正
<改正点>
・ 個人情報の保護に関する措置　等

○ 平成25年2月　全部改正
<改正点>
・ 匿名化に関する規定の見直し　等

○ 平成29年2月　一部改正
<改正点>
・ 個人情報保護法等の改正に伴う見直し

平成29年の個人情報保護法改正に伴う見直しにおいて抽出された中長期的課題

○「人を対象とする医学系研究に関する倫理指針」と「ヒトゲノム・遺伝子解析研究に関する倫理指針」の統合、指針間整合等に関する意見

・医学系指針の中にゲノム指針の章を作る等、統合した方が研究者にとって使用しやすい指針となるのではないか。
・医学系指針とゲノム指針で必ずしも同じ記載や内容となっていないものについて、検討を行った上で、整合を図る必要があるのではないか。
・ゲノム指針の細則及びQ＆Aを廃止し、医学系指針と同様、ガイダンスを作成した方が良いのではないか。

など

○ 倫理的・社会的観点等に関する意見

・遺伝情報の提供者等に対する苦情・相談窓口を充実する必要があるのではないか。
・家族や地域に影響が及ぶ遺伝情報に関する同意の取り方について検討が必要ではないか。
・倫理審査委員会及び研究機関の長が下した判断の妥当性について評価する必要があるのではないか。

など

医学系研究等に係る倫理指針の見直しに関する合同会議

○文部科学省、厚生労働省、経済産業省の専門委員会による合同会議において、ゲノム指針、医学系指針の見直しを検討開始。

● 文部科学省　科学技術・学術審議会生命倫理・安全部会
ゲノム指針及び医学系指針の見直しに関する専門委員会

● 厚生労働省　厚生科学審議会科学技術部会
ヒトゲノム・遺伝子解析研究倫理指針に関する専門委員会

● 経済産業省　産業構造審議会商務流通情報分科会バイオ小委員会
個人遺伝情報保護ＷＧ

○平成30年８月９日、第１回合同会議開催。合同会議のもとに、タスク・フォースを設置して詳細な検討を実施。

人を対象とする生命科学・医学系研究に関する倫理指針
（令和３年文部科学省・厚生労働省・経済産業省告示第1号）

背景・経緯

○「人を対象とする医学系研究に関する倫理指針（医学系指針）」及び「ヒトゲノム・遺伝子解析研究に関する倫理指針（ゲノム指針）」（以下「両指針」）は、ともに必要に応じ又は施行後5年を目途として、見直しを行うこととされていた。
○このため、平成30年8月から、指針を所管する文部科学省、厚生労働省及び経済産業省で両指針の見直しに関する合同会議を設置し、更なる制度改善に向けた検討が行われ、令和2年1月に見直しに関する取りまとめを作成、公表。
○同取りまとめでは、両指針で共通して規定されている項目の整合性について検討の結果、留意点を考慮した上で、両指針を統合することが可能とされたことを受けて、新たに「人を対象とする生命科学・医学系研究に関する倫理指針」として両指針を統合。
○指針の改正にかかる意見公募等の手続きを経て、令和３年３月23日に新たな指針を告示。

統合
医学系指針　ゲノム指針
人を対象とする医学系研究を対象
ヒトゲノム・遺伝子解析研究を対象

統合指針の概要（両指針からの主な変更点）

○用語の定義
・人を対象とする生命科学・医学系研究（新設）
・研究協力機関（新設）
・多機関共同研究（新設）
・研究者等（変更）
・研究代表者（新設）
・遺伝カウンセリング（変更）

○研究者等の基本的責務
・研究対象者等への配慮として、地域住民等を対象とする研究実施の場合の研究内容・意義について説明・理解を得るよう努めなければならないことを規定（変更）

○研究計画書に関する手続
・多機関共同研究を実施する場合の研究代表者の選任等にかかる規定（新設）
・研究代表者は、多機関共同研究にかかる研究計画書について、原則として一つの倫理審査委員会による一括した審査を求めなければならない旨を規定（新設）

○インフォームド・コンセント（IC）
・ICを受ける手続きとして、これまで混在していた①試料・情報の提供を行う場合と、②提供を受ける場合の手続きを分けて規定（変更）
・インフォームド・コンセントを受ける際、電磁的方法を用いることが可能である旨とその際留意すべき事項について明記（新設）

【電磁的方法によるICとは】
①デジタルデバイスを用いた説明・同意の取得

②ネットワークを介した説明・同意の取得

○研究により得られた結果等の取扱い
・研究者等は、研究により得られる結果等の特性を踏まえ、研究対象者への説明方針を定め、ICを受ける際はその方針を説明、理解を得なければならないことを規定（変更）

○倫理審査委員会
・研究計画書の軽微な変更のうち、倫理審査委員会が認めたものは、報告事項として取り扱うことができることを規定（新設）

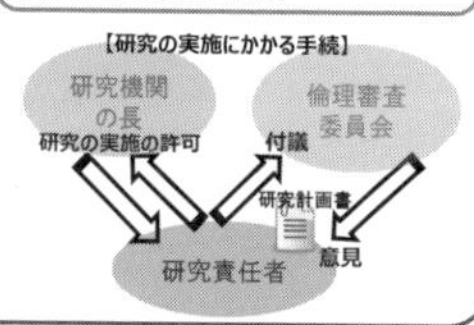

医学系指針とゲノム指針との整合

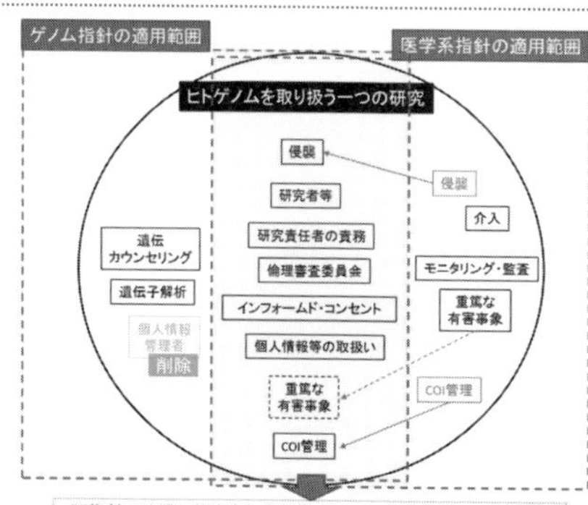

第1回タスク・フォース（平成30年10月29日開催）資料1より抜粋　一部改訂

- 両指針で共通に規定される項目については、記載の共通化が可能である
- ゲノム指針特有の規定項目の中に、医学系研究にも当てはまる考え方がある

などの理由から、医学系指針の規定内容を基本として、両指針を統合し、新たな指針を策定する方針とした。

統合

指針名称：
「人を対象とする生命科学・医学系研究に関する倫理指針」（生命・医学系指針）

生命・医学系指針策定に係るポイント①

指針の構成

目次

総論

前文
第１章 総則
第１ 目的及び基本方針
第２ 用語の定義
第３ 適用範囲

責務

第２章 研究者等の責務等
第４ 研究者等の基本的責務
第５ 研究機関の長の責務等

手続き

第３章 研究の適正な実施等
第６ 研究計画書に関する手続
第７ 研究計画書の記載事項

第４章 インフォームド・コンセント等
第８ インフォームド・コンセントを受ける手続等
第９ 代諾者等からインフォームド・コンセントを受ける場合の手続等

第５章 研究により得られた結果等の取扱い
第10 研究により得られた結果等の説明

第６章 研究の信頼性確保
第11 研究に係る適切な対応と報告
第12 利益相反の管理
第13 研究に係る試料及び情報等の保管
第14 モニタリング及び監査

第７章 重篤な有害事象への対応
第15 重篤な有害事象への対応

第８章 倫理審査委員会
第16 倫理審査委員会の設置等
第17 倫理審査委員会の役割・責務等

第９章 個人情報等及び匿名加工情報
第18 個人情報等に係る基本的責務
第19 安全管理
第20 保有する個人情報の開示等
第21 匿名加工情報の取扱い

第１章	総論的な指針の概念や、用語の定義などを規定
第２章	研究を実施する上で遵守すべき責務や考え方を規定
第３～７章	研究者等が研究を実施する上で行う具体的手続等を規定
第８章	倫理審査委員会に関する規定
第９章	個人情報等及び匿名加工情報の取扱い等に関する規定

生命・医学系指針策定に係るポイント②

担当者別規定から行為別規定へ

<例>
医学系指針 第２章 研究者等の責務等 第４ 研究者等の基本的責務

1 研究対象者等への配慮
(1) 研究者等は、研究対象者の生命、健康及び人権を尊重して、研究を実施しなければならない。
(2) 研究者等は、研究を実施するに当たっては、原則としてあらかじめインフォームド・コンセントを受けなければならない。
(3) 研究者等は、研究対象者又はその代諾者等（以下「研究対象者等」という。）及びその関係者からの相談、問合せ、苦情等（以下「相談等」という。）に適切かつ迅速に対応しなければならない。
(4) 研究者等は、研究の実施に携わる上で知り得た情報を正当な理由なく漏らしてはならない。研究の実施に携わらなくなった後も、同様とする。
(5) 研究者等は、研究に関連する情報の漏えい等、研究対象者等の人権を尊重する観点又は研究の実施上の観点から重大な懸念が生じた場合には、速やかに研究機関の長及び研究責任者に報告しなければならない。

2 研究の倫理的妥当性及び科学的合理性の確保等
(1) 研究者等は、法令、指針等を遵守し、倫理審査委員会の審査及び研究機関の長の許可を受けた研究計画書に従って、適正に研究を実施しなければならない。
(2) 研究者等は、研究の倫理的妥当性若しくは科学的合理性を損なう事実若しくは情報又は損なうおそれのある情報を得た場合（(3)に該当する場合を除く。）には、速やかに研究責任者に報告しなければならない。
(3) 研究者等は、研究の実施の適正性若しくは研究結果の信頼を損なう事実若しくは情報又は損なうおそれのある情報を得た場合には、速やかに研究責任者又は研究機関の長に報告しなければならない。

3 教育・研修
研究者等は、研究の実施に先立ち、研究に関する倫理並びに当該研究の実施に必要な知識及び技術に関する教育・研修を受けなければならない。また、研究期間中も適宜継続して、教育・研修を受けなければならない。

生命・医学系指針

第２章 研究者等の責務等
第４ 研究者等の基本的責務

「研究者等の責務、考え方」と整理される指針本文

第６章 研究の信頼性確保
第11 研究に係る適切な対応と報告
1 研究の倫理的妥当性及び科学的合理性の確保等

「研究者等が行う手続」と整理される指針本文

生命・医学系指針策定に係るポイント③

新設の項目

◆ **用語の定義**

- 人を対象とする生命科学・医学系研究
- 研究協力機関
- 多機関共同研究
- 研究代表者　など

◆ **研究計画に関する手続**

研究計画の倫理審査委員会への付議やその他の研究実施に係る手続が、「研究機関の長」から「研究責任者」が主体となって行われるよう変更した。

多機関共同研究を実施する際には、倫理審査に係る手続の効率化を図るため、一括審査を原則とした。

◆ **インフォームド・コンセント等**

インフォームド・コンセントの手続とその他の手続の項目を分離。インフォームド・コンセントの手続とその他の手続とを別の項目に規定した。

研究協力機関において試料・情報の取得をする際のインフォームド・コンセントは、研究者等において受けなければならない旨、明記した。

電磁的方法を用いることが可能である旨を明記し、その際に留意すべき事項について記載した。

◆ **研究により得られた結果等の取扱い**

ゲノム指針「第３の８ 遺伝情報の開示」「第３の９ 遺伝カウンセリング」の規定を改訂し、遺伝情報を取り扱う研究のみならず、医学系研究を実施する上でも留意すべき事項であることに留意し、研究により得られた結果等を研究対象者に説明する上で必要な概念や手続を規定した。

新設の項目（用語の定義1/2）

人を対象とする生命科学・医学系研究

人を対象として、次のア又はイを目的として実施される活動をいう。

ア 次の①、②、③又は④を通じて、国民の健康の保持増進又は患者の傷病からの回復若しくは生活の質の向上に資する知識を得ること。

①傷病の成因（健康に関する様々な事象の頻度及び分布並びにそれらに影響を与える要因を含む。）の理解

②病態の理解

③傷病の予防方法の改善又は有効性の検証

④医療における診断方法及び治療方法の改善又は有効性の検証

イ 人由来の試料・情報を用いて、ヒトゲノム及び遺伝子の構造又は機能並びに遺伝子の変異又は発現に関する知識を得ること。

研究責任者

研究の実施に携わるとともに、所属する研究機関において当該研究に係る業務を統括する者をいう。
なお、以下において、多機関共同研究に係る場合、必要に応じて、研究責任者を**研究代表者と読み替える**こととする。

研究代表者

多機関共同研究を実施する場合に、複数の研究機関の研究責任者を代表する研究責任者をいう。

新設の項目（用語の定義2/2）

研究協力機関

研究計画書に基づいて研究が実施される研究機関以外であって、当該研究のために研究対象者から新たに試料・情報を取得し（侵襲（軽微な侵襲を除く。）を伴う試料の取得は除く。）、研究機関に提供のみを行う機関をいう。

注1）ICの手続きを研究協力機関が行うことはできない
研究協力機関が、当該研究のために新たに試料・情報を取得（侵襲（軽微な侵襲を除く。）を伴う試料の取得は除く。）し、研究機関がその提供を受ける場合についてのインフォームド・コンセントは、研究者等が受けなければならない。また、研究協力機関においては、当該インフォームド・コンセントが適切に取得されたものであることについて確認しなければならない。

注2）重大な有害事象は研究責任者が把握すること
研究責任者は、研究に係る試料・情報の取得を研究協力機関に依頼した場合であって、研究対象者に重篤な有害事象が発生した場合には、速やかな報告を受けなければならない。

新設の項目（研究計画に関する手続き1/2）

○ 研究計画の倫理審査委員会への付議やその他の研究実施に係る手続が、「研究責任者」が主体となって行われるよう変更した。

研究責任者、研究機関の長の責務と必要な手続き

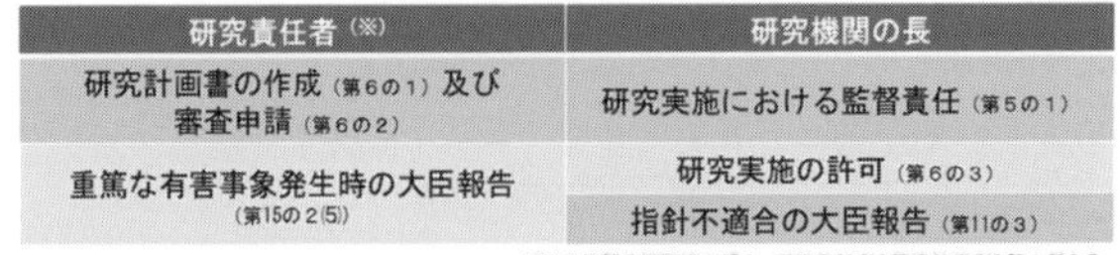

研究責任者（※）	研究機関の長
研究計画書の作成（第6の1）及び審査申請（第6の2）	研究実施における監督責任（第5の1）
重篤な有害事象発生時の大臣報告（第15の2(5)）	研究実施の許可（第6の3）
	指針不適合の大臣報告（第11の3）

（※）多機関共同研究の場合、研究責任者を研究代表者と読み替える

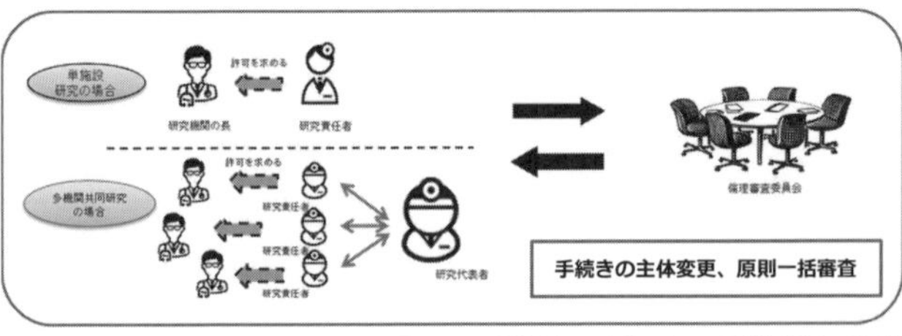

第6回合同会議（令和元年年12月23日開催）資料2より抜粋　一部改訂

新設の項目（研究計画に関する手続き1/2）

一括審査における考え方

第6　研究計画書に関する手続

2　倫理審査委員会への付議

⑴　研究責任者は、研究の実施の適否について、倫理審査委員会の意見を聴かなければならない。

⑵　研究代表者は、原則として、多機関共同研究に係る研究計画書について、一の倫理審査委員会による一括した審査を求めなければならない。

⑶　研究責任者は、倫理審査委員会に意見を聴いた後に、その結果及び当該倫理審査委員会に提出した書類、その他研究機関の長が求める書類を研究機関の長に提出し、当該研究機関における当該研究の実施について、許可を受けなければならない。

⑷　⑴から⑶までの規定にかかわらず、公衆衛生上の危害の発生又は拡大を防止するため緊急に研究を実施する必要があると判断される場合には、当該研究の実施について倫理審査委員会の意見を聴く前に研究機関の長の許可のみをもって実施することができる。この場合において、研究責任者は、許可後遅滞なく倫理審査委員会の意見を聴くものとし 、倫理審査委員会が研究の停止若しくは中止又は研究計画書の変更をすべきである旨の意見を述べたときは、当該意見を尊重し、研究を停止し、若しくは中止し、又は研究計画書を変更するなど適切な対応をとらなければならない。

⑸　研究責任者は、多機関共同研究について⑵の規定によらず個別の倫理審査委員会の意見を聴く場合には、共同研究機関における研究の実施の許可、他の倫理審査委員会における審査結果及び当該研究の進捗に関する状況等の審査に必要な情報についても当該倫理審査委員会へ提供しなければならない。

○　⑵の規定では、研究代表者が一の倫理審査委員会に審査を求める場合、関係する研究機関と事前に調整を行った上で、審査の依頼を行う等の手続が必要となる。なお、この場合は第17の4(1)に従い、研究機関における研究の実施体制についても審査するため、併せて当該体制に係る情報を提供すること。また、既に開始されている研究に後から共同研究機関として参画する場合は、別途、同じ倫理審査委員会の意見を聴く必要がある。
　また、**各研究機関の状況等を踏まえ、共同研究機関と一括した倫理審査委員会の審査を受けず、個別の倫理審査委員会の意見を聴くことを妨げるものではない。**

○　⑶の規定において、**一括した審査を行った場合、研究代表者は当該審査結果、審査過程のわかる記録及び当該倫理審査委員会の委員の出欠状況を共同研究機関の研究責任者に共有し、各研究機関の研究責任者はそれをもって当該研究機関の長に研究の実施の許可を受ける必要**がある。

○　⑵及び⑸の規定において、研究責任（代表）者は、各研究機関の体制、研究内容等を踏まえ、研究責任（代表）者間において、十分に協議し審査方法を決める必要がある。

○　多機関共同研究として倫理審査委員会に審査を求める場合、「一の倫理審査委員会による場合」、「個別の倫理審査委員会による場合」が混在することを妨げるものではない。

新設の項目（研究計画に関する手続き1/2）

倫理審査委員会の迅速審査

第17　倫理審査委員会の役割・責務等

3　迅速審査等

⑴　倫理審査委員会は、次に掲げるいずれかに該当する審査について、当該倫理審査委員会が指名する委員による審査（以下「迅速審査」という。）を行い、意見を述べることができる。迅速審査の結果は倫理審査委員会の意見として取り扱うものとし、当該審査結果は全ての委員に報告されなければならない。

①　多機関共同研究であって、既に当該研究の全体について第６の２⑸に規定する倫理審査委員会の審査を受け、その実施について適当である旨の意見を得ている場合の審査

②　研究計画書の軽微な変更に関する審査

③　侵襲を伴わない研究であって介入を行わないものに関する審査

④　軽微な侵襲を伴う研究であって介入を行わないものに関する審査

⑵　倫理審査委員会は、⑴②に該当する事項のうち、委員会が事前に確認のみで良いと認めたものについて、第16の２⑴に定める規程にあらかじめ具体的にその内容と運用等を定めることで、**報告事項として取り扱うことが出来る。**

○　⑵の規定に関して、⑴②の「研究計画書の軽微な変更」のうち、報告事項として挙げられるものを第16の２⑴に示す倫理審査委員会の運営に関する規程に定めておく必要がある。例えば、研究責任者の職名変更、研究者の氏名変更等、明らかに審議の対象にならないものが考えられる。

新設の項目（インフォームド・コンセント等 1/2）

- インフォームド・コンセントの手続とその他の手続の項目を分離

医学系指針の規定では、「インフォームド・コンセントを受ける手続等」に係る規定の中に、他の研究機関に試料・情報の提供を行う際又は他の研究機関から試料・情報の提供を受ける際に必要な記録の作成の手続等の規定が混在しているため、インフォームド・コンセントの手続とその他の手続とを別の項目に規定した 。

医学系指針	第５章 インフォームド・コンセント等 第12 インフォームド・コンセントを受ける手続等 １ インフォームド・コンセントを受ける手続等 (1) 新たに試料・情報を取得して研究を実施しようとする場合のインフォームド・コンセント ・・・・研究に用いられる試料・情報を共同研究機関へ提供する場合は、当該試料・情報の提供に関する記録を作成しなければならない。研究責任者は、研究者等が作成した当該記録を当該試料・情報の提供をした日から３年を経過した日までの期間保管しなければならない。 ２ 研究計画書の変更 ・・・・	統合指針	第４ 章インフォームド・コンセント等 第８ インフォームド・コンセントを受ける手続等 １ インフォームド・コンセントを受ける手続等 ・・・・ ２ 電磁的方法によるインフォームド・コンセント ・・・・ ３ 試料・情報の提供に関する記録 (1) 試料・情報の提供を行う場合 研究責任者又は試料・情報の提供のみを行う者は、当該試料・情報の提供に関する記録を作成し、当該記録に係る当該試料・情報の提供を行った日から３年を経過した日までの期間保管しなければならない。

注１）ICの手続きを研究協力機関が行うことはできない

研究協力機関が、当該研究のために新たに試料・情報を取得（侵襲（軽微な侵襲を除く。）を伴う試料の取得は除く。）し、研究機関がその提供を受ける場合についてのインフォームド・コンセントは、研究者等が受けなければならない。また、研究協力機関においては、当該インフォームド・コンセントが適切に取得されたものであることについて確認しなければならない。

新設の項目（インフォームド・コンセント等 2/2）

電磁的方法によるインフォームド・コンセント

研究者等又は既存試料・情報の提供のみを行う者は、次に掲げる全ての事項に配慮した上で、１における文書によるインフォームド・コンセントに代えて、電磁的方法によりインフォームド・コンセントを受けることができる。

① 研究対象者等に対し、本人確認を適切に行うこと。
② 研究対象者等が説明内容に関する質問をする機会を与え、かつ、当該質問に十分に答えること。
③ インフォームド・コンセントを受けた後も５の規定による説明事項を含めた同意事項を容易に閲覧できるようにし、特に研究対象者等が求める場合には文書を交付すること。

電磁的インフォームド・コンセントのイメージ

文書によるインフォームド・コンセントに代えて、電磁的方法により受けることが出来る旨を本文に記載した。

<電磁的ICとは>

① **デジタルデバイスを用いて**説明・同意の取得を行うこと

具体例：病院内で個人または集団に対し説明動画を用いて説明した上で、タブレットへの電子サインにより同意を受ける。

② **ネットワークを介して**説明・同意の取得を行うこと

具体例：研究機関から個人または集団に対し説明サイトのリンクを送信し、説明コンテンツを用いて説明した上で、同意ボタンの押下により同意を受ける。

新設の項目（研究により得られた結果等の取扱い1/2）

遺伝情報の開示に係る整理

ゲノム指針で規定する範囲

	個人情報保護法等により規定されている開示	研究によって得られた情報を提供者に対して説明	診療との連携が必要
ゲノム指針該当条文	第3の8(1) <遺伝情報の開示に関する細則> 1、2、5、6 第3の8(5) <提供者以外の人に対する開示に関する細則> 1	第3の8(1) <遺伝情報の開示に関する細則> 2～4 第3の8(2) <偶発的所見の開示に関する細則>全て 第3の8(3)(4) <遺伝情報の非開示に関する細則>全て 第3の8(5) <提供者以外の人に対する開示に関する細則> 2～4 第3の8(6) <注>	第3の8(6) <注>
留意事項	○ 提供者又は第三者の権利利益を害するおそれ ○ 研究業務の実施に著しい支障を及ぼすおそれ ○ 法令に違反するかどうか	○ 情報の妥当性や信頼性（精度や確実性など） ○ 健康等にとって重要な事実を示すか否か ○ 研究業務の適正な実施に著しい支障を及ぼすおそれがないかどうか ○ 提供者及び血縁者の生命に及ぼす影響 ○ 研究対象者の健康状態と有効な治療法・対処法の有無と ○ 血縁者への影響（同一疾患等に罹患している可能性） ○ インフォームド・コンセントに際しての開示に関する説明内容 ○ 医学的又は精神的な影響	

「個人情報の開示等」の項で、「遺伝情報の開示」を規定することが可能ではないか。

医学系研究にも適用される項目のため、研究によって得られた結果等を研究対象者に説明する際の留意点として新設。

診療との連携が重要であることを記載。

新設の項目（研究により得られた結果等の取扱い 2/2）

第10　研究により得られた結果等の説明

2　研究に係る相談実施体制等

研究責任者は、研究により得られた結果等を取り扱う場合、その結果等の特性を踏まえ、医学的又は精神的な影響等を十分考慮し、研究対象者等が当該研究に係る相談を適宜行うことができる体制を整備しなければならない。また、研究責任者は、体制を整備する中で診療を担当する医師と緊密な連携を行うことが重要であり、遺伝情報を取り扱う場合にあっては、遺伝カウンセリングを実施する者や遺伝医療の専門家との連携が確保できるよう努めなければならない。

○　「研究に係る相談」とは、個別の研究計画や研究実施に関する手続の相談から、研究により得られた結果等に関する相談まで幅広く想定する必要がある。診断や治療に関するカウンセリングは医療現場で行われるものであり、すぐに連携できる体制を整備することが求められる。研究実施においては、研究責任者が当該研究における相談窓口を設置するなどして、相談を行うことができるようにする必要がある。

○　試料・情報の提供を行う機関において、カウンセリング体制が整備されていない場合に、研究対象者及びその家族又は血縁者からカウンセリングの求めがあったときには、そのための適切な施設を紹介することとする。

参考（個人情報管理者）　※「個人情報管理者」は定義されていない。

第19　安全管理
2　安全管理のための体制整備、監督等
⑴　研究機関の長は、保有する個人情報等の漏えい、滅失又はき損の防止その他の安全管理のため、必要かつ適切な措置を講じなければならない。

○　研究の種類によっては、個人情報等の安全管理や匿名化等を行う者として、従来のゲノム指針に規定されていた個人情報管理者を設置することでも差し支えない。この際、当該者は研究者等を兼ねても良い。

＜参考＞**ヒトゲノム・遺伝子解析研究に関する倫理指針**

【用語の定義】
個人情報管理者：試料・情報の提供が行われる機関を含め、個人情報を取り扱う研究を行う機関において、当該機関の長の指示を受け、提供者等の個人情報がその機関の外部に漏洩しないよう個人情報を管理し、かつ、匿名化する責任者をいう。

【規定】
18 個人情報の取り扱い
⑵　研究を行う機関の長は、ヒトゲノム・遺伝子解析研究において個人情報を取り扱う場合、個人情報の保護を図るため、個人情報管理者を置かなければならない。

（細則）
個人情報管理者及び分担管理者は、その提供する試料・情報を用いてヒトゲノム・遺伝子解析研究(試料・情報の提供又は収集・分譲を除く。)を実施する研究責任者又は研究分担者を兼ねることはできない。

令和２年・３年個人情報保護法の改正に伴う生命・医学系指針の改正について

文 部 科 学 省
厚 生 労 働 省
経 済 産 業 省

令和４年３月

Ⅰ．生命・医学系指針の見直し

令和３年5月　令和2年及び令和3年に行われた個人情報保護法（「個情法」）の改正等を踏まえ「生命科学・医学系研究等における個人情報の取扱い等に関する合同会議」※において、指針の見直しの検討開始

※ 指針を所管する３省の以下の委員会等の合同開催

- 文部科学省　科学技術・学術審議会
  生命倫理・安全部会
  －人を対象とする医学系研究等の倫理指針に関する専門委員会
- 厚生労働省　厚生科学審議会
  科学技術部会
  － 医学研究における個人情報の取扱いの在り方に関する専門委員会
  再生医療等評価部会
  － 遺伝子治療等臨床研究における個人情報の取扱いの在り方に関する専門委員会
- 経済産業省　産業構造審議会
  商務流通情報分科会　バイオ小委員会
  － 個人遺伝情報保護WG

10月26日　見直しの方向性とりまとめ（同合同会議）
11月 8日～12月7日　指針改正案（概要）についてパブリック・コメントを実施

令和４年3月10日　指針の改正告示
4月１日　指針の施行

Ⅰ．生命・医学系指針の見直し

個情法の改正を受けて、指針における用語の定義や手続などを**改正後個情法と齟齬のないよう、指針を改正**。

■ **改正のポイント**

○ 指針における**生存する個人に関する情報**に関する用語は、**改正後個情法の用語に合わせた**。**「匿名化」**や**「対応表」**などの改正後個情法で使用されていない用語は**用いない**。

○ 学術例外規定の精緻化により、旧指針で規定されていた**IC手続（情報の取得・利用・提供）**も、**例外要件ごとに規定**した。

○ 外国にある者への試料・情報の提供に係る同意を取得する際、提供先の国の名称や制度等の情報を本人へ提供することを規定した。

Ⅱ．生命・医学系指針の主な改正内容

1.用語の整理 【指針第２】

① 指針における**生存する個人に関する情報**に関する用語は、**改正後個情法の用語に合わせた**。

② 死者の情報に関する用語の定義は置かず、死者に係る情報を用いる研究については、生存する個人の情報と同様に取り扱う旨の規定を置いた。

③ **「匿名化」**や**「対応表」**の用語は用いない。

2.指針の範囲の見直し 【指針第３の１】

改正後個情法において仮名加工情報が新設されたこと等に伴い、「個人情報でない仮名加工情報」に相当する情報等についても、新たに指針の対象とすることとした。

3.個人情報の管理主体 【第５の2・第13、第8の1⑷】

個人情報の管理主体は、**研究機関の長**※**又は既存試料・情報の提供のみを行う者が所属する機関の長**とした。

※ 研究機関の長
　研究が実施される法人の代表者若しくは行政機関の長又は研究を実施する個人事業主をいう。研究機関の長は、当該研究機関において定められた規定により、この指針に定める権限又は事務を当該研究機関内の適当な者に委任することができる。

Ⅱ. 生命・医学系指針の主な改正内容

4.インフォームド・コンセント（IC）を受ける手続等 【指針第８】

1）研究対象者から新たに試料・情報を取得して研究を実施する場合 【指針第８の１⑴】

① 試料を用いる研究: 変更なし

② 試料を用いない研究

<要配慮個人情報を取得する場合>

- 改正後個情法に定める例外要件に該当する場合で、次のいずれの要件にも該当する場合は、IC等を受ける手続（IC手続）を適切な形で**簡略化**できるものとした。
  - a. 研究の実施等について研究対象者等が拒否する機会を保障
  - b. 簡略化することが研究対象者の不利益とならない
  - c. 簡略化しなければ、研究の実施が困難であり、又は研究の価値を著しく損ねる

<要配慮個人情報以外の情報を取得する場合>

- 研究対象者から新たに取得した情報（要配慮個人情報を除く。）を共同研究機関に提供する場合のIC手続については、**既存の情報**（要配慮個人情報を除く。）**を他の研究機関に提供する場合のIC手続を準用**する。

IC手続① 新たに試料・情報を取得して研究を実施する場合

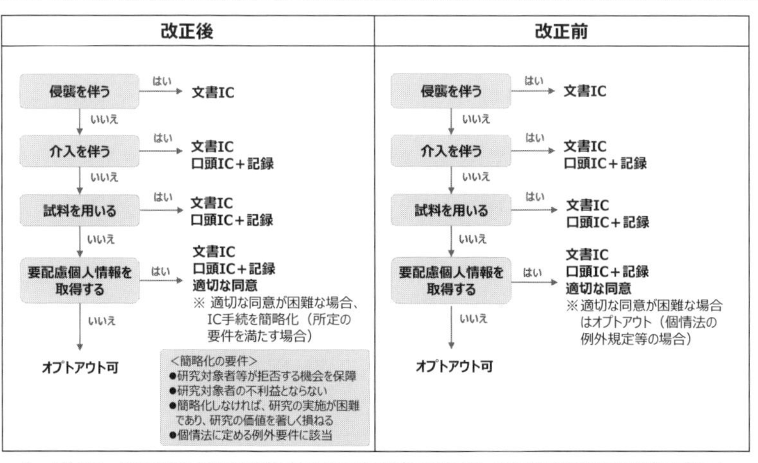

注：オプトアウト＝所定の事項を研究対象者等に通知又は容易に知り得る状態に置く＋研究対象者等が拒否する機会を保障する
※個情法上のオプトアウトとは異なり、個人情報保護委員会への届出等の手続は不要

フローチャートは、指針に規定される内容をわかりやすく示したものであり、指針の規定が網羅的に反映されているものではないため、研究を実施する際には指針本文及びガイダンスをご参照ください。

Ⅱ．生命・医学系指針の主な改正内容

2）自機関で保有する既存試料・情報を用いて研究を実施する場合 【指針第８の１⑵】

IC手続を行うことなく利用できる既存試料・情報を次のとおりとした。

- 既に**特定の個人を識別できない**状態に管理されている**試料**（当該試料から個人情報が取得されない場合）
- **既存の仮名加工情報**
- **匿名加工情報**（試料を用いる研究については、IC取得が困難な場合に限る。）
- **個人関連情報**

<試料を用いる研究>

社会的に重要性が高い研究については、以下の場合に既存試料・情報を用いることが可能。
・研究対象者等に所要の通知をした上で適切な同意を受ける場合
・**オプトアウト**を実施する場合（**改正後個情法**に定める**例外要件に該当する場合**に限る。）

<試料を用いない研究>

以下の場合に既存試料・情報を用いることが可能。
・研究対象者等に所要の通知をした上で適切な同意を受ける場合
・**オプトアウト**を実施する場合（**改正後個情法**に定める**例外要件に該当する場合**に限る。）

IC手続②-1 自らの機関において保有している既存試料・情報を用いて研究を実施する場合（試料を用いる研究）

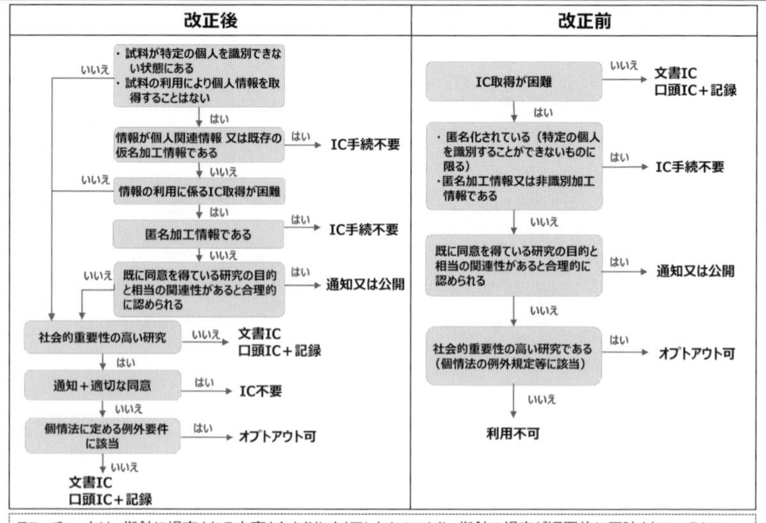

フローチャートは、指針に規定される内容をわかりやすく示したものであり、指針の規定が網羅的に反映されているものではないため、研究を実施する際には指針本文及びガイダンスをご参照ください。

IC手続②-２自らの機関において保有している既存試料・情報を用いて研究を実施する場合（試料を用いない研究）

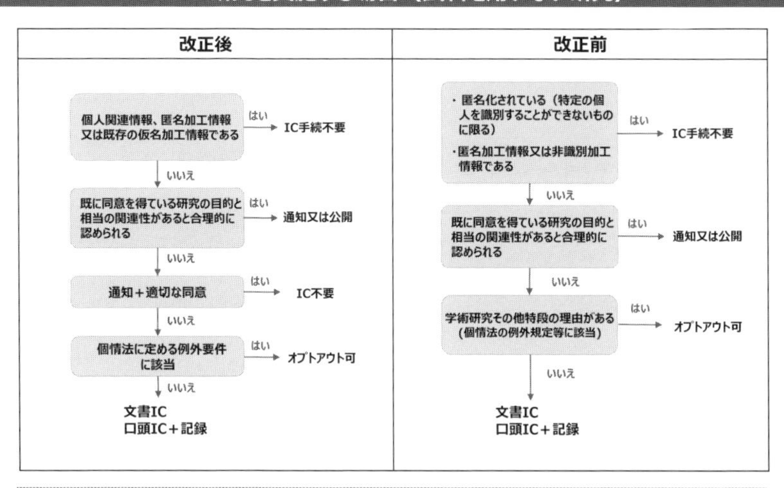

フローチャートは、指針に規定される内容をわかりやすく示したものであり、指針の規定が網羅的に反映されているものではないため、研究を実施する際には指針本文及びガイダンスをご参照ください。

Ⅱ．生命・医学系指針の主な改正内容

３）他の研究機関に既存試料・情報を提供する場合【指針第８の１⑶】

① 提供される既存試料・情報の種類によって場合分けをした。

・**試料又は要配慮個人情報**を提供する場合：**原則IC**が必要。
・**情報（要配慮個人情報を除く。）**を提供する場合：**原則適切な同意**が必要。

② **IC手続を行うことなく提供**できる既存試料・情報は次のとおりとした。

・**特定の個人を識別できない**状態に管理されている**試料**（IC手続が困難で、試料から個人情報が取得されない場合）
・**個人関連情報**（提供先が個人情報として取得することが想定されない場合）
・**個人関連情報**（提供先が個人情報として取得することが想定される場合で、改正後個情法に定める例外要件に該当するとき）
・**匿名加工情報**（適切な同意取得が困難な場合）

IC又は適切な同意の取得が困難な場合は・・・

③ 以下の要件を満たす場合、IC手続の**簡略化**を許容した（可能な限り、研究対象者等が拒否する機会を設けるよう努めることが必要）。

・**改正後個情法に定める例外要件**に該当する
・**第８の９（１）に掲げるすべての要件**を満たす

④ **改正後個情法に定める例外要件**に該当する場合には、**オプトアウト**による提供を許容した。

※ 改正後個情法の内容も踏まえ、オプトアウトにより既存試料・情報を提供する際の通知等をすべき事項についても見直した。

IC手続③-1 他の研究機関に既存試料・情報を提供する場合（試料、要配慮個人情報を提供する場合）

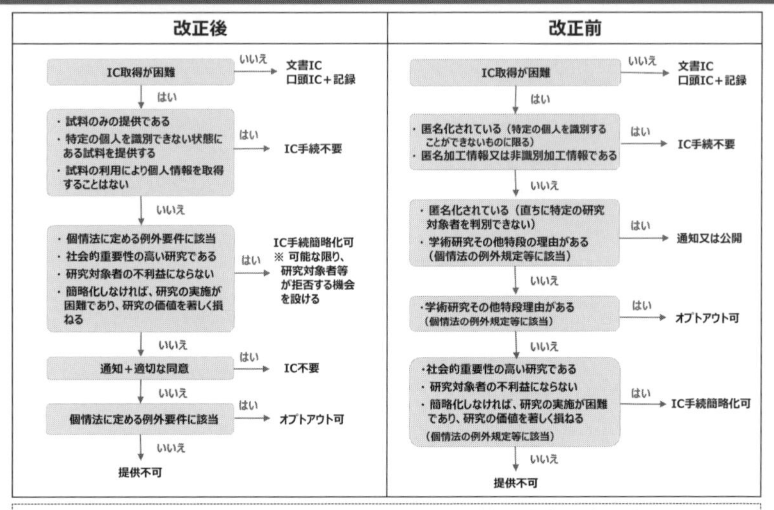

フローチャートは、指針に規定される内容をわかりやすく示したものであり、指針の規定が網羅的に反映されているものではないため、研究を実施する際には指針本文及びガイダンスをご参照ください。

IC手続③-2 他の研究機関に既存試料・情報を提供する場合（試料、要配慮個人情報を提供する場合以外）

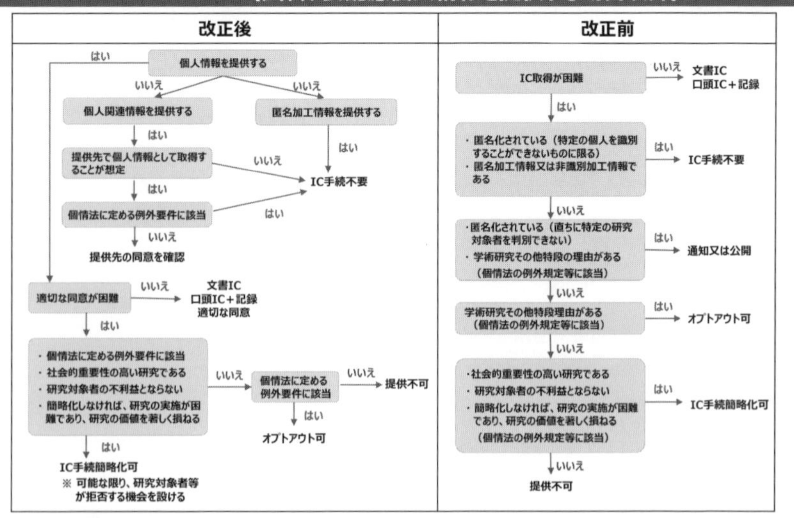

フローチャートは、指針に規定される内容をわかりやすく示したものであり、指針の規定が網羅的に反映されているものではないため、研究を実施する際には指針本文及びガイダンスをご参照ください。

Ⅱ．生命・医学系指針の主な改正内容

4）既存試料・情報の提供を受けて研究を実施する場合【指針第８の１⑸】

○ **個人関連情報**の提供（個人情報として取得することが想定される場合に限る。）**を受けて研究**を実施する研究者等は、研究を実施するに当たって、自機関での保有する既存の情報を用いて研究を実施する場合のICの規定**（第８の１⑵ イ）に準じた手続を行う。**

5）外国にある第三者へ試料・情報を提供する場合【指針第８の１⑹】

○ 改正後個情法に定める例外要件に該当する場合でも、引き続き、原則として適切な同意を求めることとし、

（ア）研究対象者等の適切な同意を受けた場合
（イ）個人情報保護委員会が定める基準に適合する体制を整備している者に対する提供である場合
（ウ）個人情報の保護に関する制度が我が国と同等の水準国にある者に対する提供である場合

に限り提供できるものとした。

○ 改正後個情法に定める**例外要件に該当する場合であっても**、以下の手続を求めるものとした。

- （ア）の場合、**同意取得時に、外国の名称等の情報を本人に提供**する必要があるものとした。
- （イ）の場合、**相当措置の継続的な実施を確保**するために必要な措置を講ずるとともに、本人の**求めに応じて当該必要な措置に関する情報を本人に提供**する必要があるものとした。
- （イ）、（ウ）に該当せず、同意の取得が困難な場合には、**倫理審査委員会の意見を聴いた上で、オプトアウトを許容**した。

IC手続④-1 第8の1⑶の手続に基づき既存試料・情報の提供を受けて研究を実施しようとする場合（試料、要配慮個人情報の提供を受ける場合）

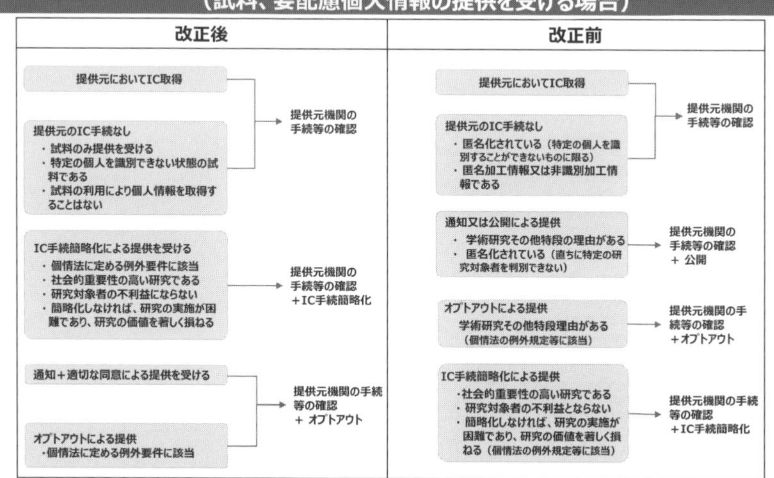

フローチャートは、指針に規定される内容をわかりやすく示したものであり、指針の規定が網羅的に反映されているものではないため、研究を実施する際には指針本文及びガイダンスをご参照ください。

IC手続④-2　第8の1⑶の手続に基づき既存試料・情報の提供を受けて研究を実施しようとする場合（試料、要配慮個人情報の提供を受ける場合以外）

フローチャートは、指針に規定される内容をわかりやすく示したものであり、指針の規定が網羅的に反映されているものではないため、研究を実施する際には指針本文及びガイダンスをご参照ください。

IC手続⑤　外国にある者へ試料・情報を提供する場合の取扱い（国内でのIC【第8の1⑴、⑶、⑷】に加えて行う手続）

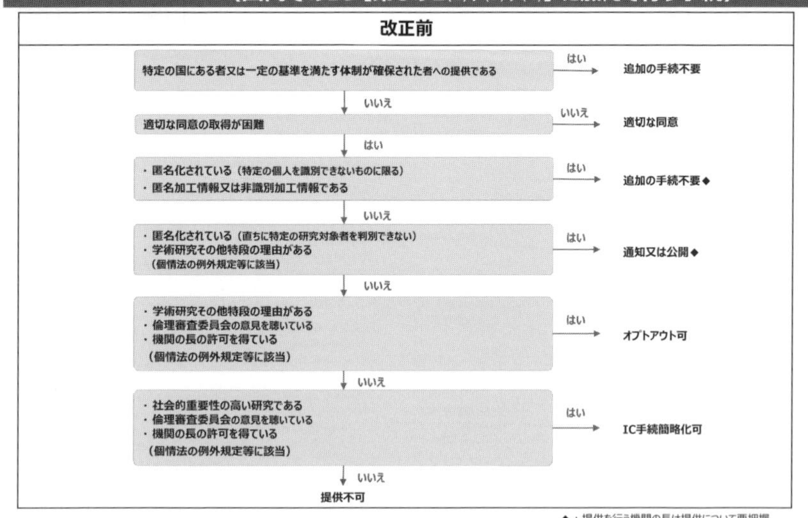

◆：提供を行う機関の長は提供について要把握

フローチャートは、指針に規定される内容をわかりやすく示したものであり、指針の規定が網羅的に反映されているものではないため、研究を実施する際には指針本文及びガイダンスをご参照ください。

IC手続⑤　外国にある者へ試料・情報を提供する場合の取扱い（国内でのIC【第8の1⑴、⑶、⑷】に加えて行う手続）

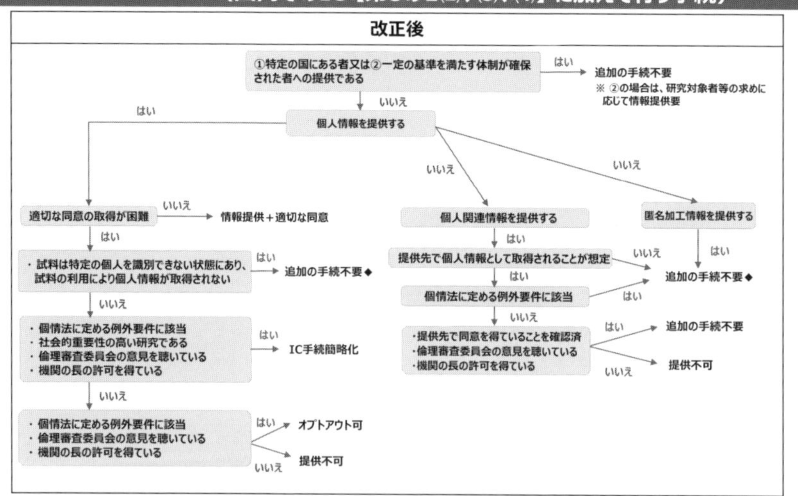

◆：提供を行う機関の長は提供について要把握

フローチャートは、指針に規定される内容をわかりやすく示したものであり、指針の規定が網羅的に反映されているものではないため、研究を実施する際には指針本文及びガイダンスをご参照ください。

Ⅱ．生命・医学系指針の主な改正内容

5．その他【指針第９章】

① **指針第９章**は、個人情報等、試料、死者の試料・情報の取扱いに関して規定する。

② 改正後個情法の規律や条例等の適用を受ける事項については、指針で規定しない事項を含め、規律を遵守する旨の規定を置いた。

③ 試料について、指針を遵守するほか、改正後個情法や条例等の規定に準じて取り扱う旨の規定を置いた。

④ **死者の試料・情報**についても、特定の個人を識別することができるものは、**生存する個人に関する情報と同様**に、指針のほか、改正後個情法や条例等の規定に準じて適切に取り扱う旨の規定を置いた。

⑤ 旧指針第18の2、第19、第20及び第21に定める個人情報等及び匿名加工情報の取扱いについては、学術研究機関等に対しても改正後個情法が適用されることになるため、指針から削除した。

6．経過措置【指針第20】

旧指針及びそれ以前の指針の規定により実施中の研究については、**個人情報保護関連法令及びガイドラインの規定が遵守される場合に限り、**なお従前の例によることができることとする。

Ⅲ．生命・医学系指針の主な改正内容 ーまとめー

■ 指針の主な見直し内容

○ 個情法に関する用語の見直し

○ 研究者等、研究機関の長の責務の整理

○ IC手続の見直し

- 法の学術例外規定の精緻化を受けた、IC手続に関する規定の見直し
- 仮名加工情報や個人関連情報の取扱い、外国にある第三者への研究情報提供等の手続の追加

個情法の改正等を踏まえた指針の見直しを受け、以下の対応が必要。
・内規等の改定
・個人情報の取扱いについて審査できる倫理審査委員会の体制整備　等

■ 新指針の施行（令和４年4月１日）

旧指針及びそれ以前の指針の規定により**実施中の研究**については、**個人情報保護関連法令及びガイドラインの規定が遵守される場合に限り、なお従前の例によることができる。**

お問合せ先

■ 指針及びガイダンスについてのご質問は、下記までご連絡ください。

（問合せ先）

文部科学省　研究振興局ライフサイエンス課生命倫理・安全対策室
bio-med@mext.go.jp

厚生労働省　大臣官房厚生科学課
厚生労働省　医政局研究開発振興課
ethics@mhlw.go.jp

経済産業省　商務・サービスグループヘルスケア産業課
ethics@meti.go.jp

（参考資料）

生命・医学系指針について

○ 人を対象とする生命科学・医学系研究は、国民の健康の保持増進、患者の傷病からの回復、生活の質の向上に大きく貢献。

○ 他方で、研究対象者の身体及び精神などに大きな影響を与え、新たな倫理的・法的・社会的課題を招く可能性。

我が国では、学問の自由を尊重しつつ、人を対象とする生命科学・医学系研究が人間の尊厳及び人権を尊重して適正かつ円滑に行われるための制度的枠組みとして生命・医学系指針を策定。

生命・医学系指針が踏まえる主な規範

- 日本国憲法、個人情報の保護に関する関係法令※ 、条例
- 世界医師会「ヘルシンキ宣言」
- 科学技術会議生命倫理委員会「ヒトゲノム研究に関する基本原則」

※個人情報の保護に関する法律（平成15年法律第57号）、行政機関の保有する個人情報の保護に関する法律（平成15年法律第58号）及び独立行政法人等の保有する個人情報の保護に関する法律（平成15年法律第59号）

○ **研究対象や手法の多様化、生命科学・医学や医療技術の進展を踏まえて、規制範囲や方法等について継続的に見直しを行っていくことが必要。**

生命・医学系指針について

■ 指針の目的

この指針は、人を対象とする生命科学・医学系研究に携わる全ての関係者が遵守すべき事項を定めることにより、人間の尊厳及び人権が守られ、研究の適正な推進が図られるようにすることを目的とする。

基本方針：
① 社会的及び学術的意義を有する研究を実施すること
② 研究分野の特性に応じた科学的合理性を確保すること
③ 研究により得られる利益及び研究対象者への負担その他の不利益を比較考量すること
④ 独立した公正な立場にある倫理審査委員会の審査を受けること
⑤ 研究対象者への事前の十分な説明を行うとともに、自由な意思に基づく同意を得ること
⑥ 社会的に弱い立場にある者への特別な配慮をすること
⑦ 研究に利用する個人情報等を適切に管理すること
⑧ 研究の質及び透明性を確保すること

生命・医学系指針について

■ 指針における「人を対象とする生命科学・医学系研究」とは（定義）

人を対象として、次のア又はイを目的として実施される活動をいう。

ア 次の①、②、③又は④を通じて、国民の健康の保持増進又は患者の傷病からの回復若しくは生活の質の向上に資する知識を得ること
- ① 傷病の成因（健康に関する様々な事象の頻度及び分布並びにそれらに影響を与える要因を含む。）の理解
- ② 病態の理解
- ③ 傷病の予防方法の改善又は有効性の検証
- ④ 医療における診断方法及び治療方法の改善又は有効性の検証

イ 人由来の試料・情報を用いて、ヒトゲノム及び遺伝子の構造又は機能並びに遺伝子の変異又は発現に関する知識を得ること

具体的には…
- **人の基本的生命現象（遺伝、発生、免疫等）の解明**
- **医学系研究**
  （例）医科学、臨床医学、公衆衛生学、予防医学、歯学、薬学、看護学、リハビリテーション学、検査学、医工学のほか、介護・福祉分野、食品衛生・栄養分野、環境衛生分野、労働安全衛生分野等で、個人の健康に関する情報を用いた疫学的手法による研究及び質的研究、ＡＩを用いたこれらの研究
- **ヒトゲノム・遺伝子解析研究**
  （例）人類遺伝学等の自然人類学、人文学分野においてヒトゲノム及び遺伝子の情報を用いた研究

※ 医療、介護・福祉等に関するものであっても、医事法や社会福祉学など人文・社会科学分野の研究の中には「医学系研究」に含まれないものもある。

生命・医学系指針について

■ 指針の構成（令和４年告示）

総論

前文
第１章　総則
第１ 目的及び基本方針
第２ 用語の定義
第３ 適用範囲

責務

第２章　研究者等の責務等
第４ 研究者等の基本的責務
第５ 研究機関の長の責務等

手続

第３章　研究の適正な実施等
第６ 研究計画書に関する手続
第７ 研究計画書の記載事項

第４章　インフォームド・コンセント等
第８ インフォームド・コンセントを受ける手続等
第９ 代諾者等からインフォームド・コンセントを受ける場合の手続等

第５章　研究により得られた結果等の取扱い
第10 研究により得られた結果等の説明

第６章　研究の信頼性確保
第11 研究に係る適切な対応と報告
第12 利益相反の管理
第13 研究に係る試料及び情報等の保管
第14 モニタリング及び監査

第７章　重篤な有害事象への対応
第15 重篤な有害事象への対応

倫理審査

第８章　倫理審査委員会
第16 倫理審査委員会の設置等
第17 倫理審査委員会の役割・責務等

個人情報保護

第９章　個人情報等、試料及び死者の試料・情報に係る基本的責務
第18 個人情報の保護等

第１章	総論的な指針の概念や、用語の定義などを規定
第２章	研究を実施する上で遵守すべき責務や考え方を規定
第３～７章	研究者等が研究を実施する上で行う具体的手続等を規定
第８章	倫理審査委員会に関する規定
第９章	個人情報の保護等に関する規定

生命・医学系指針について

■ 指針の策定経緯

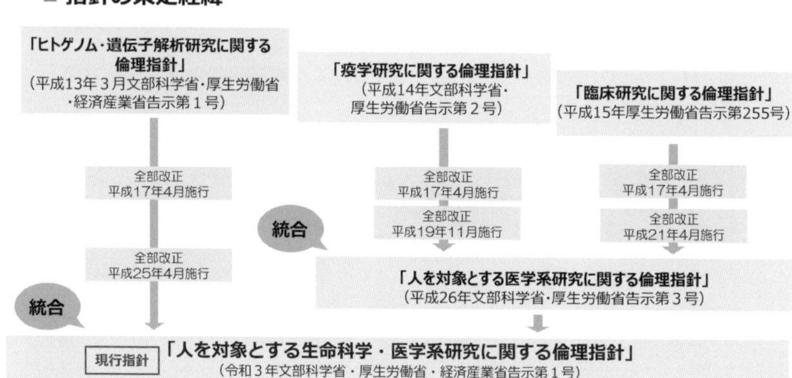

- ○ **令和４年は、個情法の改正（一部を除いて令和４年４月１日施行）を踏まえて見直した指針の一部を改正。**
- ○ **新指針の施行は、改正個情法の施行に合わせ、令和４年４月１日としている。**

個人情報保護法の令和２年度及び３年度改正について

令和2年改正
令和4年4月全面施行

いわゆる３年ごと見直しに基づく改正

利用停止・消去等の拡充、不適正利用の禁止、
越境移転に係る情報提供の充実、「仮名加工情報」の創設等

- ✓ 個人の権利利益の保護と活用の強化
- ✓ 越境データの流通増大に伴う新たなリスクへの対応
- ✓ ＡＩ・ビッグデータ時代への対応　等

令和3年改正
令和4年4月一部施行
（地方部分は令和５年春頃施行）

個人情報保護制度の官民一元化

- ✓ 官民通じた個人情報の保護と活用の強化
- ✓ 医療分野・学術分野における規制の統一
- ✓ 学術研究に係る適用除外規定の見直し　等

出典：第１回生命科学・医学系研究等における個人情報の取扱い等に関する合同会議 資料３-２（個人情報保護員会事務局説明資料）一部改変

個人情報保護法制の官民一元化

○ 個情法、行政機関個人情報保護法、独立行政法人等個人情報保護法の3本の法律を1本の法律に統合するとともに、地方公共団体の個人情報保護制度についても統合後の法律において全国的な共通ルールを規定し、全体の所管を個人情報保護委員会に一元化。

○ 医療分野・学術分野の規制を統一するため、国公立の病院、大学等には原則として民間の病院、大学等と同等の規律を適用。

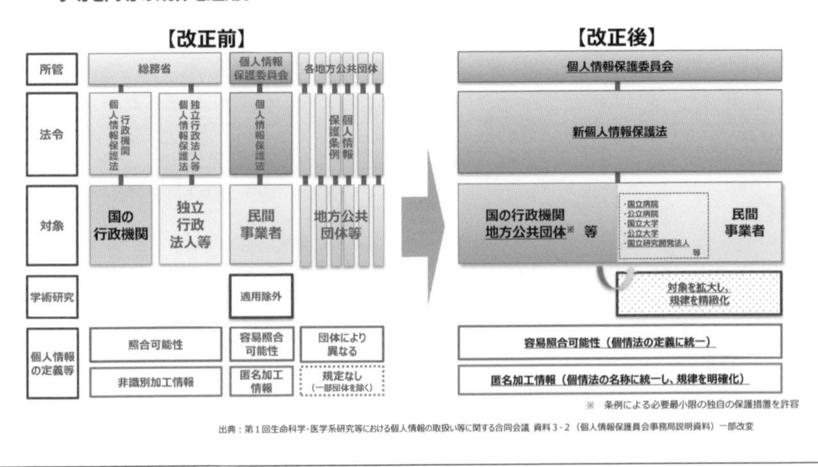

出典：第１回生命科学・医学系研究等における個人情報の取扱い等に関する合同会議 資料３-２（個人情報保護員会事務局説明資料）一部改変

学術例外の精緻化①

○ 一元化を機に、学術研究に係る一律の適用除外規定を見直すこととし、**個別の義務規定ごとに学術研究に係る例外規定を精緻化。**

○ 大学の自治を始めとする学術研究機関等の自律性を尊重する観点から、個情法第146条第１項の趣旨を踏まえ、**学術研究機関等に個人情報を利用した研究の適正な実施に関する自主規範の策定・公表を求めた上で、自主規範に則った個人情報の取扱いについては、**個人情報保護委員会は、原則として、**その監督権限を行使しない**こととされた。

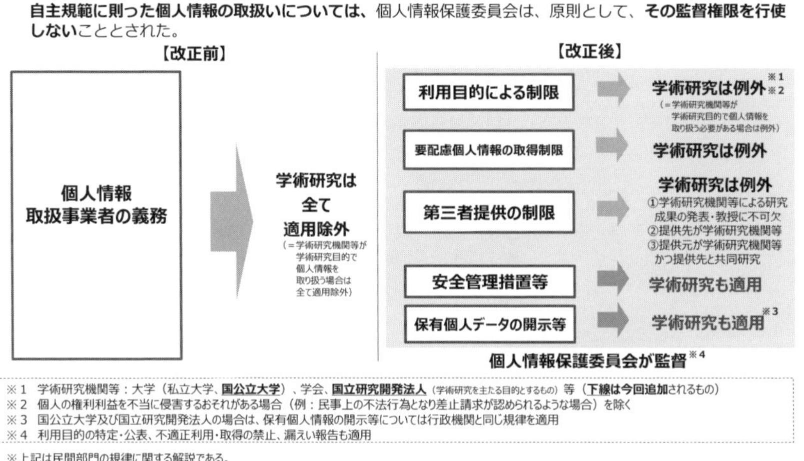

※１　学術研究機関等：大学（私立大学、<u>国公立大学</u>）、学会、<u>国立研究開発法人</u>（学術研究を主たる目的とするもの）等（**下線は今回追加**されるもの）
※２　個人の権利利益を不当に侵害するおそれがある場合（例：民事上の不法行為となり差止請求が認められるような場合）を除く
※３　国公立大学及び国立研究開発法人の場合は、保有個人情報の開示等については行政機関と同じ規律を適用
※４　利用目的の特定･公表、不適正利用･取得の禁止、漏えい報告も適用

※上記は民間部門の規律に関する解説である。

出典：第１回生命科学･医学系研究等における個人情報の取扱い等に関する合同会議 資料３-２（個人情報保護員会事務局説明資料）一部改変

学術例外の精緻化②

■ **個人情報取扱事業者及び個人関連情報取扱事業者の義務（民間部門の規定（第４章第２節））**

- **利用目的の特定**
- **利用目的による制限**
- **不適正な利用の禁止**
- **適正な取得**
- **取得に際しての利用目的の通知等**
- **データ内容の正確性の確保等**
- **安全管理措置**
- **従業者の監督**
- **委託先の監督**
- **漏えい等の報告等**
- **第三者提供の制限**
- **外国にある第三者への提供の制限**
- **第三者提供に係る記録の作成等**
- **第三者提供を受ける際の確認等**
- **個人関連情報の第三者提供の制限等**　　学術例外あり
- **保有個人データに関する事項の公表等**
- **開示**
- **訂正等**　　個情法別表第二に掲げる法人等は適用外（公的部門の規律が適用）
- **利用停止等**
- **理由の説明**
- **開示等の請求等に応じる手続、手数料、事前の請求**
- **個人情報取扱事業者による苦情の処理**

○ これまで、民間部門での個人情報取扱事業者等の義務は、学術研究機関等が学術研究目的で個人情報を取り扱う場合に学術例外として法の規定の一律の適用除外となっていた。

○ 改正後個情法では、このうち、一部の規定のみ、一定の要件を満たす場合に限って、学術例外が認められることになる。

<u>改正後個情法が適用される事項への対応が必要</u>

個情法において**学術例外が適用される規定についても、生命･医学系指針においては、**倫理的な観点から**IC等の手続を規定**しているため、留意が必要。

改正個情法別表第二に掲げる法人等

○ 国立大学法人、医療事業を行う独立行政法人等※における個人情報の取扱い及び独立行政法人労働者健康安全機構の行う病院の運営に係る個人情報の取扱いについては、学術研究機関、医療機関等としての特性を踏まえ、基本的に民間学術研究機関、医療機関等と同様、民間部門における個人情報の取扱いに係る規律が適用される。

■ **※改正個情法別表第二に掲げる法人**
- **沖縄科学技術大学院大学学園**
- **国立研究開発法人**
- **国立大学法人**
- **大学共同利用機関法人**
- **独立行政法人国立病院機構**
- **独立行政法人地域医療機能推進機構**
- **放送大学学園**

○ 他方、政府の一部を構成するとみられる独立行政法人等としての特性を踏まえ、個人情報ファイル、**開示等（開示、訂正及び利用停止）及び匿名加工情報に関する規律については**、行政機関等と同様の**規律が適用**される。

学術例外の考え方①

○ **学術例外が認められる要件は、改正個情法の規定ごとに異なるため、十分に確認することが必要**

例）第三者提供の制限（第二十七条）

個人情報取扱事業者は、次に掲げる場合を除くほか、あらかじめ本人の同意を得ないで、個人データを第三者に提供してはならない。
（略）

五 当該個人情報取扱事業者が学術研究機関等である場合であって、当該個人データの提供が学術研究の成果の公表又は教授のためやむを得ないとき（個人の権利利益を不当に侵害するおそれがある場合を除く。）。

六 当該個人情報取扱事業者が学術研究機関等である場合であって、当該個人データを学術研究目的で提供する必要があるとき（当該個人データを提供する目的の一部が学術研究目的である場合を含み、個人の権利利益を不当に侵害するおそれがある場合を除く。）（当該個人情報取扱事業者と当該第三者が共同して学術研究を行う場合に限る。）。

七 当該第三者が学術研究機関等である場合であって、当該第三者が当該個人データを学術研究目的で取り扱う必要があるとき（当該個人データを取り扱う目的の一部が学術研究目的である場合を含み、個人の権利利益を不当に侵害するおそれがある場合を除く。）。

※上記は民間部門の規律に関する解説である。

学術例外の考え方②

○「学術」とは、人文・社会科学及び自然科学並びにそれらの応用の研究であり、あらゆる学問分野における研究活動及びその所産としての知識・方法の体系をいい、具体的活動としての「学術研究」としては、新しい法則や原理の発見、分析や方法論の確立、新しい知識やその応用法の体系化、先端的な学問領域の開拓などをいう。
○ 製品開発を目的として個人情報を取り扱う場合は、当該活動は、学術研究目的とは解されない。

○ **「学術研究機関等」とは、大学その他の学術研究を目的とする機関若しくは団体又はそれらに属する者をいう。**
○「大学その他の学術研究を目的とする機関若しくは団体」とは、国立・私立大学、公益法人等の研究所等の学術研究を主たる目的として活動する機関や「学会」をいい、「それらに属する者」とは、国立・私立大学の教員、公益法人等の研究所の研究員、学会の会員等をいう。
○ 病院・診療所等の患者に対し直接医療を提供する事業者は「学術研究機関等」に該当しないが、例えば、大学附属病院のように学術研究機関等である大学法人の一部門である場合には、当該大学法人全体として「学術研究」を主たる目的とする機関として、「学術研究機関等」に該当する。

○ **民間団体付属の研究機関等における研究活動**についても、**当該機関が学術研究を主たる目的とするものである場合には、「学術研究機関等」に該当**する。

○ 当該機関が単に製品開発を目的としている場合は「学術研究を目的とする機関又は団体」には該当しないが、**製品開発と学術研究の目的が併存している場合には、主たる目的により判断**する。

※上記は民間部門の規律に関する解説である。

出典：第２回生命科学・医学系研究等における個人情報の取扱い等に関する合同会議 資料１（個人情報保護員会事務局説明資料）一部改変

学術研究機関等の責務

■ 学術研究機関等の責務

改正個情法第５９条

個人情報取扱事業者である学術研究機関等は、学術研究目的で行う個人情報の取扱いについて、この法律の規定を遵守するとともに、その適正を確保するために必要な措置を自ら講じ、かつ、当該措置の内容を公表するよう努めなければならない。

○ 大学の自治を始めとする学術研究機関等の自律性に鑑みれば、学術研究機関等の自律的な判断を原則として尊重する必要があると考えられる。このため、**学術研究機関等が、個人情報を利用した研究の適正な実施のための自主規範を単独又は共同して策定・公表した場合**であって、当該自主規範の内容が個人の権利利益の保護の観点から適切であり、その取扱いが当該自主規範に則っているときは、法第146条第１項の趣旨を踏まえ、**個人情報保護委員会は、これを尊重**する。
○ ただし、自主規範に則った個人情報の取扱いであっても、本人の権利利益を不当に侵害するおそれがある場合には、原則として、個人情報保護委員会は、その監督権限を行使する。

（参考）改正個情法第146条第１項

委員会は、前三条の規定により個人情報取扱事業者等に対し報告若しくは資料の提出の要求、立入検査、指導、助言、勧告又は命令を行うに当たっては、表現の自由、学問の自由、信教の自由及び政治活動の自由を妨げてはならない。

※ 学術例外規定の対象とならない場合は、改正個情法の規律に従った取扱いを遵守する必要があるが、例外規定の対象にならない事項も含めて、自主規範に個人情報の取扱いを定めることは排除されない。

※上記は民間部門の規律に関する解説である。

仮名加工情報、個人関連情報の創設

■ 仮名加工情報

○ **他の情報と照合しない限り特定の個人を識別できないよう、個人情報保護委員会が定める基準に従い、個人情報を加工して得られる個人に関する情報。**

※一定の安全性を確保しつつ、データとしての有用性を、加工前の個人情報と同等程度に保つことにより、匿名加工情報よりも詳細な分析を比較的簡便な加工方法で実施し得るものとして、利活用しようとするニーズが高まっていることを背景として創設。

○ **「仮名加工情報」の利用にあたり、内部分析に限定する等を条件に、開示・利用停止請求への対応等の義務を緩和。**

個人情報
氏名／年齢／年月日／時刻／金額／店舗

他の情報と照合しない限り特定の個人を識別できないように加工

仮名加工情報
仮ＩＤ／年齢／年月日／時刻／金額／店舗

（ご参考）想定される活用例

1. **当初の利用目的には該当しない目的**や、該当するか**判断が難しい新たな目的**での内部分析
   ① **医療・製薬分野等における研究**
   ② 不正検知・売上予測等の機械学習モデルの学習
2. 利用目的を達成した個人情報について、将来的に**統計分析に利用**する可能性があるため、**仮名加工情報として加工した上で保管**

■ 個人関連情報

○ **個人情報、仮名加工情報、匿名加工情報のいずれにも該当しない生存する個人に関する情報。**

※ユーザーデータを大量に集積し、それを瞬時に突合して個人データとする技術が発展・普及したことにより、提供先において個人データとなることをあらかじめ知りながら非個人情報として第三者に提供するという、個情法第27条（第三者提供の制限）の規定の趣旨を潜脱するスキームが横行しつつあり、こうした本人関与のない個人情報の収集方法が広まることが懸念されることを背景として創設。

○ **「個人関連情報」の第三者提供にあたり、提供元では個人データに該当しないものの、提供先において個人データとなることが想定される情報の第三者提供について、本人同意が得られていること等の確認を義務付け。**

出典：第１回生命科学・医学系研究等における個人情報の取扱い等に関する合同会議 資料３-２（個人情報保護委員会事務局説明資料）一部改変

外国にある第三者への提供

■ 越境移転に係る情報提供の充実

○ 外国にある第三者への個人データの提供時に、移転先事業者における個人情報の取扱いに関する本人への情報提供の充実等を求める。

【背景】 近年、一部の国において国家管理的規制がみられるようになっており、個人情報の越境移転の機会が広がる中で、国や地域における制度の相違は、個人やデータを取り扱う事業者の予見可能性を不安定なものとし、個人の権利利益の保護の観点からの懸念も生じる。

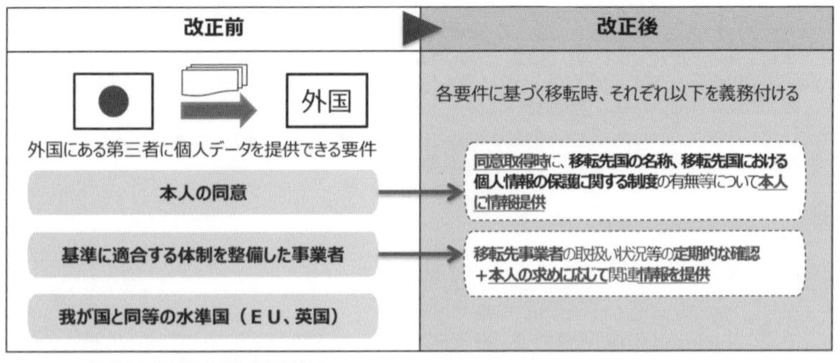

※この他、「法令に基づく場合」等の例外要件あり。

※上記は民間部門の規律に関する解説である。

出典：第１回生命科学・医学系研究等における個人情報の取扱い等に関する合同会議 資料３-２（個人情報保護委員会事務局説明資料）一部改変

人を対象とする生命科学・医学系研究に関する倫理指針 令和５年改正について

文部科学省

厚生労働省

経済産業省

令和５年4月

生命・医学系指針改正の経緯

令和４年６月 「生命科学・医学系研究等における個人情報の取扱い等に関する合同会議」※ にて見直しの検討開始

※ 指針を所管する３省の以下の委員会等の合同開催

- 文部科学省　科学技術・学術審議会
  生命倫理・安全部会
  －人を対象とする医学系研究等の倫理指針に関する専門委員会
- 厚生労働省　厚生科学審議会
  科学技術部会
  －　医学研究における個人情報の取扱いの在り方に関する専門委員会
  再生医療等評価部会
  －　遺伝子治療等臨床研究における個人情報の取扱いの在り方に関する専門委員会
- 経済産業省　産業構造審議会
  商務流通情報分科会　バイオ小委員会
  －　個人遺伝情報保護ワーキンググループ

令和４年９月26日　合同会議、TF※の議論を経て、見直しの方向性とりまとめを公表

※合同会議の下に設置された「生命科学・医学系研究等における個人情報の取扱い等に関する合同会議タスクフォース」

令和４年11月28日～12月27日　指針改正案（概要）のパブリック・コメントを実施

令和５年１月26日　合同会議開催

令和５年3月27日　指針の改正告示

7月　1日　指針の施行

生命・医学系指針の主な改正内容（目次）

1. 「適切な同意」の定義の適正化
2. 指針の適用範囲の明確化
   - 日本国外にある研究者等に試料・情報の提供を行う場合
3. インフォームド・コンセント（ＩＣ）等手続の見直し
   - 仮名加工情報の利用に係る手続
   - 同意を受ける時点で特定されなかった研究の既存試料・情報の提供に係る手続
   - オプトアウト※により、既存試料を自機関利用・他機関提供する場合の要件
   - 既存試料・情報に係るIC手続の簡略化規定
   - 同意を受ける時点では特定されない将来の研究のために用いられる又は他の研究機関に提供する可能性がある場合の同意取得時の説明事項
4. オプトアウト手続の見直し
   - 研究機関の長等の責務
   - 研究対象者等への通知等事項の追加
5. 外国の研究機関に提供する場合の情報提供等の見直し

※ 所定の事項を研究対象者等に通知又は容易に知り得る状態に置く＋研究対象者等が拒否する機会を保障する

生命・医学系指針の主な改正内容

1. 「適切な同意」の定義の適正化【指針第２(23)】
   - □ 生命・医学系指針における「適切な同意」には、黙示の同意は含まれず、個人情報保護法の「本人の同意」を満たすものであることが明確となるよう、定義の記載を適正化

2. 指針の適用範囲の明確化
   - **日本国外にある研究者等に試料・情報の提供を行う場合 【指針第3の3】**
     - □ 日本の研究機関との共同研究でない研究や、日本の研究者等が参加していない日本国外の研究であって、日本国内から日本国外の研究者等に試料・情報を提供する場合も、指針の適用対象となることを明確化

生命・医学系指針の主な改正内容

3．インフォームド・コンセント（ＩＣ）等手続の見直し

① 仮名加工情報の利用に係る手続【指針第８の1⑵】

- 自機関で保有している既存の情報から、新たに仮名加工情報を作成して研究に利用する場合は、オプトアウト手続によることも可能とする

② 同意を受ける時点で特定されなかった研究の既存試料・情報の提供に係る手続【指針第８の１⑶】

- 包括的に同意を受けた既存試料・情報を用いて研究を実施する場合、その後、当該同意を受けた範囲内における研究の内容・提供先等が特定されたときは、当該研究の内容に係る研究計画書の作成又は変更を行い、オプトアウト手続を実施することを条件に、提供を可能とする

※ 補足）第８の７に規定していた自機関利用に係る同様の規定は第８の１⑵に移動。

生命・医学系指針の主な改正内容

3．インフォームド・コンセント（ＩＣ）等手続の見直し　-続き-

③ オプトアウトにより、既存試料を自機関利用・他機関提供する場合の要件【指針第８の1⑵・⑶】

- オプトアウトにより、既存試料・情報を自機関利用するための要件として課されていた、「社会的に重要性の高い研究に当該既存試料・情報が利用される場合」という要件については、「当該既存試料を用いなければ研究の実施が困難である場合」という要件に改める
- オプトアウトにより、既存試料・情報を他機関提供する場合についても、上記要件を課すこととする

④ 既存試料・情報に係るIC手続の簡略化規定【指針第８の１⑶・⑷・⑸・⑹】

- 既存試料・情報の提供に係る簡略化規定は削除し、オプトアウト手続とする

⑤ 同意を受ける時点では特定されない将来の研究のために用いられる又は他の研究機関に提供する可能性がある場合の同意取得時の説明事項【指針第８の５】

- 同意を受ける時点では特定されなかった研究を行うことが想定される場合の研究又は提供先の情報における確認方法を追加

生命・医学系指針の主な改正内容

4. オプトアウト手続の見直し

- **研究機関の長等の責務【指針第5の2⑶、第8の1⑷】**
  - □ オプトアウトの適切な実施に向けた環境整備（見やすいホームページの整備など）を、研究機関の長及び既存試料・情報の提供を行う機関の長の責務として新たに位置づける
- **研究対象者等への通知等事項の追加【指針第8の6】**
  - □ 研究又は第三者提供の開始予定日を追加

5. 外国の研究機関に提供する場合の情報提供等の見直し【指針第8の1⑹】

□ 簡略化規定やオプトアウト手続による場合も、移転先国の名称等の情報提供を行うこととする

IC手続① 新たに試料・情報を取得して研究を実施する場合 (第8の1⑴)

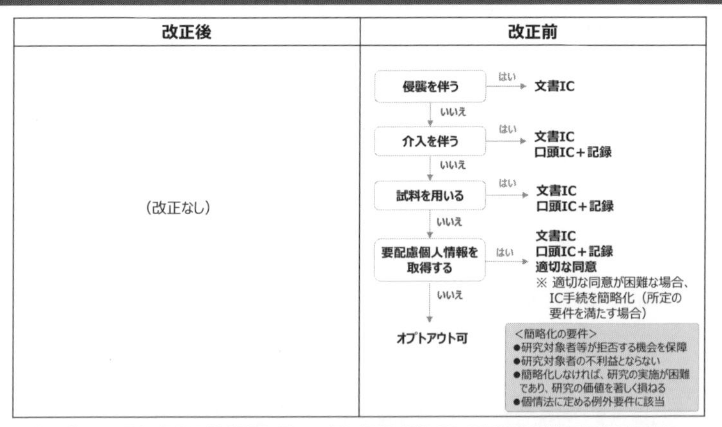

注：オプトアウト＝所定の事項を研究対象者等に通知又は容易に知り得る状態に置く＋研究対象者等が拒否する機会を保障する
※個情法上のオプトアウトとは異なり、個人情報保護委員会への届出等の手続は不要

フローチャートは、指針に規定される内容をわかりやすく示したものであり、指針の規定が網羅的に反映されているものではないため、研究を実施する際には指針本文及びガイダンスをご参照ください。

IC手続②-1 自らの機関において保有している既存試料・情報を用いて研究を実施する場合（試料を用いる研究） （第８の１⑵ア）

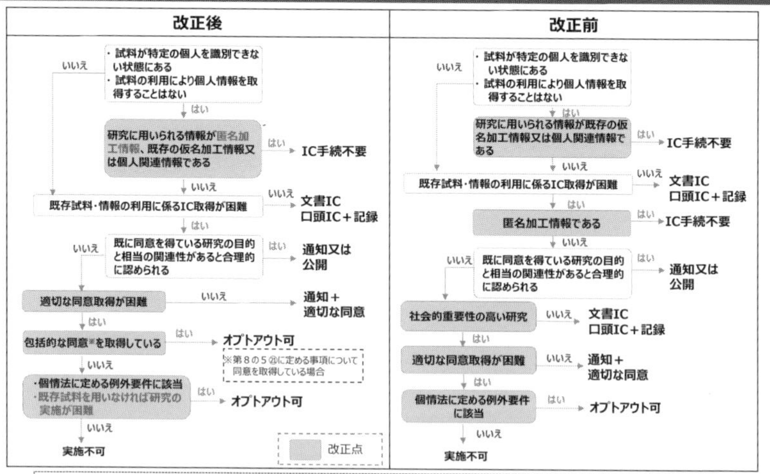

フローチャートは、指針に規定される内容をわかりやすく示したものであり、指針の規定が網羅的に反映されているものではないため、研究を実施する際には指針本文及びガイダンスをご参照ください。

IC手続②-2 自らの機関において保有している既存試料・情報を用いて研究を実施する場合（試料を用いない研究） （第８の１⑵イ）

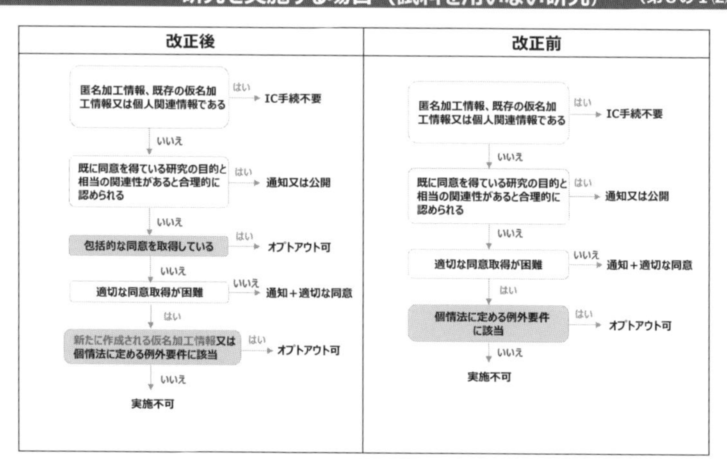

フローチャートは、指針に規定される内容をわかりやすく示したものであり、指針の規定が網羅的に反映されているものではないため、研究を実施する際には指針本文及びガイダンスをご参照ください。

IC手続③-1 他の研究機関に既存試料・情報を提供する場合 (試料、要配慮個人情報を提供する場合) (第8の1⑶ア)

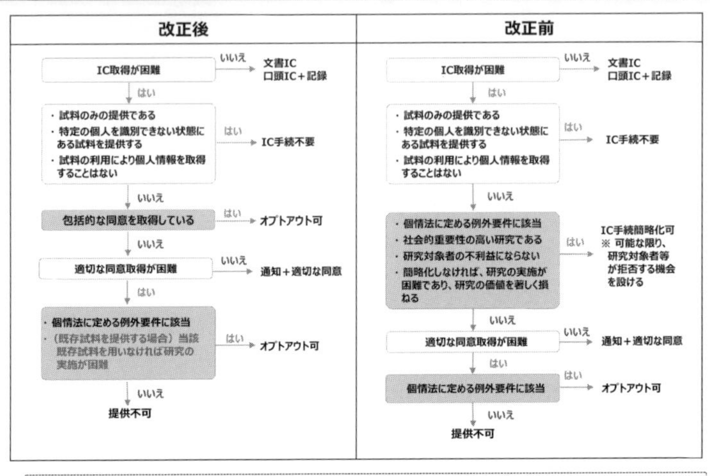

フローチャートは、指針に規定される内容をわかりやすく示したものであり、指針の規定が網羅的に反映されているものではないため、研究を実施する際には指針本文及びガイダンスをご参照ください。

IC手続③-2 他の研究機関に既存試料・情報を提供する場合 (試料、要配慮個人情報以外を提供する場合) (第8の1⑶イ)

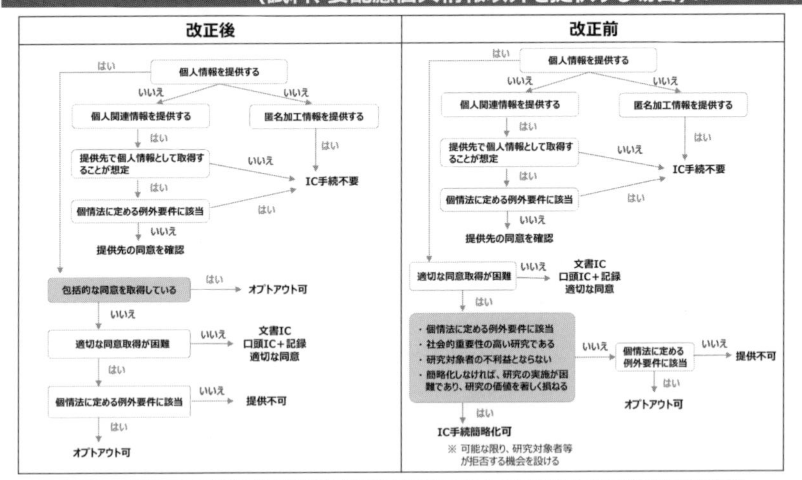

フローチャートは、指針に規定される内容をわかりやすく示したものであり、指針の規定が網羅的に反映されているものではないため、研究を実施する際には指針本文及びガイダンスをご参照ください。

IC手続④-1　第8の1⑶の手続に基づき既存試料・情報の提供を受けて研究を実施しようとする場合（試料、要配慮個人情報の提供を受ける場合）（第８の１⑸）

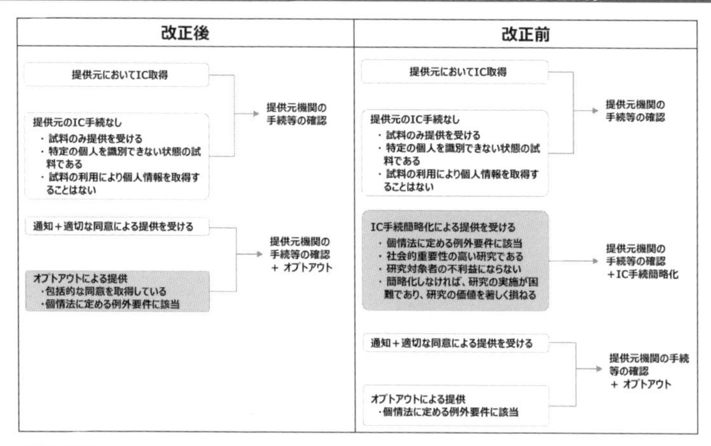

フローチャートは、指針に規定される内容をわかりやすく示したものであり、指針の規定が網羅的に反映されているものではないため、研究を実施する際には指針本文及びガイダンスをご参照ください。

IC手続④-２　第8の1⑶の手続に基づき既存試料・情報の提供を受けて研究を実施しようとする場合（試料、要配慮個人情報以外の提供を受ける場合）（第８の１⑸）

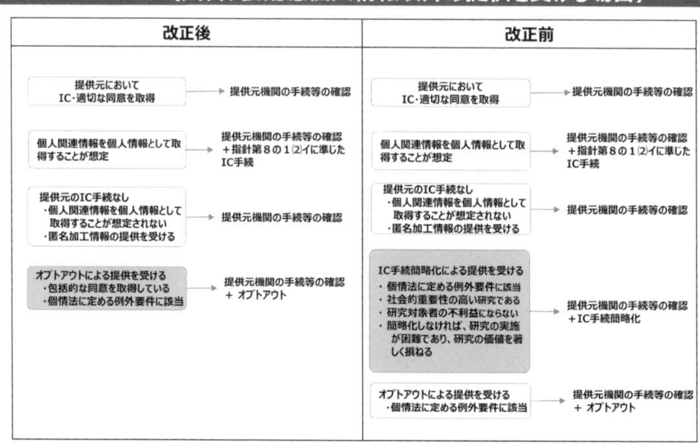

フローチャートは、指針に規定される内容をわかりやすく示したものであり、指針の規定が網羅的に反映されているものではないため、研究を実施する際には指針本文及びガイダンスをご参照ください。

IC手続⑤ 外国にある者へ試料・情報を提供する場合の取扱い（国内でのIC【第8の1⑴、⑶、⑷】に加えて行う手続） （第8の1⑹）

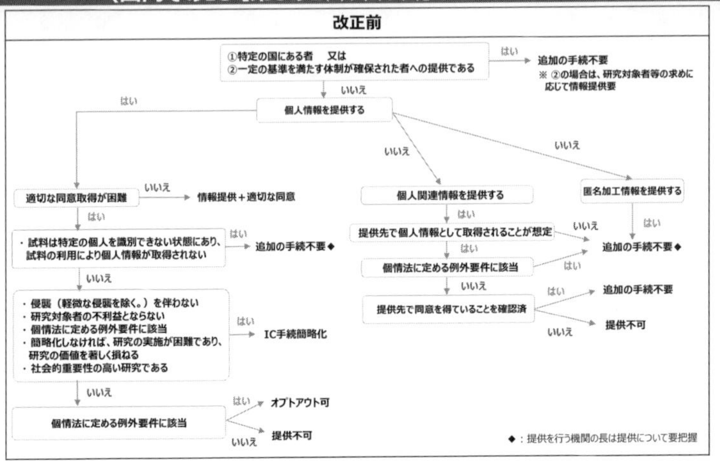

フローチャートは、指針に規定される内容をわかりやすく示したものであり、指針の規定が網羅的に反映されているものではないため、研究を実施する際には指針本文及びガイダンスをご参照ください。

IC手続⑤ 外国にある者へ試料・情報を提供する場合の取扱い（国内でのIC【第8の1⑴、⑶、⑷】に加えて行う手続） （第8の1⑹）

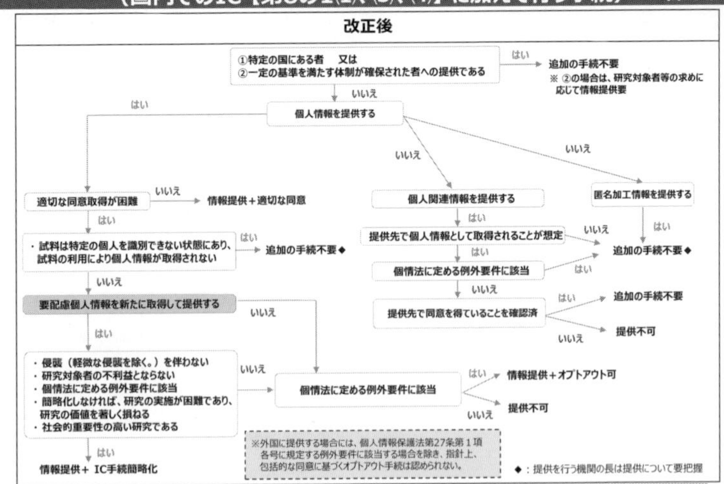

フローチャートは、指針に規定される内容をわかりやすく示したものであり、指針の規定が網羅的に反映されているものではないため、研究を実施する際には指針本文及びガイダンスをご参照ください。

お問合せ先

- **指針及びガイダンスについてのご質問は、下記までご連絡ください。**

（問合せ先）

文部科学省　研究振興局ライフサイエンス課生命倫理・安全対策室
bio-med@mext.go.jp

厚生労働省　大臣官房厚生科学課
厚生労働省　医政局研究開発政策課
ethics@mhlw.go.jp

経済産業省　商務・サービスグループヘルスケア産業課
bzl-ethics@meti.go.jp

（参考資料）

生命・医学系指針について

○ 人を対象とする生命科学・医学系研究は、国民の健康の保持増進、患者の傷病からの回復、生活の質の向上に大きく貢献。

○ 他方で、研究対象者の身体及び精神などに大きな影響を与え、新たな倫理的・法的・社会的課題を招く可能性。

我が国では、学問の自由を尊重しつつ、人を対象とする生命科学・医学系研究が人間の尊厳及び人権を尊重して適正かつ円滑に行われるための制度的枠組みとして生命・医学系指針を策定。

生命・医学系指針が踏まえる主な規範

- 日本国憲法
- 個人情報の保護に関する関係法令※
- 世界医師会「ヘルシンキ宣言」
- 科学技術会議生命倫理委員会「ヒトゲノム研究に関する基本原則」

※ 個人情報の保護に関する法律（平成15年法律第57号）及び関連政省令

○ **研究対象や手法の多様化、生命科学・医学や医療技術の進展を踏まえて、規制範囲や方法等について継続的に見直しを行っていくことが必要。**

生命・医学系指針について

■指針の目的

この指針は、人を対象とする生命科学・医学系研究に携わる全ての関係者が遵守すべき事項を定めることにより、人間の尊厳及び人権が守られ、研究の適正な推進が図られるようにすることを目的とする。

基本方針： ① 社会的及び学術的意義を有する研究を実施すること
② 研究分野の特性に応じた科学的合理性を確保すること
③ 研究により得られる利益及び研究対象者への負担その他の不利益を比較考量すること
④ 独立した公正な立場にある倫理審査委員会の審査を受けること
⑤ 研究対象者への事前の十分な説明を行うとともに、自由な意思に基づく同意を得ること
⑥ 社会的に弱い立場にある者への特別な配慮をすること
⑦ 研究に利用する個人情報等を適切に管理すること
⑧ 研究の質及び透明性を確保すること

生命・医学系指針について

■指針における「人を対象とする生命科学・医学系研究」とは（定義）

人を対象として、次のア又はイを目的として実施される活動をいう。

ア 次の①、②、③又は④を通じて、国民の健康の保持増進又は患者の傷病からの回復若しくは生活の質の向上に資する知識を得ること
① 傷病の成因（健康に関する様々な事象の頻度及び分布並びにそれらに影響を与える要因を含む。）の理解
② 病態の理解
③ 傷病の予防方法の改善又は有効性の検証
④ 医療における診断方法及び治療方法の改善又は有効性の検証

イ 人由来の試料・情報を用いて、ヒトゲノム及び遺伝子の構造又は機能並びに遺伝子の変異又は発現に関する知識を得ること

具体的には…

- **人の基本的生命現象（遺伝、発生、免疫等）の解明**
- **医学系研究**
  （例）医科学、臨床医学、公衆衛生学、予防医学、歯学、薬学、看護学、リハビリテーション学、検査学、医工学のほか、介護・福祉分野、食品衛生・栄養分野、環境衛生分野、労働安全衛生分野等で、個人の健康に関する情報を用いた疫学的手法による研究及び質的研究、ＡＩを用いたこれらの研究
- **ヒトゲノム・遺伝子解析研究**
  （例）人類遺伝学等の自然人類学、人文学分野においてヒトゲノム及び遺伝子の情報を用いた研究

※ 医療、介護・福祉等に関するものであっても、医事法や社会福祉学など人文・社会科学分野の研究の中には「医学系研究」に含まれないものもある。

生命・医学系指針について

■ 指針の構成

総論

前文
第１章　総則
　第１ 目的及び基本方針
　第２ 用語の定義
　第３ 適用範囲

責務

第２章　研究者等の責務等
　第４ 研究者等の基本的責務
　第５ 研究機関の長の責務等

手続

第３章　研究の適正な実施等
　第６ 研究計画書に関する手続
　第７ 研究計画書の記載事項
第４章　インフォームド・コンセント等
　第８ インフォームド・コンセントを受ける手続等
　第９ 代諾者等からインフォームド・コンセントを受ける場合の手続等
第５章　研究により得られた結果等の取扱い
　第10 研究により得られた結果等の説明
第６章　研究の信頼性確保
　第11 研究に係る適切な対応と報告
　第12 利益相反の管理
　第13 研究に係る試料及び情報等の保管
　第14 モニタリング及び監査
第７章　重篤な有害事象への対応
　第15 重篤な有害事象への対応

倫理審査

第８章　倫理審査委員会
　第16 倫理審査委員会の設置等
　第17 倫理審査委員会の役割・責務等

個人情報保護等

第９章　個人情報等、試料及び死者の試料・情報に係る基本的責務
　第18 個人情報の保護等

第１章	総論的な指針の概念や、用語の定義などを規定
第２章	研究を実施する上で遵守すべき責務や考え方を規定
第３～７章	研究者等が研究を実施する上で行う具体的手続等を規定
第８章	倫理審査委員会に関する規定
第９章	個人情報の保護等に関する規定

生命・医学系指針について

■ 指針の策定経緯

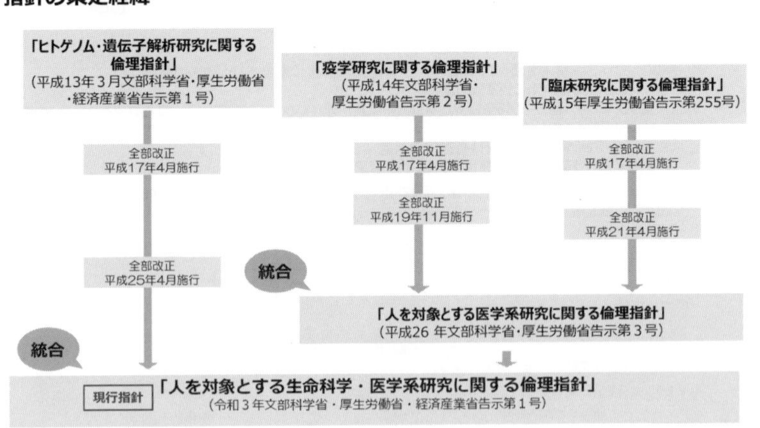

人を対象とする生命科学・医学系研究に関する倫理指針ハンドブック　改訂版

2023年9月20日　第1刷発行

発　行　株式会社薬事日報社　https://www.yakuji.co.jp/
[本社] 東京都千代田区神田和泉町1番地　電話 03-3862-2141
[支社] 大阪市中央区道修町2-1-10　電話 06-6203-4191

デザイン・印刷　永和印刷株式会社

ISBN 978-4-8408-1627-4